Imposible

Danielle Steel

Imposible

Traducción de
Cruz Rodríguez Juiz

Círculo de Lectores

*A mis excepcionalmente maravillosos y cariñosos hijos,
Beatrix, Trevor, Todd, Nick, Samantha, Victoria, Vanessa,
Maxx y Zara, que no sólo hacen mi vida posible, sino
divertida, feliz y adorable en todos los sentidos. Me siento muy
afortunada y dichosa de teneros a vosotros y las risas, el amor
y los momentos de ternura que tan a menudo compartimos.
Os celebro, agradezco y aprecio más de lo que jamás
podré explicar con palabras. Que algún día seáis
tan dichosos como yo con unos hijos como vosotros.*

Con todo mi amor,

MAMÁ

–No –dijo el principito–. Busco amigos. ¿Qué significa «domesticar»?

–Es una cosa demasiado olvidada –dijo el zorro–. Significa «crear lazos».

–¿Crear lazos?

–Sí –dijo el zorro–. Para mí no eres todavía más que un muchachito semejante a cien mil muchachitos. Y no te necesito. Y tú tampoco me necesitas. No soy para ti más que un zorro semejante a cien mil zorros. Pero, si me domesticas, tendremos necesidad el uno del otro. Serás para mí único en el mundo. Seré para ti único en el mundo...

[...]

–Mi vida es monótona. Cazo gallinas, los hombres me cazan. Todas las gallinas se parecen y todos los hombres se parecen. Me aburro, pues, un poco. Pero, si me domesticas, mi vida se llenará de sol. Conoceré un ruido de pasos que será diferente de todos los otros. Los otros pasos me hacen esconder bajo la tierra. El tuyo me llamará fuera de la madriguera, como una música.

[...]

El zorro calló y miró largo tiempo al principito.

–¡Por favor... domestícame! –dijo.

–Bien lo quisiera –respondió el principito–, pero no tengo mucho tiempo. Tengo que encontrar amigos y conocer muchas cosas.

–Sólo se conocen las cosas que se domestican –dijo el zorro–. Los hombres ya no tienen tiempo de conocer nada. Compran cosas hechas a los mercaderes. Pero como no existen mercaderes de amigos, los hombres ya no tienen amigos. Si quieres un amigo, ¡domestícame!

–¿Qué hay que hacer? –dijo el principito.

–Hay que ser muy paciente –respondió el zorro–. Te sentarás al principio un poco lejos de mí, así, en la hierba. Te miraré de reojo y no dirás nada. La palabra es fuente de malentendidos. Pero, cada día, podrás sentarte un poco más cerca...

ANTOINE DE SAINT-EXUPÉRY,
El principito

Si tú me amansas
y yo te amanso,
no perderás
tu naturaleza salvaje
y tu magia,
tu libertad,
el aire
que respiras,
no perdido
sino hallado.

Cuando estemos
amansados
y unidos
en silencio,
tu podrás
buscarme
y yo por fin
te habré
encontrado.

d.s.

La galería Suvery de París ocupaba un edificio impresionante, un elegante *hôtel particulier* del siglo XVIII del *faubourg* Saint-Honoré. Los coleccionistas entraban, previa cita, directamente al patio interior por unas inmensas puertas de bronce. Enfrente encontraban la galería principal y a la izquierda las oficinas de Simon de Suvery, el propietario. A la derecha estaba la aportación de su hija a la galería: el ala contemporánea. Detrás de la casa se extendía un elegante jardín lleno de esculturas, en su mayoría de Rodin. Simon de Suvery llevaba allí más de cuarenta años. Su padre, Antoine, había sido uno de los coleccionistas más importantes de Europa y Simon se especializó en pintura del Renacimiento y de los maestros holandeses antes de abrir la galería. Ahora le consultaban museos de toda Europa, le respetaban los coleccionistas privados y le admiraba y le temía todo el que le conocía.

Simon de Suvery tenía un físico imponente, un cuerpo alto y fornido de rasgos severos y ojos negros que te atravesaban hasta el alma. No había mostrado prisa por casarse. De joven estaba demasiado ocupado montando su negocio para desperdiciar el tiempo en romances. A los cuarenta años se casó con la hija de un importante coleccionista estadounidense. Fue una unión dichosa y feliz. Marjorie de Suvery jamás participó directamente en la galería, consolidada antes de su matrimonio con Simon. A ella la galería le fascinaba y admiraba las obras que Simon le mostraba. Amaba a su marido profundamente y por tanto sentía un gran interés por todo lo que hacía. Marjorie era artista, pero jamás le gustó mostrar su obra. Pintaba refinados paisajes y retratos que a menudo regalaba a las amistades. La verdad es que a su marido le gustaba su obra pero sin llegar a impresionarlo. Simon era inflexible en sus elecciones y despiadado en las decisiones que afectaban a la galería. Tenía una voluntad de hierro, una mente afilada como un diamante, un agudo sentido para los negocios y, enterrado muy por debajo de la superficie, bien escondido a todas horas, un gran corazón. Al menos eso aseguraba Marjorie. Aunque no todo el mundo la creía. Simon era justo con sus empleados, honesto con los clientes e implacable cuando deseaba algo que en su opinión la galería debía poseer. En ocasiones tardaba años en adquirir un cuadro o una escultura en particular, pero no descansaba hasta conseguirlo. A su mujer, antes de casarse, la persiguió de modo bastante similar. Y una vez la hubo conseguido la guardó como un tesoro, casi para él solo. Simon sólo hacía vida social cuando se veía obligado y recibía a los clientes en un ala de la casa.

Los Suvery decidieron tener hijos tarde. De hecho, la decisión fue de Simon; esperaron diez años para concebir. Consciente de cuánto anhelaba un hijo su mujer, Simon terminó por acceder a sus deseos y sólo se llevó una leve decepción cuando Marjorie dio a luz a una niña en lugar de a un varón. Cuando nació Sasha, Simon tenía cincuenta años y Marjorie treinta y nueve. Sasha se convirtió de inmediato en la razón de vivir de su madre. Siempre estaban juntas. Marjorie pasaba horas con la niña, riéndose y arrullándola, jugando con ella en el jardín. Casi se puso de luto cuando su hija empezó el colegio y tuvieron que separarse. Sasha era una criatura bonita y deliciosa. Tenía la belleza morena de su padre y la delicadeza etérea de su madre. Marjorie era una mujer rubia de aspecto angelical y ojos azules que recordaba a una *madonna* de una pintura italiana. Sasha tenía los rasgos delicados de su madre y el pelo y los ojos oscuros de su padre, pero a diferencia de uno y otra era frágil y menuda. Su padre solía hacerla rabiar diciéndole que parecía la miniatura de una niña. Pero el alma de Sasha no era nada pequeña, al contrario, poseía la fuerza y la voluntad férrea de su padre, la calidez y la ternura de su madre y la franqueza que muy pronto aprendió de Simon. La niña tuvo que cumplir cuatro o cinco años para que su padre se fijara de verdad en ella, y en cuanto lo hizo, sólo le habló de arte. En sus ratos libres Simon paseaba con ella por la galería; le nombraba títulos y maestros, y le mostraba sus obras en libros de arte con el objeto de que la niña recordara los nombres y, en cuanto aprendiera a escribir, los deletreara. En lugar de rebelarse, Sasha se empapó de todo, retuvo hasta el último dato de información proporcionado por su padre. Simon estaba muy orgulloso de ella. Y cada vez más enamorado de su esposa; sin embargo, ésta enfermó a los tres años de dar a luz.

La enfermedad de Marjorie empezó como un misterio que desconcertaba a todos los médicos. Simon creía en secreto que era psicosomática. Él no tenía paciencia con la enfermedad ni con la debilidad y opinaba que lo físico podía siempre dominarse y superarse. Pero en lugar de mejorar, la salud de Marjorie se debilitó cada vez más. Pasó todo un año hasta que en Londres le dieron un diagnóstico que después se confirmó en Nueva York. Marjorie sufría una enfermedad degenerativa poco común que le atacaba los nervios y los músculos y terminaría por afectar a los pulmones y al corazón. Simon no aceptó el pronóstico y Marjorie lo encaró con valentía; se quejaba poco, hacía cuanto la enfermedad le consentía, pasaba todo el tiempo que sus fuerzas le permitían con su marido y su hija y entre una cosa y otra descansaba. La enfermedad nunca quebrantó su espíritu pero al final, tal como le habían pronosticado, el cuerpo sucumbió. Quedó postrada en la cama cuando Sasha tenía siete años y murió al poco de que la niña cumpliera los nueve. Pese a todas las advertencias de los médicos, Simon se quedó atónito. Igual que Sasha. Sus padres no la habían preparado para aceptar la muerte de su madre. Tanto Sasha como Simon se habían acostumbrado a que Marjorie se interesara por todo lo que hacían y participara en sus vidas incluso postrada en cama. Su repentina desaparición cayó sobre ellos como un mazazo y Sasha y su padre se unieron como no lo habían estado nunca. Sasha reemplazó a la galería como centro de la vida de su padre.

Sasha creció comiendo, bebiendo, durmiendo y amando el arte. Era todo lo que sabía, todo lo que hacía, todo lo que quería aparte de a su padre. Sentía por él la misma devoción que él por ella. Incluso de niña sabía tanto de la galería y su complicado e intrigante funcionamiento como cualquiera de los empleados. A veces a Simon le parecía que, aunque era una niña, ya era más lista y mucho más creativa que cualquiera de sus trabajadores. La única cosa que preocupaba al padre, y no se molestaba en disimularlo, era la creciente pasión de Sasha por el arte moderno y contemporáneo. El arte contemporáneo en particular le irritaba considerablemente y no dudaba en calificarlo de basura, ya fuera en público o en privado. Simon sólo amaba y respetaba a los grandes maestros; a nadie más.

Como su padre antes que ella, Sasha estudió en la Sorbona y se licenció en historia del arte. Y tal como le había prometido a su madre, realizó el doctorado en la universidad neoyorquina de Columbia. Después completó su formación con dos años de prácticas en el Metropolitan Museum of Art. Durante ese período neoyorquino regresaba con frecuencia a París, a veces sólo para pasar el fin de semana, y Simon iba a visitarla a Nueva York siempre que podía. A él le servía de excusa para visitar a clientes además de museos y coleccionistas de Estados Unidos. Lo que más deseaba en el mundo era que Sasha regresara a casa. Simon estuvo irritable e impaciente todos los años que su hija pasó en Nueva York.

Pero lo que jamás habría previsto Simon fue la aparición de Arthur Boardman en la vida de su hija. Sasha le conoció la primera semana de doctorado en Columbia. Por entonces Sasha tenía veintidós años y al cabo de seis meses se casó con Arthur pese a las quejumbrosas protestas de su padre. Al principio, a Simon le horrorizó la idea de que su hija se casara tan joven y lo único que lo calmó y consiguió que diera su consentimiento al matrimonio fue que Arthur le garantizó que en cuanto Sasha completara sus estudios y prácticas en Nueva York, ambos se mudarían a París. Simon estuvo a punto de hacérselo firmar con sangre. Pero no pudo resistirse al ver qué feliz era su hija. Al final aceptó que Arthur Boardman era un buen hombre y que era adecuado para Sasha.

Arthur tenía treinta y dos años, diez más que Sasha. Había estudiado en Princeton y tenía un máster en administración de empresas por Harvard. Ocupaba un importante puesto en un banco de inversiones de Wall Street que, detalle muy conveniente, tenía sucursal en París. Al principio de casarse empezó a presionar para conseguir dirigirla. Al cabo de un año nació su hijo Xavier. Dos años después, Tatianna. Pese a todo, Sasha no aflojó el ritmo de sus estudios. Milagrosamente, ambos bebés llegaron en verano, justo después de que su madre terminara las clases. Sasha contrató a una niñera para que la ayudara mientras estaba en clase o trabajando en el museo. Era capaz de atender varios asuntos a la vez; lo había aprendido de niña observando a su padre en la galería. Le encantaba llevar una vida ocupada, y adoraba a Arthur y a sus dos hijos. Y aunque Simon se mostró al principio un abuelo un tanto distante, enseguida se adaptó. Eran una delicia de niños.

Sasha les dedicaba todo su tiempo libre; les cantaba las mismas canciones y les enseñaba los mismos juegos que había compartido con su madre. De hecho, Tatianna se parecía tanto a su abuela materna que al principio incomodaba a su abuelo, pero a medida que la niña fue creciendo éste se aficionó a sentarse a contemplarla y pensar en su difunta esposa. Era como si hubiera renacido en aquella niñita.

Fiel a su palabra, Arthur se trasladó con su familia a París en cuanto Sasha concluyó los dos años de prácticas en el Metropolitan de Nueva York. Con sólo treinta y seis años consiguió que el banco le entregara la sucursal de París y depositara en él toda su confianza, como Sasha. Ella estaría aún más ocupada en París de lo que había estado en Nueva York, donde sólo trabajaba media jornada en el museo y destinaba el resto del día a atender a sus hijos. En París, trabajaría en la galería con su padre. Ahora estaba preparada. Simon se había avenido a dejarla salir a las tres para que pudiera estar con los niños. Además, sabía que la vida social de su marido le ocuparía mucho tiempo. Regresó a París victoriosa, educada, emocionada e inasequible al desaliento, y contentísima de estar de nuevo en casa. Igual que Simon lo estaba de tenerla de vuelta y además trabajando con él. Había esperado ese momento veintiséis años y por fin había llegado para felicidad de ambas partes.

Simon mantenía la apariencia severa de cuando Sasha era niña, pero incluso Arthur notó tras instalarse en París que la edad lo ablandaba de manera casi imperceptible. Hasta charlaba con sus nietos de vez en cuando, aunque la mayoría de las veces que iba a visitarlos prefería sentarse y observarlos. Jamás se había sentido cómodo entre niños, ni siquiera cuando Sasha era pequeña. Simon tenía setenta y seis años cuando su hija regresó a París. La vida de Sasha empezó en serio en ese momento.

La primera decisión que debían tomar era dónde vivir. Simon los sorprendió a todos resolviendo el dilema por ellos. Sasha había pensado buscar un piso en la *rive gauche*. Su pequeña familia era demasiado grande para el apartamento que el banco les ofrecía en el *arrondissement* dieciséis. Simon se prestó a abandonar el ala de la casa que había ocupado durante su matrimonio y en los años anteriores y posteriores a éste, sus elegantes dominios de la segunda planta. Insistió en que era demasiado grande para él y aseguró que la escalera le machacaba las rodillas, aunque Sasha no terminaba de creérselo. Su padre todavía caminaba varios kilómetros al día. Se ofreció a trasladarse al otro lado del patio, a la planta superior del ala que albergaba el almacén y algunos despachos. Enseguida inició las obras de remodelación: abrió unos deliciosos ojos de buey bajo el tejado abuhardillado y añadió un curioso asiento eléctrico que subía y bajaba la escalera y hacía las delicias de los nietos cuando el abuelo les permitía montarse y los acompañaba subiendo a pie la escalera. Sasha le ayudó a decorar y remodelar el ala, lo que le dio una idea. Al principio a Simon no le gustó. Era un plan que Sasha meditaba desde hacía años, algo en lo que llevaba soñando toda la vida. Quería ampliar la galería para dar cabida a artistas contemporáneos. El ala que antes servía de almacén era perfecta para sus intenciones. Estaba frente a los despachos y al nuevo hogar de su padre. Desde luego abrir la planta baja al público reduciría el espacio para almacenaje, pero ya había consultado con un arquitecto la construcción de un almacén más práctico en la planta alta. La primera vez que Sasha mencionó la posibilidad de vender obra contemporánea, Simon se subió por las paredes. No iba a corromper la galería y su venerable nombre vendiendo la basura que a Sasha le gustaba, producto de artistas desconocidos y sin ningún talento. Convencerlo le llevó a Sasha casi un año de amargas discusiones.

Sólo cuando amenazó con abandonar la galería y montar una por su cuenta Simon transigió, si bien es cierto que con considerable rencor y gran profusión de airadas quejas. Aunque sus formas eran más amables, Sasha era tan dura como su padre, por lo que se mantuvo firme. En cuanto llegaron a un acuerdo, Sasha no se atrevió a citar a los nuevos artistas en las oficinas principales, por la grosería con que su padre los trataba. Pero era igual de tozuda que él. Al año de regresar a París, inauguró el ala contemporánea de la galería a lo grande, a bombo y platillo. Para sorpresa de su padre todas las críticas fueron magníficas y no sólo porque se tratara de Sasha de Suvery, sino porque tenía buen ojo para el arte contemporáneo de calidad, igual que su padre en su especialidad.

Sin embargo, Sasha mantuvo un pie en cada mundo. Estaba muy puesta en lo que su padre vendía y a la vez era una gran entendida en las obras más recientes. Al cumplir los treinta, y tres después de haberla abierto, Suvery Contemporánea se había convertido en la galería de arte contemporáneo más importante de París, quizá incluso de Europa. Y nunca se había divertido tanto. Ni Arthur. A él le encantaba lo que hacía su mujer y la apoyaba en todas sus decisiones e inversiones incluso más que su padre, que mantuvo cierta reticencia si bien en última instancia respetaba los logros de su hija en el arte contemporáneo. Sasha había devuelto la galería al presente con gran éxito.

A Arthur le encantaba el contraste entre la vida profesional de su mujer y la suya. Le gustaba el aspecto juguetón del arte que exponía Sasha y la chifladura de los artistas en contraste con los banqueros con los que él trataba. La acompañaba a menudo a otras ciudades para ver a artistas nuevos y disfrutaba viajando con ella a las ferias de arte. Prácticamente habían convertido la segunda planta de su ala de la casa en un museo de arte contemporáneo para artistas emergentes. Y las obras que Sasha vendía en Suvery Contemporánea tenían precios mucho más asequibles que los cuadros de impresionistas y maestros antiguos que su padre exponía. Ambos negocios marchaban de maravilla.

Sasha llevaba ocho años a cargo de su sección de la galería cuando el matrimonio se enfrentó a la primera crisis importante. El banco del que Arthur era socio desde hacía años insistió en que regresara para dirigir la sucursal de Wall Street. Dos de los socios habían fallecido en un accidente aéreo y todo el mundo pensaba que Arthur era la mejor opción para dirigir la sede central. En realidad, era la única. En conciencia, no podía negarse. Su carrera también era importante para él y el banco no pensaba ceder. Le necesitaban en Nueva York.

Sasha lloró a moco tendido cuando le expuso la situación a su padre, a quien también se le llenaron los ojos de lágrimas. Durante los trece años que llevaban casados, Arthur la había apoyado plenamente en todos los aspectos de su carrera y Sasha sabía que ahora debía hacer lo mismo por él y regresar a Nueva York. Era demasiado pedir que él renunciara a su carrera para que Sasha pudiera quedarse en la galería con su padre, a pesar de que era evidente que Simon estaba envejeciendo. Por entonces Sasha tenía treinta y cinco años y su padre, aunque ni los aparentaba ni actuaba como si los tuviera, había cumplido ochenta y cinco. En realidad había sido una suerte que Arthur hubiera podido permanecer tanto tiempo en París sin perjuicio para su carrera. Pero había llegado el momento de que Arthur volviera a casa, y Sasha con él. Como no podía ser de otro modo, Sasha sólo tardó seis semanas exactas en idear una solución. Faltaba un mes para que se mudaran a Nueva York. Al principio la idea dejó a su padre horrorizado y sin respiración. Simon se opuso rotundamente, igual que hizo cuando le propuso vender obra contemporánea. Pero esta vez Sasha no le amenazó, sino que le suplicó poder abrir una sucursal de la galería en Nueva York, tanto para arte contemporáneo como clásico. A su padre le pareció una locura. La Suvery era la galería más respetada de París. Recibía a diario peticiones de compras importantes desde Estados Unidos y desde museos de otras partes del mundo. No tenían ninguna necesidad de abrir una sucursal en Nueva York… excepto el hecho que Sasha viviría en la ciudad y quería seguir trabajando para su padre y la galería de sus amores como en los últimos nueve años.

Fue una decisión crucial. A Arthur le pareció una idea brillante y la apoyó sin la menor reserva. Al final convenció a su suegro aunque, incluso después de que se marcharan, Simon siguió insistiendo en que cometían una locura. Sasha y Arthur se ofrecieron a invertir dinero en el proyecto. Pero al final Simon, como siempre, no le falló a su hija. Nada más llegar a Nueva York, Sasha encontró un piso en Park Avenue para la familia y una casa de piedra rojiza en la calle Setenta y cuatro, entre las avenidas Madison y la Quinta, para Suvery Nueva York. Y también como siempre que a Sasha se le metía algo en la cabeza y le dedicaba su increíble cantidad de energía y trabajo, resultó una idea brillante. Su padre visitó el lugar varias veces y, a regañadientes, terminó por admitir que el espacio, aunque a pequeña escala, era perfecto para ellos. Al cabo de nueve meses, cuando acudió a la inauguración de la galería neoyorquina, el hombre se deshacía en sonrisas. Todo el mundillo artístico de Nueva York aclamaba a Sasha. A los treinta y cinco años de edad estaba convirtiéndose en una de las marchantes más importantes del mundo, tal como todavía lo era su padre, y acababa de sumarse a las juntas del Metropolitan y el Museo de Arte Moderno, un honor sin precedentes. Xavier y Tatianna tenían por entonces doce y diez años respectivamente. A Xavier le encantaba dibujar y Tatianna solía apoderarse de cualquier cámara de la que pudiera echar mano y sacaba unas fotos curiosísimas de adultos asustados. Tatianna tenía el aspecto de una pequeña elfa rubia y Xavier se parecía a su padre, aunque con el pelo casi azabache de su madre y su abuelo. Eran unos niños preciosos y encantadores, ambos bilingües. Sasha y Arthur decidieron inscribirlos en el colegio francés de Nueva York. Tatianna decía sin parar que quería regresar a París; echaba de menos a sus amigos. Sin embargo, Xavier decidió casi al instante que prefería Nueva York.

Durante los dos años siguientes Sasha disfrutó dirigiendo la galería de Nueva York. Viajaba a París con frecuencia, a menudo dos veces al mes. En ocasiones cogía el Concorde para asistir a reuniones importantes con su padre y regresaba el mismo día a Nueva York junto a Arthur y sus hijos. En verano siempre llevaba a los niños a Francia. Allí pasaba el tiempo con su padre en la casa que llevaban años alquilando en Saint-Jean-Cap-Ferrat, pero se instalaba en el Eden Roc con los niños. Aunque Simon adoraba a sus nietos, si pasaba demasiado tiempo con ellos le ponían nervioso. Y aunque a Sasha no le gustara admitirlo, su padre estaba envejeciendo. Simon tenía ochenta y siete años y poco a poco se hacía más lento.

Con gran pesar, padre e hija habían hablado sobre lo que ésta haría cuando dirigiera sola el negocio. Sasha no lograba imaginarlo, pero Simon sí. Su vida había sido larga y no temía pasar a otra cosa. Además, había preparado bien a su gente. Cuando llegara la hora, Sasha podría vivir en Nueva York o París y contar con empleados competentes que trabajaran por ella en cualquiera de las dos ciudades. Tendría que pasar cierto tiempo en ambas galerías, por supuesto, y viajar con regularidad, pero gracias a la previsión y al buen hacer de su padre podría elegir dónde vivir. Tenían unos encargados excelentes en ambos lugares. Pero, aunque le gustaba vivir y trabajar en Nueva York, Sasha continuaba considerando que París era su hogar. Era evidente que por el momento Arthur estaba demasiado comprometido con el banco para vivir en cualquier otro lugar que no fuera Nueva York. Sasha sabía que permanecería en la ciudad hasta que su marido se retirara. Y puesto que Arthur tenía sólo cuarenta y siete años todavía faltaba mucho. Así que tenía suerte de que su padre siguiera a cargo de la parte del negocio a los ochenta y siete años. Pese a su casi imperceptible declive, Simon era un hombre excepcional. Con todo, o quizá precisamente por ello, su repentina muerte a los ochenta y nueve años pilló a su hija por sorpresa. Imaginaba que su padre viviría eternamente. Simon murió tal como habría deseado. Se fue en un instante, justo después de cerrar un gran negocio con un coleccionista de Holanda.

Aturdida, Sasha voló a París esa misma noche y vagó por la galería sin rumbo, incapaz de creer que su padre hubiera muerto. Se oficiaron unos funerales majestuosos y señoriales a los que asistieron el presidente de la República francesa y el ministro de Cultura. Todas las personas importantes del mundo del arte acudieron a presentar sus respetos, así como amigos, clientes, Arthur y los niños. Lo enterraron un día de noviembre frío y lluvioso en el cementerio del Père Lachaise, en el *arrondissement* veinte, en el límite oriental de París. Le rodeaban personalidades como Victor Hugo, Proust, Balzac y Chopin; era el lugar de descanso que le correspondía.

Sasha pasó las cuatro semanas posteriores al funeral en París ocupada con abogados, organizando cosas y ordenando los papeles y efectos personales de su padre. Se quedó más tiempo del necesario, porque no soportaba marcharse de la ciudad. Por primera vez desde que había dejado París, quería quedarse en casa y permanecer cerca del lugar donde su padre había vivido y trabajado. Cuando por fin, al cabo de un mes, voló a Nueva York se sintió como una huérfana. Las tiendas y calles engalanadas para la Navidad le parecieron una afrenta a la pérdida que acababa de sufrir. Fue un año largo y difícil. Pero pese a todo, las galerías florecieron. Siguieron varios años plácidos, felices y productivos. Añoraba a su padre, pero poco a poco, mientras sus hijos seguían creciendo, fue echando raíces en Nueva York. Además regresaba a París dos veces al mes para supervisar la marcha de la galería.

A los ocho años de la muerte de su padre, ambas galerías estaban afianzadas y triunfaban por igual. Arthur hablaba de retirarse a los cincuenta y siete. Había llevado una carrera respetable y productiva, pero en privado admitía a su mujer que se aburría. Xavier tenía veinticuatro años, vivía y trabajaba en Londres, donde exponía en una pequeña galería del Soho. Aunque a Sasha le gustaban sus cuadros, no le consideraba maduro para exponer. El amor materno no le impedía ver que tenía que seguir mejorando. Pero Xavier se tomaba el trabajo con gran pasión. Le entusiasmaba todo lo relacionado con el mundo artístico del que formaba parte en Londres y Sasha se enorgullecía de él. Creía que algún día sería un gran artista. Con el tiempo, confiaba en exponer su obra.

Tatianna se había licenciado hacía cuatro meses en bellas artes y fotografía por la Universidad de Brown y acababa de empezar a trabajar de tercera ayudante de un fotógrafo reconocido en Nueva York, lo cual significaba cambiarle de vez en cuando la película, llevarle cafés y barrer el suelo. Su madre le aseguraba que todo el mundo empezaba igual. Ninguno de sus hijos mostraba el menor interés por trabajar con ella en la galería. Creían que hacía algo maravilloso pero querían labrarse una vida y una carrera propias. Sasha se daba cuenta del privilegio que significaba todo lo que había aprendido de su padre, la oportunidad de que había disfrutado y la inestimable educación que había recibido al crecer en el negocio junto a él. Lamentaba no poder hacer lo mismo por sus hijos.

Se preguntaba si algún día Xavier querría trabajar con ella en la galería, aunque por el momento parecía improbable. Ahora que Arthur hablaba de retirarse, sintió que de nuevo la llamaban sus raíces parisinas. Por mucho que apreciara las emociones que ofrecía Nueva York, la vida siempre le parecía más agradable en casa. Y París seguía siendo su casa pese a poseer, gracias a su madre, la doble nacionalidad y haber pasado dieciséis de sus cuarenta y siete años, es decir, un tercio de su vida, en Nueva York. En el fondo seguía siendo francesa. Arthur no se oponía a la idea de volver a instalarse en París una vez retirado, por lo que ese otoño abordaron el tema más en serio.

Era octubre, una tarde soleada de viernes en la que se notaban los últimos coletazos del calor; Sasha inspeccionaba brevemente los cuadros que planeaban vender a un museo de Boston. Guardaban las obras más tradicionales y de los grandes clásicos en las dos plantas superiores de la casa de piedra rojiza. La obra contemporánea ocupaba las dos plantas inferiores. El despacho de Sasha estaba escondido en un rincón al fondo de la planta principal.

Tras recorrer las plantas altas, Sasha metió unos papeles en un maletín y desvió la mirada hacia el jardín de esculturas que se abría detrás del despacho. Como la mayoría del arte contemporáneo que exponían, las obras del jardín reflejaban los gustos de Sasha. Le encantaba contemplar las piezas del jardín, sobre todo cuando nevaba. Pero cuando cogió su pesado maletín faltaban todavía un par de meses para que llegaran las nieves. Pasaría toda una semana fuera de la galería. Salía para París el domingo por la mañana para comprobar cómo iban las cosas por allí. Seguía cumpliendo con la visita rutinaria cada dos semanas como había hecho a lo largo de los ocho años transcurridos desde que falleció su padre. Ejercía de marchante en ambas ciudades y se había acostumbrado a viajar. Le resultaba fácil. Se las apañaba para tener una vida, amigos y clientes en ambas ciudades. Se encontraba igualmente a gusto en París que en Nueva York.

Estaba pensando en el fin de semana que le esperaba cuando sonó el teléfono, justo cuando se disponía a salir del despacho. Era Xavier desde Londres; Sasha miró el reloj y comprobó que en Inglaterra era medianoche. Sonrió en cuanto oyó la voz de su hijo. Adoraba a sus dos hijos, pero en algunas cosas se sentía más unida a Xavier. Siempre le había resultado más fácil tratar con él. Tatianna se parecía más a su padre y, en ciertos aspectos, a su abuelo. Siempre le había parecido una persona más dura y dispuesta a juzgar a los demás, menos inclinada a ceder y llegar a acuerdos que su hermano. En muchos sentidos Xavier y su madre eran almas gemelas, igual de dulces, amables y siempre dispuestas a perdonar a un amigo o a un ser querido. Tatianna abordaba la vida y a las personas con mayor dureza.

–Tenía miedo de que ya te hubieras marchado –dijo Xavier con una sonrisa y un bostezo.

Sasha cerró los ojos pensando en él e imaginó su cara. Siempre había sido un niño precioso y ahora se había convertido en un joven atractivo.

–Estaba a punto de marcharme. Me has pillado por los pelos. ¿Qué estás haciendo en casa un viernes por la noche?

Xavier tenía una vida social muy activa en el medio artístico londinense y cierta debilidad por las bellas mujeres. Había conocido a montones. A su madre le divertía y solía bromear al respecto.

–Acabo de llegar –explicó el joven para defender su reputación.

–¿Solo? ¡Qué decepción! –le picó su madre–. ¿Lo has pasado bien?

–He ido a la inauguración de una galería con un amigo y luego hemos cenado fuera. Todo el mundo se ha emborrachado y como la cosa empezaba a descontrolarse he pensado que sería mejor volver a casa antes de que nos arrestaran.

–Muy interesante. –Sasha volvió a sentarse frente al escritorio y dirigió la vista hacia el jardín pensando en cuánto añoraba a su hijo–. ¿Qué estabais haciendo para que os arrestaran?

Pese a su afición por las mujeres, la mayoría de los pasatiempos de Xavier eran inofensivos y bastante acomodaticios. Era sólo un joven al que le gustaba divertirse y de vez en cuando se comportaba todavía como un niño travieso. A su hermana le gustaba declararse mucho más responsable que él y tenía muy mal concepto de las mujeres que salían con su hermano. No dejaba pasar ocasión de recordárselo ni a su madre ni a él, quien las defendía con vehemencia sin importarle quiénes fueran o lo descaradas que se mostraran.

–He ido a la inauguración con un artista que conozco. Está un poco chiflado, pero es un artista magnífico. Me gustaría presentártelo. Se llama Liam Allison. Tiene una obra abstracta fantástica. Como se aburría en la inauguración se ha emborrachado. Después, durante la cena en el pub, se ha emborrachado todavía más.

A Xavier le encantaba llamar a su madre para hablarle de sus amistades. Tenía pocos secretos para ella. Y los relatos de sus proezas siempre divertían a Sasha, que lo echaba de menos desde que se había marchado de casa.

–Qué encantador. Me refiero a que se haya emborrachado.

Sasha dio por sentado que el amigo sería de la edad de su hijo. Podía imaginar a dos chicos pasándolo en grande y portándose un poco mal.

–Pues, sí. Es muy divertido. Se ha quitado los pantalones mientras estábamos en la barra. Lo curioso ha sido que nadie se ha dado cuenta hasta que ha sacado a bailar a una chica. Creo que para entonces incluso él se había olvidado, hasta que ha salido a la pista en calzoncillos y una mujer mayor le ha atizado con el bolso. Así que le ha pedido el baile a la vieja y la ha hecho girar un par de veces. En mi vida había visto nada más divertido. La mujer debía de medir un metro veinte y no paraba de golpearle con el bolso. Parecía una escena de los Monty Python. Mi amigo es un bailarín excelente. –Sasha reía mientras escuchaba; imaginaba la escena del artista en calzoncillos bailando con una anciana que le golpeaba sin parar–. Ha sido muy educado con ella y todo el mundo se tronchaba de risa, pero el camarero ha amenazado con llamar a la policía, así que he llevado a mi amigo de vuelta a casa con su mujer.

–¿Está casado? –Pareció que ese detalle desconcertaba a Sasha–. ¿A tu edad?

–No tiene mi edad, mamá. Tiene treinta y ocho años y tres hijos. Muy monos. Y también su mujer.

–¿Y ella dónde estaba?

Una nota de desaprobación tiñó el tono de su voz.

–Detesta salir con él –dijo Xavier con total naturalidad. Liam Allison se había convertido en uno de sus mejores amigos de Londres. Era un artista serio que se tomaba la vida algo a la ligera y con un extraordinario sentido del humor, muy aficionado a bromas, travesuras y diabluras.

–Desde luego comprendo que a su mujer no le guste salir con él. No estoy segura de que me gustara salir por ahí con un marido que se quita los pantalones en público y saca a bailar a damas de avanzada edad.

–Más o menos es lo que ha dicho su esposa cuando lo he llevado a casa. Antes de que me marchara, Liam se ha desmayado en el sofá y me he quedado a tomar una copa de vino con ella. Es una buena persona.

–Tiene que serlo para aguantar eso. ¿Tu amigo es alcohólico?

Por un instante la voz de Sasha sonó seria, como si se preguntara con qué clase de compañías se juntaba su hijo. Ese amigo de Xavier no parecía la compañía ideal o al menos no una buena influencia.

–No, no es alcohólico. –Xavier se rió–. Sólo estaba aburrido y ha apostado conmigo que si se quitaba los pantalones durante una hora nadie se daría cuenta. Y nadie se ha fijado hasta que se ha puesto a bailar.

–Bueno, confío en que tú llevaras puestos los tuyos –repuso Sasha en tono maternal.

Xavier se rió de ella; la adoraba.

–Pues, sí. A Liam le ha parecido una cobardía por mi parte. Quería apostar doble o nada si me los quitaba. No he aceptado.

–Gracias, tesoro. Me alivia oírlo. –Consultó el reloj de pulsera. Había quedado con Arthur a las seis y ya llegaba diez minutos tarde, pero le encantaba charlar con su hijo–. Odio hacerte esto pero había quedado con tu padre hace diez minutos. Vamos a los Hamptons después de cenar.

–Me lo imaginaba. Sólo quería comprobarlo.

–Me alegro de que lo hayas hecho. ¿Algún plan especial para el fin de semana?

Le gustaba estar al corriente de las actividades de Xavier y Tatianna, aunque su hija telefoneaba menos. Intentaba volar sola. Era más probable que llamara a Arthur que a su madre. Sasha llevaba una semana sin hablar con ella.

–No tengo planes. Hace un tiempo asqueroso. Tal vez me quede a pintar.

–Bien. Iré a París el domingo. Te telefonearé cuando llegue. ¿Tendrás tiempo para pasar a visitarme esta semana?

–Puede. Ya hablaremos el domingo por la noche. Buen fin de semana. Recuerdos a papá.

–De tu parte. Te quiero… Y dile a tu amigo que la próxima vez no se baje los pantalones. Tenéis suerte de no haber acabado los dos en comisaría. Por alteración del orden público, por exhibicionismo o por pasarlo demasiado bien.

Xavier siempre lo pasaba en grande dondequiera que estuviera y, por lo visto, lo mismo cabía decir de su amigo Liam. Xavier ya se lo había mencionado antes y siempre insistía en que le gustaría que su madre viera sus obras. Cualquier día de éstos lo haría, aunque nunca tenía tiempo. Siempre andaba con prisas y cuando visitaba Londres tenía que reunirse con artistas a los que ya representaba y también quería estar con Xavier. Le había propuesto a su hijo que le dijera a Liam que le mandara diapositivas de su trabajo, pero no las había recibido, de lo cual Sasha deducía que o bien no se tomaba en serio su obra o bien no se consideraba preparado para mostrársela. En cualquier caso le parecía un personaje estrafalario. Ya representaba a varios del mismo tipo y no estaba segura de querer otro más por muy entretenido que le pareciera a su hijo. Resultaba muchísimo más fácil tratar con artistas que se tomaban en serio su carrera y se comportaban como adultos. Los cuarentones traviesos que se desnudaban en público eran un quebradero de cabeza y Sasha no necesitaba más de los que ya tenía.

–Hablamos el domingo, entonces.

–Te llamaré a París. Adiós, mamá –Xavier se despidió alegremente, y luego colgó.

Sasha salió corriendo del despacho con una sonrisa. No quería hacer esperar a Arthur y todavía tenía que preparar la cena. Pero le había encantado hablar con su hijo.

Se despidió de todo el mundo mientras salía a toda prisa de las oficinas y paró un taxi para el corto trayecto que la separaba del piso; no dejó de pensar en Xavier. Sabía que Arthur la estaría esperando, inquieto por marcharse de la ciudad. Los viernes el tráfico estaba siempre fatal, aunque mejoraba ligeramente si esperaban hasta después de cenar. Hacía un tiempo espléndido. Aunque estaban en octubre, hacía calor y lucía el sol. Se recostó en el asiento del taxi un minuto y cerró los ojos. La semana había sido larga y estaba cansada.

El piso al que se dirigía era la única cosa en su vida que consideraba una etapa ya superada. Llevaban viviendo en él doce años, desde que habían llegado de París, y ahora que los chicos se habían independizado resultaba demasiado grande para ellos. No paraba de decirle a Arthur que debían venderlo y mudarse a un apartamento más pequeño de la Quinta Avenida con vistas al parque. Pero si pensaban regresar a París en cuanto Arthur se retirara parecía más apropiado esperar. Si se instalaban en París, les bastaría una pequeña segunda residencia en Nueva York. Sasha se encontraba en uno de esos escasos momentos en que sentía que la vida fluía en un cambio continuo. Tenía esa misma impresión desde que Tatianna se había independizado después de licenciarse. Desde que sus hijos se habían marchado, en ocasiones su vida le parecía vacía. Arthur se burlaba de ella cuando se lo decía y le recordaba que era una de las mujeres más ocupadas de Nueva York o de cualquier otro lugar. Pero de todos modos Sasha echaba de menos a sus hijos. Habían formado parte esencial y determinante de su vida y a veces se entristecía, se sentía menos importante y menos útil ahora que ya no estaban. Daba gracias que tanto a Arthur como a ella les gustara viajar y estar juntos. Ahora estaban más unidos que nunca, si es que ello era posible, y todavía más enamorados. Veinticinco años de convivencia no habían menguado el amor y la pasión que sentían el uno por el otro. En todo caso, la familiaridad y el tiempo compartido habían urdido un lazo que con la edad los unía todavía más.

Arthur la estaba esperando en casa y la recibió con una sonrisa. Todavía llevaba la camisa blanca arremangada con la que había ido al banco. Su americana descansaba echada de cualquier modo sobre el respaldo de una silla. Ya había metido cuatro cosas en una bolsa para pasar el fin de semana en la casa de Southampton. Sasha pensaba preparar una ensalada rápida y servir después algo de pollo frío. Les gustaba salir cuando había pasado la hora punta, que en verano y los fines de semana del otoño era criminal.

–¿Cómo ha ido el día? –preguntó Arthur, besándola en la coronilla.

Sasha llevaba el pelo recogido en un moño, como había hecho toda la vida. Durante los fines de semana en los Hamptons se lo peinaba en una larga trenza a la espalda. Le encantaba ponerse ropa vieja, suéteres y vaqueros andrajosos o camisetas descoloridas. Le relajaba no tener que arreglarse como cuando iba a la galería. A Arthur le gustaba jugar al golf y pasear por la playa. De joven había sido un gran navegante, como eran ahora sus hijos, y también disfrutaba jugando al tenis con su mujer. La mayor parte del tiempo Sasha ocupaba el fin de semana en cuidar del jardín o leer. Intentaba no trabajar, aunque a veces se llevaba algunos papeles de la galería.

Como el piso de la ciudad, la casa de los Hamptons también se les había quedado grande pero en este caso le preocupaba menos. No le costaba imaginarse en ella a sus futuros nietos; además, sus hijos pasaban a menudo algunos días en Southampton con algunos amigos. La casa de los Hamptons siempre le parecía llena de vida, tal vez por las vistas al océano. En cambio ahora veía el piso de la ciudad solitario y muerto.

–Siento llegar tarde –se disculpó mientras se dirigía hacia la cocina después de besar a Arthur. Después de tantos años, seguían queriéndose y divirtiéndose juntos–. Xavier ha telefoneado justo cuando estaba a punto de salir.

–¿Cómo está?

–Creo que estaba un poco borracho. Había salido por ahí con malas compañías.

–¿Una mujer? –preguntó Arthur, interesado.

–No. Un artista. Se ha quitado los pantalones en un pub.

–¿Xavier se ha quitado los pantalones? –Arthur parecía sorprendido.

Sasha mezcló la ensalada.

–No, su amigo. Otro artista loco. –Sasha negó con la cabeza al tiempo que colocaba el pollo sobre una fuente.

Arthur se quedó de pie charlando con su mujer mientras ésta preparaba la cena y la servía en la mesa de la cocina en una bonita vajilla sobre salvamanteles y servilletas de hilo. A Sasha le gustaba hacer cosas así para su marido y él sabía apreciarlas y agradecerlas.

–Te has traído el maletín cargadito, Sasha –dijo Arthur al verlo mientras se servía algo de ensalada con expresión relajada y feliz.

Adoraba pasar los fines de semana en la playa. Ambos los consideraban sagrados. Jamás permitían que nada interfiriera en sus fines de semana salvo una enfermedad grave o algún acontecimiento de fuerza mayor. De lo contrario, todos los viernes, lloviera o luciera el sol, fuera invierno o verano, a las siete de la tarde ya estaban en la carretera rumbo a Southampton.

–El domingo me voy a París –le recordó ella mientras comían la ensalada y le servía un trozo de pollo que la asistenta les había dejado preparado.

–Se me había olvidado. ¿Cuánto estarás fuera?

–Cuatro días. Tal vez cinco. Estaré de vuelta el fin de semana.

Respondían al patrón clásico de las parejas que llevaban casadas una eternidad y se habían acostumbrado el uno al otro. No comentaban nada importante, sencillamente disfrutaban de la compañía mutua. Él le habló de un colega que se jubilaba y de un negocio menor que había salido según lo esperado. Ella le contó que habían fichado a un artista nuevo, un pintor brasileño de gran talento. También mencionó que Xavier le había prometido que intentaría visitarla en París la semana próxima. Su hijo no tenía problemas para escaparse a París y organizaba sus propios horarios, a diferencia de Tatianna, quien dependía del fotógrafo para el que trabajaba. Éste solía alargar la jornada laboral y a Tatianna le gustaba pasar el poco tiempo que le quedaba con los amigos. Pero, claro, tenía dos años menos que su hermano y todavía seguía luchando por independizarse.

—¿Quién es la chica de esta semana? —preguntó Arthur con una mirada divertida.

Conocía de sobra a su hijo, igual que Sasha. Y cuando ésta miró a su marido con una sonrisa se fijó, como tantas otras veces, en lo guapo que todavía era. Alto, delgado, en forma, con facciones marcadas y una mandíbula fuerte. Muchas de sus amigas de Nueva York estaban divorciadas, un par habían enviudado, y ninguna de ellas parecía capaz de encontrar un hombre. No paraban de repetirle lo afortunada que era. De todos modos, Sasha ya lo sabía. Arthur había sido el amor de su vida desde el día en que se conocieron.

—La última vez que se lo pregunté era una modelo de artistas que conoció en una clase de dibujo. —Sasha esbozó una sonrisa burlona. Xavier tenía fama entre los amigos y la familia de disfrutar de un coro de adoradoras en constante renovación. Era un joven extraordinariamente guapo y, además, una bellísima persona, así que las mujeres le encontraban irresistible. A él le ocurría lo mismo con ellas—. Ya ni pregunto sus nombres —añadió mientras recogía la mesa y su marido la contemplaba con admiración y una sonrisa.

Cargó el lavaplatos. Trataban de ensuciar lo mínimo, aunque cuando los chicos todavía vivían en casa cenaban juntos todas las noches y sin privarse de nada. Ahora Arthur y Sasha cenaban algo ligero en la cocina; simplificaba las cosas.

–Yo hace años que no le pregunto a Xavier cómo se llaman sus novias. –Arthur se rió–. Cada vez que llamaba a alguna de ellas por su nombre resultaba que habían pasado cinco más desde que me lo había aprendido.

Fue a ponerse unos pantalones y un jersey viejo más cómodos, igual que Sasha.

Al cabo de veinte minutos estaban preparados para salir en la ranchera de Sasha. Todavía la conservaba aunque los chicos se hubieran independizado; le resultaba muy útil para recoger el trabajo de artistas jóvenes. En la parte trasera transportaban algo de comida y una bolsita para cada uno con todo lo necesario para pasar la noche. Guardaban la ropa de playa en Southampton, así que no tenían que cargar demasiado. También llevaban la maleta para París y el maletín repleto que había llamado la atención de Arthur. Sasha tenía planeado ir al aeropuerto desde Southampton el domingo por la mañana y salir prácticamente al amanecer para llegar a París a una hora decente de la tarde noche. Si no tenía más remedio cogía vuelos nocturnos, pero esta vez no tenía prisa y le parecía más sensato volar de día aunque detestara perderse el domingo con Arthur.

Llegaron a Southampton a las diez y a Sasha le sorprendió encontrarse cansada. Como de costumbre, había conducido su marido mientras ella cabeceaba durante todo el viaje, y se alegró de que se metieran en la cama antes de medianoche. Aunque antes de retirarse se sentaron un rato en la terraza a contemplar el océano a la luz de la luna. El tiempo era cálido y agradable y la noche se veía clara como el cristal. Ya en la cama, se durmieron en cuanto apoyaron la cabeza en la almohada.

Como ocurría a menudo en la playa, hicieron el amor al levantarse. Después, se quedaron un rato acurrucados juntos. El paso de los años no había afectado a su vida amorosa; al contrario, había mejorado gracias a la familiaridad y al profundo afecto que se tenían. Arthur la siguió al cuarto de baño y se duchó mientras ella se bañaba. Sasha disfrutaba de las mañanas perezosas de Southampton. Luego bajaron juntos a la cocina, Sasha preparó el desayuno y dieron un largo paseo por la playa. Lucía un día espléndido, cálido y soleado, con una ligerísima brisa. Era la primera semana de octubre y pronto el otoño enfriaría el ambiente, pero de momento el tiempo aguantaba. Todavía parecía verano.

El sábado Arthur invitó a Sasha a cenar en un pequeño restaurante italiano del agrado de ambos. A la vuelta se sentaron en la terraza de casa a beber vino y charlar. La vida parecía fácil y tranquila. Esa noche se acostaron temprano porque Sasha madrugaba al día siguiente para coger el vuelo a París. Detestaba dejarle solo, pero sus ausencias ya formaban parte de la rutina de sus vidas. Dejarle cuatro o cinco días no era nada. Sasha se acurrucó contra él en la cama y lo rodeó con los brazos, pegándose a su cuerpo para quedarse dormida. Tenía que levantarse a las cuatro, salir a las cinco y llegar al aeropuerto a las siete para coger el vuelo de las nueve de la mañana. Aterrizaría en París a las nueve de la noche, hora francesa, y llegaría a casa hacia las once por lo que conseguiría disfrutar de toda una noche de sueño antes de empezar a trabajar al día siguiente.

Sasha oyó el despertador a las cuatro, lo apagó rápidamente y se abrazó unos segundos a su marido; luego se levantó a regañadientes. Se dirigió de puntillas y a oscuras al cuarto de baño, se puso unos vaqueros y un suéter negro. Después se calzó unos mocasines Hermès que habían visto tiempos mejores, pero hacía ya mucho que Sasha había dejado de vestirse elegante para los vuelos largos. La comodidad era más importante, y solía quedarse dormida en los aviones. Se quedó de pie un momento contemplando a Arthur; luego se agachó y lo besó suavemente en la cabeza para no despertarle. De todos modos Arthur se removió, como siempre, y sonrió sin dejar de dormir. Al cabo de un instante entreabrió los ojos y su sonrisa se amplió mientras alargaba una mano para atraer hacia él a su mujer.

–Te quiero, Sash –susurró adormilado–. Vuelve pronto. Te echaré de menos.

Siempre le decía cosas así, por las que todavía lo quería más. Sasha le besó en la mejilla y luego lo arropó tal como acostumbraba a hacerles a sus hijos.

–Yo también te quiero –le contestó en un susurro–. Duérmete. Telefonearé cuando llegue a París.

Siempre llamaba. Sabía que lo encontraría antes de que él volviera a la ciudad. Deseó poder quedarse con él.

Sería fantástico cuando Arthur se retirara y pudiera acompañarla a todas partes. La idea le atrajo más que nunca mientras cerraba con cuidado la puerta del dormitorio y salía de casa. La noche anterior había pedido un taxi. Ahora la estaba esperando fuera y, por petición de Sasha, no había llamado al timbre. Le indicó al taxista la compañía aérea y el aeropuerto y se dedicó a mirar por la ventanilla, sonriendo para sus adentros, durante todo el trayecto. Era muy consciente de la suerte que tenía. Era una mujer afortunada con una vida feliz, un marido al que amaba y que la amaba, dos hijos magníficos y dos galerías que habían sido fuente inagotable de alegría y sustento toda su vida. No podía querer nada más. Sasha de Suvery Boardman sabía que lo tenía todo.

2

El vuelo a París transcurrió sin incidentes. Sasha almorzó, vio una película, durmió tres horas y se despertó al aterrizar en el aeropuerto Charles de Gaulle. Conocía a la mayoría de los auxiliares de vuelo y al sobrecargo que, sabedores de sus costumbres, no la molestaron. Sasha era un pasajero de trato fácil y una persona agradable que sólo bebía agua durante el vuelo. Sabía muy bien qué hacer para evitar el *jet lag*. Comía ligero, dormía, bebía agua y se metía en cama nada más llegar a casa, así por la mañana se encontraba bien y adaptada al cambio horario. Llevaba doce años volando regularmente entre París y Nueva York.

En la ciudad francesa hacía un tiempo frío y lluvioso. Aunque en Nueva York disfrutaban del veranillo de San Martín, en París ya casi era invierno. Sasha llevaba un chal de cachemir para ponerse sobre la chaqueta al bajar del avión en el aeropuerto, donde, como de costumbre, la esperaba un coche con chófer. Por el camino charlaron del tiempo y del vuelo hasta llegar a la casa vacía. Como de costumbre, la mujer de la limpieza que acudía a diario entre semana había dejado algo de comida en la nevera. Sasha, nada más cruzar el umbral, telefoneó a Arthur. Eran las cinco de la tarde en Nueva York y su marido pareció encantado de oírla. Estaba cerrando la casa de Southampton antes de volver a la ciudad.

—Te echo de menos —le dijo Arthur, después de que ella le informara del clima parisino. A veces Sasha se olvidaba de lo deprimentes que resultaban los inviernos en París—. Quizá deberías abrir una galería en Miami —bromeó él.

Sabía que pese al mal tiempo, en el fondo de su corazón su mujer quería regresar a París, y él estaría encantado de acompañarla, al año siguiente, cuando se retirara. También él había disfrutado de los años que habían vivido en París al principio del matrimonio. A Arthur le gustaban las dos ciudades, pero lo único que realmente le importaba era estar con Sasha y disfrutar de la vida con ella.

–Pasaré el martes en Bruselas para conocer a un artista nuevo y visitar a uno de los viejos.

–Basta con que estés en casa para el fin de semana.

Tenían planeado acudir a la fiesta de cumpleaños de una de las mejores amigas de Sasha. La mujer había enviudado el año anterior y ahora salía con un hombre que no parecía gustar a nadie. Había tenido varios pretendientes durante ese año, pero ninguno de ellos había encajado con sus amistades. Todo el mundo la apreciaba mucho y confiaba en que su última conquista desapareciera pronto. Su difunto marido había sido uno de los amigos más íntimos de Arthur y había fallecido a causa de un cáncer dolorosamente largo. Tenía cincuenta y dos años cuando murió, los mismos que su mujer. La viuda contaba chistes malos sobre lo triste que era reincorporarse al mercado tras veintinueve años de matrimonio. Arthur y Sasha lo sentían por ella, de modo que soportaban a sus penosos ligues. Sasha sabía mejor que nadie, por las conversaciones que mantenían, lo sola que se sentía.

–Intentaré volver el jueves, o el viernes a más tardar. Quiero ver a Xavier y depende de cuándo le vaya bien venir.

Sasha le había incluido en sus planes.

–Dale recuerdos.

Después charlaron unos minutos. Terminada la conversación Sasha se preparó una ensalada, repasó unos papeles que le había dejado el encargado de la galería y abrió el correo. Contenía varias invitaciones a fiestas, una avalancha de anuncios de inauguraciones y una carta de un amigo. Rara vez acudía a fiestas en París salvo las organizadas por clientes importantes, a las que se sentía obligada a ir. No le gustaba salir sin Arthur y disfrutaba de la vida tranquila que llevaba, alterada sólo por acontecimientos artísticos o cenas con amigos íntimos.

Telefoneó a Xavier según lo prometido pero su hijo había salido. Le dejó un mensaje en el contestador. A medianoche ya estaba en la cama y se durmió enseguida. Por la mañana se levantó a las ocho gracias al despertador. Llovía y estaba nublado como en lo más crudo del invierno. Se puso el chubasquero para cruzar corriendo el patio hasta la galería a las nueve y media y se reunió con el encargado a las diez en punto. La galería cerraba los lunes, así que tendría un día de trabajo tranquilo. Sasha y Bernard, el encargado, se dedicaron a organizar las exposiciones y horarios del año siguiente.

Sasha almorzó en el escritorio y la tarde pasó rápido. Eran casi las seis cuando su secretaria le anunció una llamada de su hija desde Nueva York. Xavier la llamaba mucho más a menudo que Tatianna; ese día ya había hablado dos veces con él. Cenarían juntos el miércoles para que Sasha pudiera regresar junto a su marido el jueves. Contestó al teléfono con una sonrisa, adivinando nuevas quejas sobre el fotógrafo para el que Tatianna trabajaba. Sólo esperaba que su hija no se hubiera despedido. A veces podía resultar algo obstinada y no le gustaba someterse a otras personas ni dejarse tratar de forma injusta, y Sasha sabía que consideraba que su jefe nuevo no la trataba bien. Con un título en bellas artes por Brown esperaba hacer algo más que servir cafés y barrer el estudio cuando el fotógrafo se marchaba.

—*Bonjour, chérie*—saludó Sasha en francés sin pensar. Le sorprendió que le respondiera con un silencio. Supuso que la línea se había cortado y que Tatianna volvería a llamar. Iba a colgar cuando oyó un ruido gutural más animal que humano—. *Tati? C'est toi?* ¿Eres tú? ¿Qué ocurre, tesoro?

Estaba segura de que su hija lloraba, la oía sollozar al teléfono. Tardó un buen rato en hablar.

—Mamá… ven a casa…

Pese a toda su recién estrenada sofisticación, de pronto Tatianna parecía una niña de cinco años.

—¿Qué ha pasado? ¿Te han despedido?

Fue lo único que se le ocurrió a Sasha para explicar el estado en que se encontraba su hija. En ese momento Tatianna no tenía novio y por tanto no podía tratarse de un desengaño amoroso.

–Papá… –empezó a decir y rompió a llorar de nuevo al tiempo que a Sasha le daba un vuelco el corazón, que a punto estuvo de salírsele del pecho.

¿Qué podría haberle pasado a Arthur?

–Cuéntame qué ha pasado, Tatianna. Rápido. Me asustas.

–Papá… Han llamado hace unos minutos de la oficina… En Nueva York era casi mediodía. Sasha sabía que si Arthur hubiera sufrido un accidente de vuelta a la ciudad le habrían telefoneado por la noche. Su marido llevaba encima todos los números de Sasha, igual que ella los de él.

–¿Está bien?

Sasha notaba que algo le atenazaba el pecho mientras preguntaba, pero Tatianna continuaba llorando desconsolada.

–Ha tenido un ataque al corazón… en la oficina… Han llamado a urgencias…

–Dios mío…

Sasha cerró los ojos con fuerza y esperó a escuchar lo que seguía mientras la mano con que cogía el teléfono le empezaba a temblar.

–Mamá… Ha muerto.

El mundo entero se detuvo para Sasha en cuanto su hija pronunció esa frase. La habitación parecía del revés. Sin darse cuenta, sostuvo el teléfono con una mano mientras con la otra, para no caerse, se aferraba al que fuera el escritorio de su padre. Sentía como si se precipitara por un abismo.

–No. Es un error –contestó Sasha, como si pudiera negar los hechos o decidir que no habían ocurrido–. ¡No es verdad! –gritó al tiempo que rompía a llorar.

Tenía la impresión de que hasta la última fibra de su ser había recibido una descarga eléctrica. Le costaba respirar.

–Es verdad –gimió Tatianna–. Me ha llamado la señora Jenkins. Lo trasladaron al hospital, pero ya estaba muerto. Ven a casa, mamá…

–Enseguida –respondió. Se levantó presa del pánico, registrando la habitación con la mirada como a la espera de que apareciera alguien para decirle que todo era mentira. Pero no llegó nadie. Estaba sola–. ¿Dónde estás?

–En el trabajo.

–Vete a casa… No, no vayas a casa. Ve a la galería. No quiero que te quedes sola. Cuéntales lo ocurrido. Lo comprenderán.

–Tatianna se limitó a llorar y escuchar. A las nueve salía un vuelo con destino a Nueva York, por tanto Sasha tardaría siete horas en llegar a casa. Además en Nueva York eran seis horas menos. Estaría en la ciudad a las once de esa misma noche hora de Nueva York, a las cinco de la madrugada hora de París. Sabía que su fiel ayudante llevaría a Tatianna al piso de sus padres–. Quédate donde estás, Tati. Mandaré a Marcie a recogerte. –Marcie trabajaba para Sasha desde que habían abierto la galería. Era una cuarentona amable y sin hijos que jamás se había casado y quería a los hijos de Sasha como si fueran suyos. Después, pese al caos que lo nublaba todo, añadió–: Te quiero, Tati. Estaré en casa lo antes posible.

Sasha temblaba de pies a cabeza cuando colgó el teléfono. En un momento de locura, marcó el móvil de Arthur. Contestó la secretaria de su marido, la señora Jenkins. Estaba a punto de llamar a Sasha. Tatianna se le había adelantado. Por un fugaz instante Sasha quiso creer que Arthur contestaría al teléfono. Pero lo hizo la secretaria.

–Lo siento muchísimo, señora Boardman… Muchísimo… Ha sido tan repentino… No tenía ni idea, no me ha llamado… Había estado con él hacía cinco minutos. He entrado a llevarle unos papeles para que los firmara y me lo he encontrado desplomado sobre la mesa. Ya no estaba con nosotros. Lo han intentado… pero no han podido hacer nada. –Le ahorró a Sasha la espantosa escena que había presenciado mientras trataban de reanimarlo sin éxito. Lloraba–. Haré cuanto esté en mis manos. ¿Quiere que llame a alguien? ¿Al hospital? ¿A la funeraria? Lo siento tanto…

–Me encargaré de todo cuando llegue a casa.

O tal vez lo hiciera Marcie. Sasha no quería que nadie más tomara decisiones relativas a su marido. Ni siquiera ella quería tomarlas. Y primero tenía que telefonear a su hijo.

De inmediato le contó lo ocurrido a Eugénie, su secretaria parisina, y le pidió que le comprara un pasaje de avión y le preparara la maleta. La secretaria se quedó de piedra. Al principio no quiso creer lo evidente, pero cuando vio la expresión de Sasha supo que era cierto. Sasha estaba blanca como la pared, víctima de una fuerte impresión. Sus manos temblaban como hojas cuando descolgó el teléfono para llamar a Xavier.

Eugénie salió de la habitación y regresó al cabo de un momento con una taza de té, después volvió a salir para encargarse del billete de avión. En aquel momento Sasha hablaba por teléfono con Xavier, que estaba tan consternado como su madre. El joven le propuso reunirse con ella en París y volar juntos a casa. Pero si el vuelo de Xavier se retrasaba quizá no se encontrarían. Así que Sasha le pidió que fuera directamente a Nueva York, esa misma noche si podía. Desde luego a su padre ahora ya le era lo mismo, pero no a Sasha ni a Tatianna. Xavier lloraba en silencio cuando colgó. El resto de la noche pasó como un borrón.

Eugénie preparó la maleta de Sasha, tal como le había pedido, y canceló el resto de planes de la semana. El viaje a Bruselas tendría que esperar. En un solo instante toda su vida había quedado destrozada. Ni siquiera podía hacerse a la idea y tampoco quería intentarlo. La secretaria y el encargado de la galería la llevaron al aeropuerto y tras velar por ella como unos padres preocupados la subieron al avión. Cuando Sasha ya estuvo a bordo, le contaron lo ocurrido a la azafata de la puerta de embarque con suma discreción. Tenían miedo de cómo reaccionaría Sasha durante el vuelo. Bernard, el encargado, se había ofrecido a acompañarla pero ella, muy valientemente, había declinado su oferta, aunque se arrepintió en cuanto despegaron. La inundó una oleada de pánico tan fuerte que temió sufrir un ataque al corazón. Uno de los auxiliares de vuelo le contó a otro que había visto cómo palidecía y comenzaba a sudar profusamente. La arroparon con mantas, le pidieron al pasajero de al lado que se cambiara de asiento y el sobrecargo le hizo compañía un rato. Le preguntaron si llevaba algún tranquilizante encima, pero Sasha no tenía, nunca los tomaba. Ni siquiera al fallecer su padre, que fue un trance muy duro, se había sentido tan mal. Pero su padre tenía ochenta y nueve años y él mismo le había recordado con frecuencia que algún día llegaría su hora. Sasha estaba más o menos preparada cuando ocurrió. Pero esta vez no. No para Arthur. El día anterior Arthur le había dicho que la amaba. Lo había dejado durmiendo en Southampton y ahora se había marchado para siempre. No podía ser. No estaba ocurriendo. Pero sí...

La única vez que recordaba haberse sentido así, completamente fuera de control y asustada hasta la médula, fue a los nueve años, al morir su madre. Ahora volvía a sentirse como una niña. Huérfana. Lloró durante todo el trayecto hasta Nueva York. Marcie había recibido una llamada de Bernard desde París para que fuera al aeropuerto y estaba esperando a Sasha cuando ésta cruzó la aduana. Había dejado a Tatianna en casa con una amiga.

Marcie no le preguntó cómo estaba. No lo necesitaba. Sasha apenas podía hablar. Era la mujer más capaz que Marcie había conocido jamás y ahora parecía completamente destrozada. La abrazó en silencio, fuerte, y se la llevó del aeropuerto mientras Sasha seguía llorando y la gente las miraba. Enseguida la subió a un coche y el chófer puso rumbo a Nueva York. Sasha estaba demasiado consternada para hablar pero luego, a medio camino de la ciudad, empezó a balbucear preguntas cuyas respuestas habían dejado de importar. No importaba cómo, dónde ni cuándo, Arthur había muerto. Sin avisar. En silencio. Sin despedirse de sus hijos y su mujer. Ya no estaba.

El encuentro entre Sasha y Tatianna al cabo de media hora en el piso fue doloroso. Marcie lo presenció en silencio, llorando. Sabiéndose incapaz de ayudarlas, les preparó unos bocadillos que ninguna de ellas probó. Sirvió agua y café que no bebieron. Intentó convencer a Sasha para que tomara algo, pero no quería nada. A las dos de la madrugada, Xavier llegó de Londres. Le había pedido a un amigo que pasara a recogerlo. Uno de sus amigos artistas entró detrás de él cuando Xavier cruzó el umbral directo hacia su madre. Rodeó a su madre y a su hermana con los brazos y los tres permanecieron fundidos en un abrazo, llorando. A Marcie le partía el alma verlos así. Luego se sentaron y pasaron casi toda la noche hablando. El único que probó la comida que Marcie había preparado fue el amigo de Xavier. Los demás no comieron ni bebieron nada.

Con la mañana se instaló la realidad. Sasha fue al hospital e insistió en ver a su marido. Quiso que la dejaran a solas con él. Cuando salió de la habitación parecía un fantasma, pero no lloraba. Estaba traumatizada. Se había despedido de Arthur. Luego fueron a la funeraria a prepararlo todo. Un pastor la visitó en casa y Marcie no se separó de ella ni un instante. Xavier se había instalado en el piso de su hermana. En cuanto el pastor se marchó, Sasha se volvió hacia Marcie.

−¿Todo esto está ocurriendo de verdad? No me lo creo. Sigo esperando que alguien me diga que es una broma horrible. Pero no lo es ¿verdad?

Marcie negó con la cabeza.

Lograron pasar el día. Sasha se sentía y parecía una muerta en vida que se esforzaba por consolar a sus hijos. Al final esa noche comieron un poco de pizza, pero nada más. Tatianna se quedó a dormir en su antiguo dormitorio y Xavier salió con unos amigos y regresó a casa borracho. Sasha se sentó en el salón con la mirada perdida en el vacío. No soportaba la idea de volver a entrar en el dormitorio conyugal; lo único que quería era a Arthur. Cuando por fin esa noche se acostó, demasiado exhausta para dormir, olió la loción de afeitado de Arthur en la almohada y hundió la cara en ella, entre lágrimas. Marcie se quedó en casa como la amiga fiel que era y durmió en el sofá. Pasó horas llamando a los amigos para anunciarles el funeral. Telefoneó a la galería de París. Asistirían todos.

Marcie encargó las flores y Sasha seleccionó la música. Empezaron a llegar amigos para ofrecer ayuda. Algunos de los socios y mejores amigos de Arthur se encargarían de recibir y sentar a los asistentes. Sasha pensó que moriría cuando tuvo que elegir la ropa para su marido. Pero de algún modo todos llegaron al funeral puntuales y bien vestidos. Después los asistentes se reunieron en casa de Sasha. Mucho después, ésta admitió que no recordaba nada. Ni la música ni las flores, ni siquiera a las personas que asistieron a la ceremonia. No recordaba quién fue después a casa. Mantuvo una apariencia de normalidad y cordura, toda la compostura posible. Pero estaba traumatizada. Como sus hijos. Se aferraban unos a otros como viajeros de un barco que se iba a pique y estuvieran ahogándose. Sasha se ahogaba. La parte más difícil llegó al día siguiente. La vida real sin Arthur. El horror de la vida diaria sin él. Era un dolor increíble. Como cirugía sin anestesia. Sasha apenas podía creer qué significaba despertarse cada día sabiendo que no le vería nunca más. Todo lo que antes le parecía querido, maravilloso y fácil, ahora resultaba una agonía de una dureza atroz. Pasar los días sin él no tenía ninguna recompensa, no tenía sentido levantarse por las mañanas, no había ninguna ilusión ni otra razón para seguir viva, aparte de los hijos.

Xavier regresó a Londres a los quince días. Telefoneaba a su madre a menudo. Tatianna volvió al trabajo al cabo de una semana. Sasha la llamaba a diario y ella casi siempre se echaba a llorar nada más oír su voz. El único consuelo que le quedaba a Sasha, además de la compasión de sus empleados y el apoyo incondicional de Marcie, era hablar con amigas que habían pasado por lo mismo. Detestaba hablar con ellas y la mayoría de las veces la deprimían, pero al menos le contaban con franqueza lo que le esperaba. Y nada de lo que decían sonaba tranquilizador.

Alana Applebaum, cuyo marido había sido amigo de Arthur y cuyo cumpleaños Sasha se había perdido porque el funeral se había celebrado la víspera, le contó que el primer año había sido una tortura de principio a fin. Y a veces todavía lo era. Pero después del primer aniversario había hecho un esfuerzo por salir con otros hombres. La mayoría eran unos desgraciados y todavía no había conocido a ninguno decente, pero al menos no se quedaba en casa llorando a solas. Su teoría era que por muy malo que fuera un hombre siempre era mejor que estar sola.

Una de las mejores amigas de Sasha en París, que había perdido a su esposo hacía tres años en un accidente de esquí en Val d'Isère, lo veía de otro modo. Ella prefería la soledad a estar con un desgraciado. Tenía cuarenta y cinco años y había enviudado a los cuarenta y dos; opinaba que no había hombres decentes disponibles porque todos los buenos estaban casados. Los que quedaban eran idiotas o algo peor. Insistía en que era más feliz sola. Pero Sasha sabía que en el último par de años su amiga había empezado a beber en exceso. Y a menudo, cuando telefoneaba a Sasha para consolarla, calculaba mal el desfase horario y la llamada estando borracha. Así que tampoco le iba muy bien.

Sasha había llegado a comentarle a Marcie que, visto cómo les iba a sus amistades, tal vez el único modo de sobrevivir fuera emborrachándose. Le deprimía escucharlas. Y las divorciadas que conocía no estaban mucho mejor. No cargaban una pena insoportable con la que vivir y podían escudarse tras el odio hacia sus ex maridos, en particular si las habían dejado por mujeres más jóvenes. En general daba miedo escucharlas a todas. De modo que Sasha decidió evitarlas, aislarse y concentrarse en el trabajo. A veces la ayudaba. Pero la mayoría del tiempo, no.

Las primeras Navidades sin Arthur llegaron y se marcharon entre agonías pequeñas y grandes. Xavier y Tatianna pasaron la Nochebuena con su madre y a medianoche ya estaban los tres sollozando en el sofá. Ninguno de ellos quiso abrir los regalos, sobre todo Sasha. Tatianna le había regalado una pesada estola de cachemir porque su madre parecía tener frío todo el tiempo, probablemente debido a que apenas dormía ni comía. Xavier le regaló unos libros de arte que sabía que le hacían ilusión. Pero sin Arthur no era Navidad.

Al día siguiente sus hijos salieron a esquiar con unos amigos. En Nochevieja se tomó un somnífero a las ocho y se despertó a las dos de la tarde del día siguiente agradecida por haberse perdido la celebración. Con Arthur nunca hacían nada especial para Nochevieja, pero al menos se tenían el uno al otro.

Hasta mayo no empezó a sentirse vagamente humana. Habían transcurrido siete meses desde la muerte de Arthur. Lo único que había hecho desde entonces era viajar una vez al mes a París, donde pasaba las noches en casa sentada hecha un ovillo y congelándose, terminaba el trabajo a todo correr y luego regresaba a Nueva York. Durante esos meses delegó cuanto pudo en los encargados de ambas galerías, agradecida de contar con su ayuda. Sin ellos habría estado completamente perdida. Los domingos eran el peor día en cualquiera de las dos ciudades, porque no podía ir al trabajo. No había estado en la casa de los Hamptons desde que Arthur había muerto. No quería volver sin él y tampoco quería venderla. Se limitó a dejarla como estaba y decir a sus hijos que fueran cuando quisieran. Ella no pensaba ir. No tenía ni idea de qué hacer con el resto de su vida, aparte de trabajar, actividad que en aquellos momentos no le reportaba la menor alegría, pero que al menos se había convertido en su única tabla de salvación. El resto le parecía un páramo de desesperación. Jamás en su vida se había sentido tan perdida ni falta de esperanza.

Los dos encargados de las galerías, incluso Marcie, la animaban a que viera a sus amistades. Hacía meses que no devolvía las llamadas, sólo las de trabajo. E incluso en tales casos las delegaba a otros siempre que podía. No quería hablar con nadie desde que Arthur había muerto.

Por fin, en mayo, se sintió algo mejor. En junio, para su propia sorpresa, aceptó una invitación a cenar de Alana, aunque se arrepintió al instante. Lo lamentó todavía más en cuanto llegó la noche acordada. Lo que menos le apetecía en el mundo era arreglarse para salir. Marcie le había asegurado que Arthur habría querido que saliera por ahí. Se desesperaría de

47

verla en el estado en el que se encontraba. Sasha había adelgazado casi nueve kilos. La gente que no la conocía la veía estupenda pero no tenía ni idea de por qué. Para esa gente estar consumida por la pena parecía moderno y elegante.

De manera que una aciaga noche de junio Sasha salió por primera vez. Se puso un traje pantalón de seda negra y tacones y se peinó el pelo en un moño. Los pendientes de diamantes que llevaba eran un regalo de Navidad de Arthur. Lloró al colocárselos. La ropa le iba ancha. Estaba escuálida; de pronto todo le quedaba grande.

La cena empezó de forma más agradable de lo que ella esperaba y conocía a casi todos los asistentes. Para entonces Alana había cambiado de pretendiente y, sorprendentemente, el nuevo tenía buena pinta. Sasha charló con él un rato y descubrió que era coleccionista de arte contemporáneo y que alguna vez le había comprado algo en la galería. El tormento comenzó cuando se enteró de que Alana le había pedido que se trajera un amigo, que aprovechó la cena para lanzarse sobre ella. El hombre era inteligente y tal vez podría haber resultado interesante si no hubiera interrogado a Sasha como si hubieran concertado una cita por internet, cosa que ni había hecho ni tenía intención de hacer, ni entonces ni nunca. Sabía que Alana había conocido a varios hombres mediante agencias matrimoniales virtuales. Sasha se horrorizaba sólo de pensarlo. No quería una cita con nadie, ni con ese hombre ni con ninguno. Tenía la intención de llorar a Arthur para siempre.

–¿Cuántos hijos viven todavía contigo? –le preguntó sin miramientos el hombre antes de sentarse a cenar, mientras Sasha consideraba si podría excusarse con una migraña repentina y desaparecer.

Pero sabía que Alana se ofendería. Su anfitriona tenía buenas intenciones, pero Sasha no quería estar allí. Sólo quería que la dejaran en paz. Las heridas seguían abiertas. Y no deseaba reemplazar a Arthur. Jamás.

–Tengo dos hijos mayores –contestó Sasha, sombría.

–Eso está bien –repuso él con alivio.

Sasha sabía que era corredor de bolsa y que llevaba catorce años divorciado. Aparentaba unos cincuenta años, dos más que ella.

–En realidad, no –replicó sinceramente Sasha con una sonrisa triste–. Ya no viven en casa. Los echo mucho de menos. Ojalá fueran más jóvenes y siguieran conmigo.

Ese comentario incomodó al hombre.

–¿No estarás planeando tener más?

Sasha tenía la impresión de que su interlocutor seguía una lista de preguntas punto por punto.

–Me encantaría, pero soy viuda.

Para ella, eso respondía a la pregunta. Para él, no.

–Probablemente volverás a casarte.

Ya estaba, en un visto y no visto el hombre había borrado a Arthur del mapa y había pasado al siguiente. Sasha, no.

–No volveré a casarme –replicó con mirada terca mientras pasaban a cenar y descubría con consternación que los habían sentado juntos.

Estaba claro que Alana tenía un plan.

–¿Cuánto tiempo estuviste casada? –le preguntó él, con renovado interés.

No le interesaban las mujeres que iban a la caza de un marido. En tales casos, llevan todas las de perder.

–Veinticinco años –contestó algo remilgada mientras se sentaban.

Él no cedió un pelo ni dejó de hacer preguntas.

–Bueno, entonces entiendo por qué no quieres volver a casarte. Al final se vuelve aburrido, ¿verdad? Después de tantos años… Yo estuve casado once, suficientes para mí.

Sasha le miró horrorizada y tardó bastante rato en contestar.

–Mi matrimonio no era aburrido –aseguró ella con firmeza–. Estaba muy enamorada de mi marido.

–Qué pena –contestó él, atacando el primer plato. Fue el primer respiro que le concedió a Sasha–. Es probable que le recuerdes mejor de lo que era. Le pasa a la mayoría de los viudos. Todos creen que estaban casados con santos. Aunque mientras tenían a su pareja con ellos no les gustaba tanto.

–Te aseguro –repuso Sasha con una mirada altiva y ganas de tirarle algo– que estaba enamoradísima de mi marido. Es un hecho, no una ilusión. –Su tono era glacial.

–Muy bien, de acuerdo –concedió, desconcertado–, lo que tú digas. En fin, ¿con cuántos hombres has salido desde que murió?

Justo entonces Alana los miró y al ver la expresión de Sasha comprendió que la cosa no iba bien. Estaba pálida de rabia.

–No he salido con nadie ni tengo la intención de hacerlo. Nunca. Mi marido falleció hace ocho meses y ésta es la primera invitación que acepto.

Su compañero de cena la miró, anonadado.

–Dios mío, eres virgen.

Al principio pareció tomárselo como una rareza y luego, al tiempo que la miraba con interés, como un reto. Pero con Sasha había encontrado la horma de su zapato.

–No, no soy virgen como dices. Ni tengo la intención de que me desfloren. Soy una viuda de cuarenta y ocho años que estaba muy enamorada de su marido.

Tras esas palabras, le dio la espalda y se puso a hablar con el comensal del otro lado, un hombre que Arthur y ella conocían bien. Estaba casado y tanto él como su mujer eran muy apreciados por su difunto marido.

–¿Te encuentras bien?

Su viejo amigo la miró con preocupación cuando Sasha se dirigió a él con ojos encendidos. Se lo preguntó en voz baja y ella asintió en silencio, llorosa.

El hombre de su izquierda no sólo la había ofendido, la había deprimido. Eso era lo que le esperaba ahora que era viuda. Empezó a preguntarse si no sería mejor presentarse como mujer casada. No le apetecía ser la «virgen» de nadie. Le privaba de todo el respeto y la dignidad que había dado por sentados mientras estaba casada con Arthur. No sólo había perdido al hombre que amaba, sino que, ahora se daba cuenta, de la noche a la mañana se había vuelto vulnerable y perdido la protección de un marido amante y la seguridad y comodidad que proporcionaba el escudo del matrimonio.

–Estoy bien –contestó en voz queda a su amigo.

–Lo siento mucho, Sasha –la consoló él, dándole unas palmaditas en la mano que consiguieron hacerla llorar y tener que buscar un pañuelo en el bolso. Ya no podía permitirse salir sin uno. Mientras se sonaba se sintió patética e incómoda.

Durante el resto de la cena picoteó de lo que le servían en el plato y desapareció con cuanto aplomo logró reunir mientras los demás pasaban al salón para tomar el café. Ni siquiera tuvo fuerzas para despedirse de Alana, aunque se prometió que la telefonearía a la mañana siguiente.

No hizo falta. Alana la llamó al despacho. Era sábado, pero Sasha solía estar trabajando en la galería. Ya no existían aquellos fines de semana en los Hamptons con Arthur que tanto le gustaban; ahora era incapaz de encararlos sola.

–¿Qué pasó? –preguntó Alana con voz quejumbrosa–. Cuando le conoces es un hombre muy agradable. Y le gustaste. ¡Le pareces fantástica!

Semejante información deprimió todavía más a Sasha.

–Es muy amable de su parte. Pero no quería una cita, Alana. Sólo quería salir a cenar.

–No puedes quedarte sola para siempre, Sasha. Antes o después tendrás que salir. Eres joven. Y, seamos realistas, tampoco hay tantos tipos decentes disponibles. Éste está bien.

O al menos eso creía Alana. Pero durante el año anterior había demostrado que la desesperación alteraba su buen juicio.

–No quiero uno que esté bien –repuso Sasha con tristeza.

Le gustaba su amiga, siempre le había gustado, pero detestaba en lo que estaba convirtiéndose. Su buen gusto, juicio y dignidad parecían haber saltado por la ventana en cuanto enviudó. Sasha estaba segura de que todas las viudas no eran así. Además Alana tenía graves problemas económicos y buscaba desesperadamente un marido que se los solucionara. Y, como había apuntado Arthur antes de morir, los hombres lo olían. *Eau de Panic*, lo había llamado Arthur. No era un perfume atractivo.

—Quieres a Arthur —contestó Alana, hurgando en la herida—. Pues escucha, la verdad es que yo quiero a Toby. Pero ya no están, Sasha. No volverán y nosotras seguimos aquí atrapadas sin ellos. Tenemos que sacar cuanto podamos de esta situación penosa.

—Todavía no estoy preparada —se excusó Sasha, con amabilidad. No le dijo a su amiga lo alocada que parecía y la vergüenza que empezaba a dar—. Quizá la solución esté en quedarse en casa. No me imagino teniendo una cita.

Ni quería imaginárselo.

—Sasha, tú tienes cuarenta y ocho años y yo cincuenta y tres. Somos demasiado jóvenes para quedarnos solas para siempre.

Sasha se sentía joven cuando estaba casada con Arthur. Desde su muerte, se sentía un ser prehistórico.

—No sé, Alana. No sé qué hay que hacer. Pero ahora mismo, preferiría morir a tener una cita.

Como de costumbre, fue de una sinceridad dolorosa.

—Ten paciencia. Dales una oportunidad, antes o después encontrarás a uno que te guste. —A juzgar por los hombres con los que había salido Alana durante ese año, exceptuando su pareja actual, ninguna mujer en su sano juicio habría aceptado a ninguno de ellos salvo, quizá, por su dinero. Los planes de Alana no tenían nada que ver con los de Sasha. Ésta se conformaba con sobrevivir a la pérdida de Arthur—. En unos meses te sentirás diferente. Espera a que pase el primer año. Después estarás preparada.

—Espero que no. Tengo a mis hijos, las galerías y los artistas.

Aunque sin Arthur, sólo sus hijos tenían sentido. Apenas podía concentrarse en el trabajo. Únicamente servía para sacarla del piso de Nueva York o de la casa de París. Pero no disfrutaba de nada en la vida.

—No basta y lo sabes.

–Quizá para mí sí.

–Bueno, pues para mí no –repuso Alana con firmeza–. Quiero encontrar un buen hombre y casarme. –O a falta de bueno, que fuera rico. A Sasha no le interesaba–. Date otros seis meses y ya verás como sales a por uno.

–Dios mío, espero que no.

Sólo de pensarlo, se deprimía todavía más.

–Ya veremos –contestó Alana como si estuviera de vuelta de todo.

Pero una cosa estaba clara, en los tiempos que corrían a nadie, fuera viuda o divorciada, le resultaba fácil encontrar hombres. A Alana se lo habían dicho todas sus amigas. Igual que a Sasha, sólo que a ella no le importaba.

A la semana siguiente regresó a París y se quedó allí dos semanas. Por primera vez en varios meses visitó a artistas de diversas ciudades europeas –Bruselas, Amsterdam y Munich–. Se detuvo en Londres de camino a casa para ver a su hijo. Xavier estaba más animado y su nueva obra era muy interesante. A Sasha le impresionó. De modo que, para alegría de su hijo, le dio el nombre de una galería con la que creía que debía contactar. Xavier no quería exponer en Suvery; apestaba a nepotismo y estaba decidido a hacer las cosas por sí mismo.

Xavier había vuelto a mencionarle a su amigo Liam Allison varias veces en los últimos meses. Insistía en que era uno de los artistas con más talento que había conocido y quería que Sasha viera su obra.

–Me encantaría, pero primero que me envíe algunas diapositivas –le respondió.

Sasha no quería perder el tiempo y las diapositivas le servían de selección previa. Pero por muchas veces que se lo recordaba a su hijo, el amigo nunca se las mandaba. Xavier lo excusaba aduciendo que era tímido, algo que no era raro en un artista joven, o incluso mayor, pero por las anécdotas con las que su hijo solía obsequiarla éste en concreto parecía cualquier cosa menos tímido. Por lo visto, cada vez que Xavier se descontrolaba o se comportaba mal, asistía a una fiesta desenfrenada o cometía algún acto escandaloso o irresponsable, Liam estaba presente. Poco tiempo atrás, salieron a cenar un domingo, bebieron demasiado vino y cogieron un taxi al aeropuerto; acabaron pasando cuatro días en Marrakech. Según Xavier nunca se había divertido tanto. A la vuelta telefoneó a su madre. Estaba preocupada porque hacía casi una semana que su hijo no le devolvía las llamadas.

—A ver si lo adivino —le dijo cuando por fin Xavier reapareció y le contó dónde había estado—. Seguro que el tal Liam ha tenido algo que ver. —Casi podía predecirlo. Cada vez que Xavier hacía algo inesperado o alocado, terminaba por contarle que Liam le había acompañado—. Debe de estar como una cabra. Su mujer tiene que ser una santa.

—Es comprensiva —concedió sin dudarlo, Xavier— aunque está un poco harta. Trabaja y le gustaría que Liam cuidara de los niños.

—Apuesto a que ella los mantiene a todos —aventuró, convencida, Sasha. Conocía a otros artistas así, aunque no tan exuberantes y ajenos a los modos de comportamiento aceptados—. Si yo fuera ella, me lo cargaba.

—Me parece que ha amenazado con matarlo varias veces. No creo que el viaje a Marruecos haya significado un punto particularmente álgido en su matrimonio.

—No me extraña. Parece uno de esos niños con los que no te dejaban jugar de pequeña porque siempre te creaban problemas. Y probablemente será lo que le ocurrirá un día de éstos: acabará metido en un lío del que no le será nada fácil salir.

—No tiene mal fondo y nunca hace nada peligroso. Sencillamente le gusta pasarlo bien y odia que le digan lo que debe hacer. Creo que creció rodeado de normas o algo así. Es alérgico a hacer lo que se espera de él. Le gusta dejarse llevar.

—Eso parece. Me muero por conocerlo —dijo compungida Sasha.

En realidad confiaba en que, si llegaba a ver sus diapositivas, no le gustara nada su obra. Ese hombre parecía un engorro que no necesitaba. Aunque en ocasiones la gente con tanta energía y personalidad poseía un enorme talento. En opinión de Sasha, lo que los artistas como Liam necesitaban era que los metieran en cintura, una severa reprimenda y mano dura para que no se olvidaran de trabajar. No obstante, Xavier aseguraba que Liam era minucioso y concienzudo en lo relativo a su arte. Sólo era irresponsable en todo lo demás. Y seguía empeñado en presentárselo a su madre. Estaba convencido de que Suvery era la galería perfecta para su amigo. Pero de momento, y para alivio de Sasha, todavía no había conseguido ponerlos en contacto.

Sasha pasó el mes de julio en Nueva York pero no se acercó para nada a la casa de los Hamptons. No podía; le dijo a Tatianna que la aprovechara ella. Sasha no quería ni verla. En agosto se fue a pasar quince días con unos amigos de Saint-Tropez. El resto del mes estuvo en la casa de París, sintiéndose como una canica en una caja de zapatos. El mundo le parecía demasiado grande sin Arthur. Su vida era como un par de zapatos que ya no le iban bien. Jamás en la vida se había sentido tan insignificante. Ni siquiera cuando murió su padre; entonces tenía a Arthur para protegerla. En aquellos momentos no tenía a nadie; nada salvo los recuerdos y las ocasionales visitas de sus hijos.

Regresó a Nueva York a finales de agosto y, definitivamente, el fin de semana del día del Trabajo reunió valor suficiente para ir a Southampton. Era la primera visita en casi un año y, en cierto modo, representó un alivio. Fue como reencontrar un poco de Arthur, una parte de él que había echado muchísimo de menos. El ropero seguía lleno con sus cosas y, al mirar al lecho, recordó la última vez que le había visto tumbado en él. La mañana que Sasha se marchó a París Arthur le susurró que la quería, ella le besó y luego él volvió a dormirse. Los recuerdos en Southampton resultaban abrumadores y Sasha pasó horas enteras paseando por la playa y pensando en su marido. Pero por fin sintió que la herida comenzaba a sanar.

Tras el día del Trabajo regresó a la galería con mejor aspecto. Llevaba casi un mes dándole vueltas a una idea. Todavía no se había decidido. Lo había planeado con Arthur. Y ahora tenía todavía más sentido. Quería volver a casa. Resultaba demasiado duro continuar en Nueva York sin él.

Septiembre pasó volando con la inauguración de un artista nuevo, organizada por ella, y otra exposición en solitario. Sasha organizaba todas las exposiciones de sus galerías, elegía las obras que se exponían, el lugar donde se colgaban y buscaba los contrastes y combinaciones que realzasen lo mejor de cada pieza. Tenía una facilidad innata para hacerlo y además siempre le había gustado. También se reunió con algunos clientes de toda la vida, acudió a las juntas de los museos y preparó un oficio en recuerdo de Arthur para el primer aniversario de su muerte. Xavier había prometido acudir. Como cabía prever, la ceremonia fue un momento triste para todos. Asistieron los socios de Arthur, sus hijos y sus mejores amigos. A las amistades les entristeció todavía más ver lo seria y triste que parecía Sasha. Al salir de la iglesia costaba creer que ya había transcurrido un año.

Esa noche, tras el oficio religioso, Tatianna le contó a su madre que había dejado el trabajo y que pensaba viajar varios meses por la India con unos amigos. Quería sacar algunas fotografías y luego, a la vuelta, buscar empleo en alguna revista. Prometió volver para Navidad. Tenía veintitrés años y decía que necesitaba volar sola, cosa que preocupaba un poco a su madre, aunque sabía que no tenía más remedio que dejarla partir. Después Sasha expuso sus planes. Había decidido trasladarse a París, dirigir desde allí las galerías y cambiar el campamento base para las idas y venidas de los últimos trece años. Desde la muerte de Arthur sentía la necesidad de regresar a sus raíces. Y con Tatianna fuera, al menos en París estaría más cerca de Xavier. La decisión asustó a la chica y alegró a su hermano.

–Creo que te irá bien –dijo este último.

Llevaba todo el año preocupado por su madre. Siempre la había visto más feliz en París y tal vez allí volvería a animarse. Todo ese tiempo había estado completamente abatida.

–¿Venderás el piso? –preguntó, preocupada, Tatianna.

Su hija ya casi no paraba en casa, pero le gustaba saber que seguía teniendo una. No conocía los planes de retirarse de su padre ni las conversaciones sobre vender el piso para comprar un pequeño apartamento.

–Todavía no. Me servirá cuando esté aquí.

Tatianna pareció aliviada. De hecho, mudarse a París no conllevaría grandes cambios para Sasha. Ahora pasaría tres semanas al mes en París en lugar de una o dos, y una o más en Nueva York según necesitara. Había echado raíces en ambas ciudades y hacía trece años que vivía a caballo entre las dos. Los encargados de ambas galerías estaban preparados para ejecutar sus órdenes y se mantenían en comunicación constante con ella cuando estaba fuera. Los ajustes serían sencillos.

Sasha esperó hasta noviembre para mudarse a París. Octubre era siempre un mes muy ajetreado en el mundo artístico neoyorquino. Tenía juntas a las que acudir, exposiciones que organizar y, antes de empezar a pasar la mayor parte de su tiempo en París quería despedirse de algunos amigos de Nueva York. No los había visto mucho en el último año. Celebró una pequeña cena para Alana, que acababa de prometerse y parecía enormemente aliviada. Iba a casarse con el hombre que le había presentado a Sasha el junio anterior, y los dos parecían felices. Como de costumbre, Alana no pudo evitar preguntarle a su amiga si estaba preparada para salir con hombres. Se lo preguntaba siempre que hablaban. Se había convertido en un mantra odioso para Sasha.

–Todavía no.

Sasha sonrió amablemente y se alejó. En su fuero interno pensaba que nunca lo estaría. Pasó un último fin de semana en los Hamptons antes de marcharse y celebró el día de Acción de Gracias con los amigos. Xavier había vuelto a Londres y Tatianna estaba en la India, de viaje con sus amigos. Así que le resultó más fácil pasar el día de Acción de Gracias en casa de otros. Le parecía más impersonal y menos doloroso. El año anterior,

57

en su casa, habían sentido demasiado reciente y presente la ausencia de Arthur. Este año fue mejor. Le sorprendió encontrarse en la cena con un viejo amigo y descubrir que, tras treinta y cuatro años de matrimonio, acababa de divorciarse. Tenía la edad de Arthur y llevaban años sin verse. Durante la cena le contó a Sasha con suma discreción que su mujer era alcohólica y durante los últimos veinte años de matrimonio había padecido problemas mentales. El hombre se sentía triste y aliviado por haber escapado de semejante situación y lamentó que Sasha se fuera de la ciudad. Mantuvieron una charla agradable mientras cenaban y Sasha notó que su anfitriona los vigilaba esperanzada. Los había invitado confiando en que de ese encuentro naciera algo más. Eran los únicos sin compromiso de la fiesta. Sasha se quedó de piedra cuando él la llamó al día siguiente. Telefoneó mientras ella empaquetaba sus pertenencias para el traslado a París. Partía al día siguiente.

–Me preguntaba si te gustaría salir a cenar conmigo –propuso él en un tono dubitativo y algo torpe.

Arthur y Sasha siempre le habían caído bien y, como ella, llevaba años sin pedir una cita. Parecía nervioso e inseguro.

–Me habría encantado –contestó Sasha con soltura. Se iba al día siguiente y por tanto no representaba ningún problema, aunque, de todos modos, tampoco lo habría sido antes. En su opinión eran sólo viejos amigos y así seguirían–. Salgo para París mañana. Me mudo –explicó, aliviada.

Sabía que había tomado la decisión correcta. Hasta sus hijos estaban de acuerdo.

–Siento oírlo. Confiaba en poder invitarte al cine o a cenar alguna vez.

Le había gustado reencontrarse con ella. E incluso Sasha tenía que admitir que no había nada malo en él. Era un buen hombre. Sólo que no era Arthur y a ella no le interesaba involucrarse con ningún otro.

–Estaré por aquí varios días al mes. Tienes que venir a alguna de nuestras inauguraciones –contestó con vaguedad.

Él prometió acudir.

–Te llamaré si voy a París. Voy de vez en cuando por negocios.

Pero él buscaba a alguien más accesible desde el punto de vista geográfico y emocional y Sasha sabía que no volvería a saber de él. No le importaba. Él le deseó buena suerte y a la mañana siguiente Sasha cogió un taxi para el aeropuerto. A las nueve en punto estaba volando y al cabo de media hora ya se había quedado dormida. Al salir de Nueva York lucía un día soleado y seco, pero cuando llegó a París llovía y hacía frío. A veces olvidaba lo deprimentes que podían ser los inviernos parisinos. Pero de todos modos se alegraba de estar allí. Esa noche se acostó en su cama de París con el ruido de la lluvia de fondo.

Al despertarse el domingo por la mañana la niebla estaba tan baja que casi descansaba en los tejados. El día era gélido y gris y la casa estaba húmeda. Cuando esa noche volvió a meterse en cama, el frío le caló hasta los huesos e incluso las sábanas le resultaron ásperas. Por un instante echó de menos su acogedor y cálido pisito de Nueva York. Mientras trataba de conciliar el sueño se dio cuenta de que en aquella época, dondequiera que fuera, sus miserias viajaban con ella. No importaba la ciudad en la que viviera ni la cama en la que durmiera. Dondequiera que se encontrara, cualquiera que fuera el país o la ciudad, su lecho estaría siempre vacío y ella seguiría sola.

3

Sasha tuvo un mes de diciembre muy ocupado en París. La galería pasaba por una época de mucho trabajo. Se citó con la mayoría de sus principales clientes, todos los cuales parecían querer realizar compras importantes o vender parte de sus colecciones antes de fin de año. Habló con Xavier casi a diario. Había organizado unas vacaciones en la nieve para ella y sus hijos. Saldrían hacia Saint-Moritz el día después de Navidad. También allí tenía varios clientes importantes.

La vida social en París era mucho más formal que en Nueva York. Los clientes neoyorquinos eran personas de éxito pero se mostraban más relajados y muchos de ellos habían acabado convirtiéndose en amigos con los años. La gente que le gustaba de Nueva York pertenecía a orígenes y a campos profesionales variopintos e interesantes. En París subsistían ciertas fronteras sociales más propias de Europa. Sus principales clientes procedían de la aristocracia o la nobleza o pertenecían a fortunas establecidas generaciones atrás, como los Rothschild, muchos de los cuales habían sido además amigos de su padre. Las fiestas a las que la invitaban eran infinitamente más pomposas y cuidadas que las reuniones a las que acudía en Nueva York o que ella misma había organizado en vida de Arthur. Además en París costaba más declinar una invitación puesto que muchos de los anfitriones le habían comprado obras de primerísimo orden. Se sentía obligada a aceptar. Se quejaba de ello a Xavier y su hijo insistía en que le haría bien salir. Pero incluso a su edad a menudo era con diferencia la persona más joven de la sala y, las más de las veces, se aburría. No obstante asistía por motivos de negocios. Y siempre se alegraba de estar de vuelta en casa.

A mediados de diciembre, mientras trabajaba en el despacho otro día triste y neblinoso, su secretaria le anunció la visita de un cliente. Se habían conocido la noche anterior en el transcurso de una cena. Le interesaba comprar una obra importante de estilo flamenco y Sasha se alegró de que su interés no se hubiera quedado en un mero tema de conversación. Salió del despacho para reunirse con él y mostrarle varios cuadros que parecieron de su agrado.

Para todos, salvo para Sasha, a lo largo de las dos horas y media de conversación se hizo evidente que la propietaria de la galería también era del agrado del cliente. La invitó a cenar al día siguiente en Alain Ducasse para tratar con ella la eventual adquisición. Ducasse estaba considerado uno de los mejores restaurantes de la ciudad y Sasha sabía que la cena se alargaría tres o cuatro horas, una perspectiva que se le antojaba aburrida y tediosa. Pero lo consideró una gran oportunidad para cerrar una venta de un millón de dólares. Sólo pensaba en el trabajo, menos cuando telefoneaba a Tatianna o a Xavier.

–Quizá le interesa algo más que el cuadro, mamá –bromeó Xavier cuando su madre le contó la invitación a cenar que había aceptado para el día siguiente.

–No seas tonto, mi padre aceptaba cenas como ésa constantemente. Y, créeme, ninguno de los clientes iba detrás de él.

Sabía que algunas mujeres le habían pretendido tras la muerte de su madre. Pero jamás vio a su padre demostrar ningún interés romántico por ninguna de ellas. Como Sasha, su padre había permanecido fiel hasta el final al recuerdo de su esposa. O al menos esa impresión le había dado a su hija. Nunca habían abordado el tema. Si había pasado alguna mujer por su vida, cosa que Sasha dudaba, lo había llevado con gran discreción.

–Nunca se sabe –repuso Xavier, esperanzado. Ni él ni su hermana querían que acabara sola–. Todavía eres guapa y joven.

–No, no lo soy. Tengo cuarenta y ocho años.

–A mí me suena joven. Tengo un amigo que sale con una mujer mayor que tú.

–Qué espanto. Eso es perversión de menores –contestó ella, entre risas.

La idea de salir con un hombre más joven le parecía ridícula.

–No dirías lo mismo si un hombre de tu edad saliera con una mujer más joven.

–Eso es distinto –sentenció con rotundidad, y esta vez fue Xavier quien se rió.

–No, para nada. Sólo que estás más acostumbrada. Tiene el mismo sentido cuando se trata de una mujer mayor que sale con un hombre más joven.

–¿Me estás diciendo que tu última conquista te dobla en edad? Porque si es eso, prefiero no saber nada.

Como mínimo Sasha sabía que en cualquier caso la mujer desaparecería en cuestión de una semana. Con Xavier siempre ocurría lo mismo, fueran de la edad que fuesen. En lo referente a mujeres su hijo tenía la misma capacidad de atención que una pulga.

–No, aún no lo he probado, pero lo haré si encuentro a una mujer mayor que me guste y quiera salir conmigo. No seas tan anticuada, mamá.

No solía serlo; en realidad a Xavier le encantaba lo abierta de miras que era con él. Para esas cosas Sasha era muy francesa y no le molestaba que su hijo llevara una vida amorosa muy activa. Siempre había sido mucho más liberal que las madres de sus compañeros de colegio en Nueva York o sus amigos estadounidenses. Sasha solía comprar condones para él y sus amigos y dejárselos en un enorme tarro del dormitorio. No hacía preguntas, y se limitaba a rellenar el tarro regularmente. Prefería afrontar tales cuestiones con realismo. En ese sentido, era muy francesa.

–Te lo advierto, como te cases con una mujer el doble de mayor que tú no pienso asistir a la boda, sobre todo si es una de mis amigas.

–Nunca se sabe. Sólo digo que no deberías cerrarte en banda.

Era consciente de que su madre todavía no había tenido ninguna cita. Mantenían una relación tan abierta que sabía que de haberla tenido se lo habría comentado.

–Quizá debería dejarme caer por el jardín de infancia del barrio o repartir mi número de teléfono en el instituto. Si no consigo una cita, siempre puedo adoptar a alguno.

Sasha se estaba riendo de su hijo y de la imagen completamente absurda y algo repulsiva de ella con un chico o un hombre mucho más joven. Estaba acostumbrada a convivir con alguien mayor que ella.

–Cuando quieras una cita, la tendrás –le aseguró Xavier con calma.

–No quiero citas –repuso ella con firmeza, dejando las risas. No le apetecía abordar el tema con Xavier ni con nadie.

–Lo sé. Pero confío en que algún día te apetezca.

Su padre había muerto hacía catorce meses y sabía mejor que nadie lo sola que estaba Sasha. Su madre le telefoneaba todas las noches desde casa y él le notaba la voz triste siempre que no estaba en el trabajo. Detestaba imaginársela así. Tatianna estaba en la India y mucho más desconectada de su madre. Además Xavier tenía la impresión de que ella se expresaba más abiertamente con él. Compartían ese lazo especial que en ocasiones une a madres e hijos como confidentes y amigos.

Sasha le contó que la semana siguiente volaría a Nueva York para asistir a una junta y que regresaría el día antes de Nochebuena.

Xavier y Tatianna llegarían a París el día de Nochebuena por la tarde. Y pasado el día de Navidad saldrían juntos para Saint-Moritz. A todos les apetecía. Además su nuevo cliente en perspectiva tenía casa en aquella localidad suiza. Confiaba en haber cerrado la venta para entonces.

Al día siguiente el cliente pasó a recogerla para ir a cenar al Alain Ducasse del Plaza Athénée. Sasha habría preferido una cena elegante pero sencilla en Le Voltaire, pero era cuestión de negocios y por tanto iría donde el cliente dispusiera. Era fácil deducir que el hombre trataba de impresionarla, pero a

Sasha nunca le había fascinado en exceso la comida cara y complicada, por muchas estrellas Michelin que tuviera el chef. Alain Ducasse tenía tres.

Como cabía prever, la cena fue increíble. Disfrutaron de una conversación interesante y, mientras Gonzague de Saint Mallory la acompañaba a casa en coche, la venta parecía inminente. Era un hombre encantador, educado, extremadamente rico, conde y muy esnob. Le Comte de Saint-Mallory. Se había casado dos veces, tenía cinco hijos reconocidos de los que hablaba con normalidad y, como Sasha sabía, otros tres de los que no. En cuestiones de dicha naturaleza, Francia era un país pequeño y París una ciudad aún menor. Las aventuras del conde eran legendarias, sus amantes vivían a cuerpo de rey y sus hijos ilegítimos eran la comidilla de la ciudad.

—Estaba pensando que quizá me gustaría probar el cuadro en la casa de Saint-Moritz antes de tomar una decisión —dijo con aire pensativo el conde mientras la conducía a casa en su Ferrari. Pocas veces se veían coches semejantes en París, donde los vehículos grandes resultaban incómodos. Sasha conducía un minúsculo Renault, mucho más fácil de aparcar y maniobrar. No sentía la necesidad de alardear de coche caro por París ni por ningún otro lugar—. Podría venir a verlo y decirme qué le parece —continuó mientras aparcaba frente al *hôtel particulier* que ocupaban la galería y el hogar de Sasha.

—No sería ningún problema —contestó ella, encantada—. Se lo podemos enviar a Saint-Moritz, estaré allí con mis hijos dentro de quince días.

Al conde no le gustó la respuesta.

—Pensaba que podría instalarse en mi casa. Quizá prefiera llevar a sus hijos en otra ocasión.

Por lo visto para el conde se podía prescindir de los hijos sin problemas. Sasha no opinaba lo mismo.

—Me temo que no va a ser posible —repuso claramente, mirándole a los ojos—. Hace tiempo que tenemos planeado el viaje. E incluso aunque no fuera así, me muero de ganas de pasar unas vacaciones con ellos.

Intentaba transmitirle el mensaje de que llamaba a la puerta equivocada, con independencia de lo que hicieran sus hijos. Sasha no tenía la menor intención de mezclar trabajo y placer, sobre todo en el caso del conde, de reputación extremadamente dudosa. Tenía cincuenta y cuatro años y era famoso por las juergas que se corría con jovencitas.

–Entiendo que quiere usted vender el cuadro –dijo Gonzague con idéntica claridad–. Creo que me comprende, mademoiselle de Suvery.

–Perfectamente, monsieur le Comte. El cuadro está en venta. Yo no. Ni por un millón de dólares. Me encantará echarle un vistazo mientras esté en Saint-Moritz –añadió, más amable.

Pero los ojos del conde centelleaban. Ambos se habían expresado con claridad. Y al conde no le gustaba lo que oía. Las mujeres nunca le rechazaban, en particular las de la edad de Sasha. En su opinión, de haberse acostado con ella le habría hecho un favor. Le parecía una mujer triste y sola. Pero, por lo visto, no estaba tan sola como aparentaba. Ni desesperada por vender.

–No hace falta que venga a verlo –contestó con frialdad–. Finalmente he decidido no comprar el cuadro. De hecho, dudo seriamente de su autenticidad.

Dicho aquello, bajó del coche y rodeó el vehículo para abrirle la portezuela a Sasha. Pero cuando alcanzó el otro lado ella le esperaba en la acera mirándolo con ira.

–Gracias por esta cena deliciosa. No tenía idea, dada su reputación, de que comprase mujeres a tan alto precio. Suponía que un hombre con su encanto e inteligencia las conseguiría gratis. Le agradezco tan exquisita velada.

Y sin darle tiempo a añadir una sola palabra más se encaminó hacia la puerta de bronce, introdujo el código y desapareció. Al cabo de unos segundos oyó que el coche se alejaba a toda velocidad. Sasha temblaba de rabia cuando entró en casa. Ese cabrón había intentado comprarla junto con el cuadro como si creyera que estaba tan deseosa de vender como para acostarse con él. Aquello pasaba del mero insulto. Nadie se habría atrevido jamás a tratarla de semejante modo en vida de Arthur. Todavía temblaba cuando telefoneó a Xavier y le contó lo que acababa de ocurrirle. Su hijo se carcajeó de alegría cuando le contó lo que le había soltado al final de la conversación.

—Eres fantástica, mamá. Tienes suerte de que no te atropellara con el Ferrari al marcharse.

—Seguro que le habría encantado. Menudo sinvergüenza.

Xavier volvió a reírse.

—Sí, y que lo digas. Pero deberías sentirte halagada. Tengo entendido que sale con chicas más jóvenes que Tatianna. Cuando viene por aquí pasa mucho tiempo en Annabel's.

—No me sorprende. —Annabel's era un club privado de Londres frecuentado por las clases elegantes además de por montones de hombres maduros con mujeres mucho más jóvenes. Sasha y Arthur habían ido muchas veces. Eran miembros del club Annabel's y del Harry's Bar, ambos del mismo dueño—. ¿Cómo puede ser que se salga siempre con la suya?

—A algunas mujeres les encanta que se comporte así. La mayoría de las galeristas se habrían acostado con él para vender el cuadro.

—Sí, y al día siguiente les habría devuelto el cuadro de todos modos.

Su padre le había advertido contra esa clase de individuos cuando entró en el negocio. Gonzague de Saint-Mallory no era un caso único, pero eso sí, muy maleducado.

Sasha todavía echaba chispas cuando se metió en la cama. A la mañana siguiente le comunicó al encargado de la galería que no venderían el cuadro al conde.

—Vaya. Creí que anoche habíais salido a cenar —comentó Bernard.

—Sí. El conde se comportó pésimamente; tuvo suerte de que no le diera una bofetada. Por lo visto esperaba que incluyera mis servicios en el precio del cuadro. Pensaba que me instalaría con él en Saint-Moritz y anularía las vacaciones con mis hijos.

–¿No has aceptado? –Bernard fingió estar sorprendido–. Qué mala vendedora eres, Sasha. Dios mío, piénsalo, un millón de dólares. ¿Es que no tienes ningún respeto por el negocio paterno?

Le encantaba picarla. Tras quince años en la galería, podían considerarse amigos.

–Vamos, Bernard, calla –contestó con media sonrisa y se dirigió al despacho a trabajar.

En su opinión, la del conde era la oferta más insultante que le habían hecho jamás. A la semana siguiente le contó lo ocurrido a la encargada de Nueva York, que se sorprendió de verdad.

–Los americanos no se comportan así –aseguró Karen, siempre en defensa incondicional de sus compatriotas.

–Es probable que algunos se comporten incluso peor. Empiezo a creer que el problema son los hombres, no las nacionalidades, aunque admito que es posible que los franceses sean algo más descarados en estos asuntos. Pero estoy segura de que estas cosas también ocurren aquí. ¿Nunca te ha dejado entrever algún cliente que para vender un cuadro tenías que acostarte con él?

Sasha se recostó en la silla, entre risas. Por fin empezaba a verle la gracia.

Karen, la encargada de la galería neoyorquina, lo meditó un minuto y luego negó con la cabeza.

–Creo que no. Tal vez no me haya dado cuenta.

–¿Qué habrías hecho?

Ahora Sasha jugaba con la encargada.

–Me habría acostado con él y le habría pagado yo el millón de dólares –interrumpió Marcie, la asistente de Sasha–. Le vi en una revista. Es guapísimo, Sash.

–Sí, es atractivo –admitió Sasha, sin dejarse impresionar.

Su difunto marido era mucho más guapo. No le gustaba el aspecto excesivamente lustroso y sórdido del conde. Prefería el aire a lo Gary Cooper de Arthur. Hombres como Gonzague de Saint-Mallory los había a patadas, con o sin Ferrari. Conocía bien a los de su calaña.

Los tres días que Sasha pasó en Nueva York transcurrieron en un santiamén; estuvieron cargados de trabajo. Visitó a varios artistas, se reunió con importantes clientes y acudió a la junta que la había llevado a la ciudad. Las dos primeras noches las pasó en casa, revisando las cosas de Arthur. Se había prometido guardar al menos algunas de ellas. Le había costado catorce meses ponerse a ello y, una vez hecho, los armarios le parecían vacíos y tristes. Pero ya era hora.

La última noche en la ciudad asistió a una fiesta de Navidad de unos amigos. Encontrarse en Nueva York antes de esas fechas le provocaba sensaciones agridulces. Le recordaba cuando los niños eran pequeños y los llevaba a patinar al Rockefeller Center y cuando Arthur aún vivía, hacía sólo dos Navidades. Nueva York se le hacía duro. Se alegró de ver a sus amigos, pero también se hartó de explicar que no había ningún hombre en su vida. Por lo visto nadie parecía interesado en preguntar nada más. Como si no existiera a menos que tuviera un hombre. De un modo extraño, vivía como un fracaso que su marido hubiese muerto y la hubiera dejado sola. Al ver a todos sus amigos casados se sentía como el único ejemplar desparejado del arca de Noé. Era un alivio volver a París al día siguiente y ansiaba que llegaran sus hijos.

Contrató a alguien que les cocinara un pavo para Nochebuena y decoró un árbol y el resto de la casa. Le entusiasmaba tener a Tatianna de nuevo con ella; no la veía desde hacía dos meses. Su hija tenía buen aspecto, parecía feliz y lo había pasado estupendamente. No pudo esperar para enseñarle a su madre las fotografías. Estaban viéndolas cuando Xavier le contó lo de Gonzague.

—Mamá ha estado a punto de cancelar nuestro viaje a Saint-Moritz —soltó de sopetón. Tatianna se sorprendió—. Pensaba ir sin nosotros para venderle a un conde francés un cuadro de un millón de dólares.

—No es verdad, mentiroso —le reprendió Sasha.

Entonces le contó lo ocurrido a Tatianna, a quien dejó de piedra que un playboy parisino hubiera intentado acostarse con su madre mediante la treta de comprarle un cuadro valorado en un millón de dólares.

–Qué asco, mamá –exclamó Tatianna compadeciéndose de su madre.

No le costó imaginar lo humillante que debía de haber resultado.

–Qué dices. En mi opinión debería sentirse halagada –añadió Xavier.

–Eres un machista asqueroso –le replicó su hermana, atravesándolo con la mirada–. Para mamá ha tenido que ser horrible.

–Vale, vale. Vosotras ganáis. Iré a darle un puñetazo. ¿Dónde vive?

Xavier se volvió hacia su madre, que se echó a reír.

–No tendría que habéroslo contado. Ahora no pararéis.

–Ya paro. Por cierto, casi se me olvida. Liam por fin va a mandarte las diapositivas. Me las ha enseñado. Son buenas –sentenció, orgulloso de su amigo.

–Me muero de ganas de verlas.

Sasha sabía que Xavier a veces tenía buen ojo, pero que otras trataba de ayudar a sus amigos a expensas de ella. Nunca sabía qué esperar, pero valía la pena echar un vistazo. Llevaba siglos oyendo hablar del joven artista norteamericano instalado en Londres. Aunque más de sus aventuras y escapadas que de su arte.

–Creo que te impresionará su obra –la tranquilizó Xavier.

Sasha asintió pero no comentó nada. Tenía la esperanza de que no fuera así. Le parecía un tipo de armas tomar.

–¿Cómo dices que se llama? –preguntó, ausente.

–Liam Allison. Es de Vermont. Pero ha vivido en Londres desde que se licenció.

–Recordaré el nombre. Y si me gustan las diapositivas, intentaré conocerlo la próxima vez que vuelva.

De vez en cuando Xavier descubría nuevos talentos para su madre y ésta podría ser una de tales ocasiones. Sasha siempre estaba dispuesta a ver obras. De ahí su buena reputación.

Poseía un espíritu aventurero y un ojo infalible. Pero también sabía de antemano que Liam era un bala perdida. No cabía concluir otra cosa teniendo en cuenta todos los líos en los que Xavier se había metido con él.

Asistieron a la misa del gallo y al día siguiente pasaron una jornada tranquila todos juntos. Tatianna le había traído a su madre un precioso sari de la India y unas bonitas sandalias doradas a juego. Y Xavier le había comprado un brazalete de oro en un anticuario de Londres. Era la clase de regalo que le habría hecho Arthur, y Xavier se enterneció al ver que el rostro de su madre se iluminaba al ponerse la joya.

La noche de Navidad, Sasha contempló a sus dos hijos acostados con una sonrisa. «Soy la mujer más afortunada del mundo», les dijo con absoluta sinceridad. Lo pensaba por primera vez en mucho tiempo.

4

Sasha y sus hijos lo pasaron de maravilla en Saint-Moritz a pesar de que no dejaron de tomarle el pelo con Gonzague. Se instalaron en el opulento hotel Palace. Sasha disfrutaba malcriándolos de vez en cuando, sobre todo en vacaciones. Con Arthur siempre lo habían hecho. Se sentían afortunados de poder permitírselo y todos recordaban con cariño los viajes que habían compartido. Ese año en Saint-Moritz sería uno de esos recuerdos preciados.

A ratos esquiaba con sus hijos y otras veces se entretenía sola. Xavier era un esquiador consumado y Tatianna no se quedaba atrás, aunque era algo más precavida y menos audaz. Ambos conocieron a gente con la que salir por las noches. A menudo Sasha cenaba a solas en la habitación. No le importaba. Se había traído varios libros y no quería participar de la vida nocturna. Cuando regresaron a París se sentía descansada, feliz y relajada. Tatianna estuvo sólo unos días porque quería volver a Nueva York para buscar trabajo y Xavier se quedó un par de días más antes de regresar a su estudio londinense. Las diapositivas de su amigo Liam llegaron antes de que se marchara. Y para gran sorpresa y disgusto de Sasha, eran aún mejores de lo que Xavier había prometido. Estaba impresionada, aunque antes de decidirse a representarlo necesitaba ver los cuadros al natural.

«Intentaré pasarme la semana que viene o la otra», le dijo a Xavier y era sincera. Pero hasta la última semana de enero no pudo viajar a Londres a visitar a tres de sus artistas y conocer a Liam. No sin cierta precipitación, lo encajó en su agenda para la última tarde de su estancia en Londres. Las aventuras y travesuras que Xavier le había contado no la animaban a representarlo, pero su talento era innegable. Tenía que ver los cuadros. En cuanto llegó al estudio, se alegró de haber ido. Liam en persona la hizo pasar al estudio con expresión ansiosa y mirada nerviosa. Xavier, que había acompañado a su madre, animó a su amigo con unas palmaditas en el hombro. Sabía que se ponía muy nervioso. Sasha entró con aire frío de negociante, casi severo. Vestía unos pantalones gastados negros, suéter y botas del mismo color, y su pelo, recogido como de costumbre en un tenso moño, parecía casi tan negro como el suéter. A pesar de ser menuda, a Liam le pareció aterradora cuando le estrechó la mano. Sabía que cualquier cosa que Sasha dijera o pensara sobre su obra tendría un impacto definitivo en su vida. Si consideraba su trabajo inadecuado o decidía que no merecía ser expuesto en su galería, él lo sentiría como un puñetazo. Así que la observó cruzar el estudio sintiéndose vulnerable y asustado.

Ella le agradeció educadamente que la hubiera invitado a visitarlo. Pese a todo lo que le había contado Xavier, Liam no podía saber que lo que él tomaba por frialdad era en realidad timidez. A Sasha le interesaba el arte incluso más que la persona. Pero no podía negarse que Liam no pasaba desapercibido. Xavier le había contado demasiadas historias sobre él. Sasha sabía lo estrafalario, y a menudo maleducado, que era. El único atenuante era su esposa y los tres hijos, al menos en ellos confiaba Sasha. Si tenía esposa y familia no podía ser totalmente irresponsable y carente de mérito. Xavier nunca había dicho que su amigo fuera promiscuo, sólo que era «indomable» y un bromista redomado al que no le gustaba que le dijeran cómo debía comportarse. Se resistía a cualquier esfuerzo por modificar su conducta o a cualquier expectativa de que empezara a actuar como un adulto, ya que lo consideraba una forma de «control». Según Xavier, se escudaba en gran medida en su naturaleza de artista que, en su opinión, le daba derecho a no vivir según las normas de los demás y a hacer lo que quisiera. Sasha reconocía el estilo, pero a menudo le costaba tratar con esa clase de personas. Trabajaban cuando querían, jugaban cuando trabajaban y no solían respetar las fechas de entrega de las exposiciones. Los hombres como Liam querían que los trataran como a niños. Por lo visto, su mujer estaba dispuesta a hacerlo. Sasha no, por muy guapo y encantador que fuera. Si el tipo se tomaba en serio su trabajo, al menos un mínimo, esperaba que se comportara como un adulto o se dignara fingirlo. Dado todo lo que Xavier le había contado, no estaba segura de que Liam estuviera preparado para madurar. Y al final, encantador o no, su obra tendría que hablar por sí misma.

Sasha paseó despacio por el estudio hasta la pared donde colgaban varios cuadros grandes y brillantes. Otros tres cuadros de menor tamaño descansaban en caballetes. La obra de Liam era impresionante, poderosa, y su uso del color era impactante, cualidad que reforzaban las dimensiones de sus cuadros más grandes. Sasha los contempló largo rato, asintiendo en silencio mientras el autor contenía la respiración. Xavier sabía que el silencio de su madre era buena señal, pero Liam no. La observaba cómo se concentraba en silencio en su obra mientras él desfallecía. Cuando por fin la galerista se giró para dirigirle tres escuetas palabras, él contuvo literalmente el aliento. «Fantástico. Lo quiero.» Después le confesaría a Sasha que estuvo a punto de desmayarse de alivio. No obstante dejó escapar un grito de guerra jubiloso, la cogió, la hizo girar levantándole los pies del suelo y cuando finalmente volvió a soltarla, la miró sonriendo.

–Dios mío, no me lo creo… ¡Te quiero! ¡Dios! Creía que me dirías que son un espanto, una mierda.

–No son una mierda. –Sasha sonrió, emocionada por él y agradecida con Xavier por haber descubierto a Liam y habérselo presentado–. Los cuadros son magníficos. El uso que haces del color me ha puesto el corazón a cien por hora y casi me ha hecho llorar. Pero no podremos organizarte una exposición hasta dentro de un año como mínimo. Estamos completos. Quiero que expongas en Nueva York, no en París.

Las inauguraciones en París siempre eran más tranquilas. Prefería estrenar las obras contemporáneas más importantes en Nueva York. Xavier sabía que también eso era buena señal y se prometió contárselo después a su amigo. No quería revelar todos los secretos de su madre estando ella presente. Le entusiasmaba haberlos presentado. Siempre había tenido el convencimiento de que la obra de Liam era brillante y fue un alivio y una gran emoción que su madre lo confirmara.

–Dios mío –repitió Liam, y se sentó en el suelo al borde de las lágrimas. Llevaba casi veinte años trabajando para algo así y por fin lo había conseguido. Iba a exponer en la galería Suvery de Nueva York. Increíble. Y Sasha en persona estaba sentada en su estudio, admirando su trabajo. Le estaba advirtiendo que tendría que trabajar de lo lindo para preparar la exposición–. ¿Cómo podría agradecértelo?

La miró como a una visión recién materializada en su estudio. Se sentía como un niño ante una virgen con estigmas.

–Pinta buenos cuadros. He traído un contrato de París por si acaso. Enséñaselo a tu abogado. Devuélvemelo cuando quieras, no hay prisa. –Nunca presionaba a nadie para que firmara.

–Y un cojón no hay prisa. ¿Y si cambias de opinión? ¿Dónde está? Dámelo que lo firmo. –Liam volaba.

Sasha lo miró, apenas parecía mayor que su hijo.

Sabía por el currículo que Liam había adjuntado con las diapositivas que tenía treinta y nueve años. Jamás lo habría dicho. Había estudiado con algunos artistas muy importantes y realizado algunas exposiciones menores en pequeñas galerías. Pero parecía un niño. Todo lo relativo a su persona destilaba juventud y libertad. Era alto, desgarbado y guapo. Lucía una larga melena rubia que casi siempre le caía suelta por la espalda. Se la había recogido en una coleta para recibir a Sasha. Su rostro era terso y joven. Tenía una espalda poderosa, largas y gráciles manos y brincaba por el estudio como un adolescente en deportivas, vaqueros y camiseta, todo ello salpicado de pintura. Se alzó sobre Sasha cual niño ansioso para rogarle el contrato.

–Está en el hotel –lo tranquilizó ella en un tono repentinamente maternal. Ahora que iba a convertirse en uno de sus artistas, quería protegerlo–. Te lo traeré antes de marcharme o te lo enviaré por mensajero. No voy a cambiar de parecer, Liam. Nunca lo hago –Sasha hablaba con serenidad, aunque estaba conmovida de verlo tan emocionado. Liam aseguraba que se trataba de un momento crucial en su vida. Ella no pensaba lo mismo, pero se alegraba de que significara tanto para él. Era lo que más le gustaba de exponer a artistas emergentes. Les daba una oportunidad. Siempre le había agradado esa parte del negocio: trabajar con artistas jóvenes como Liam. Aunque Xavier estaba en lo cierto, y aunque lo pareciera, Liam no era tan joven. Pero todo en él resultaba juvenil. Sólo tenía nueve años menos que Sasha, pero aparentaba veintitantos en lugar de treinta y nueve. No parecía mayor que Xavier y le despertaba cierto instinto maternal.

–¿Quieres enseñarle el contrato a tu mujer?

Reinaba tal desorden en el estudio que resultaba evidente que no vivía allí y tampoco se veía signo alguno de la esposa y los tres hijos que Xavier había mencionado. Sasha imaginó que vivían en otro lugar. Aunque hubiera ropa manchada de pintura de Liam por todas partes, era la ropa de trabajo. Sólo cabía suponer que existía otro lugar más limpio y ordenado donde vivía la familia.

–Está en Vermont –se disculpó Liam–. Le mandaré una copia una vez firmado. No se lo va a creer –añadió, mirando primero a Xavier y luego a su madre.

Los tres parecían contentos mientras Liam servía vino para todos. Sasha bebió sólo un sorbo y Liam vació media copa en un minuto. Estaba flotando. Lo cierto era que había sido todo un descubrimiento. Más que nunca Sasha deseó que Xavier participara con ella en el negocio. Su hijo, como ella, tenía buen ojo para detectar el talento. Ambos lo habían heredado de Simon. Pero Xavier quería vivir en Londres y convertirse en artista, no quería ser marchante en Nueva York o en París. Tal vez algún día abrieran galería en Londres. Por primera vez en años, Sasha consideró la posibilidad de expandir el negocio. Pero Xavier todavía era demasiado joven para asumir semejante responsabilidad. Quizá más adelante. Acababa de cumplir veinticinco años, aunque Sasha entró en el negocio con sólo uno más, a los veintiséis, y bajo la tutela de su padre.

—¿Puedo invitaros a cenar? —propuso esperanzado Liam—. Me gustaría celebrarlo. —Parecía a punto de estallar de emoción y, la verdad, poco le faltó.

—Me encantaría pero… —contestó Xavier con malicia y Sasha lo entendió a la primera.

No estaba dispuesto a permitir que una cena con su madre y un artista se interpusiera en su vida amorosa. Definitivamente, estaba verde para el negocio. A su edad, Sasha ya estaba casada, trabajando en el Metropolitan y con dos hijos. A Xavier le quedaba mucho camino por recorrer.

Sasha dudó un instante. Le habría gustado cenar con Xavier; no sabía que su hijo tuviera otros planes. Pero era típico de él. Se dirigió a Liam.

—¿Por qué no te invito yo, Liam? Ahora soy tu representante, ya no necesitas invitarme. Así nos conocemos un poco —propuso, en tono amable.

Liam vio en ella una calidez que antes le había pasado desapercibida. Cierta timidez callada y una estabilidad que le gustaron. Todo en Sasha parecía sólido y de fiar, le gustaba. Al principio le había aterrado. Pero por debajo del exterior frío y profesional intuyó a una mujer cálida. La reputación de la galerista le intimidaba, pero su persona no.

Sasha se preguntaba si Liam tendría algún traje. La mayoría de artistas jóvenes no tenían. Y él no parecía distinto. De hecho, aparentaba ser bastante peor que muchos de ellos aunque más atractivo. Era un hombre muy guapo, que llamaba la atención.

—Me encantaría. Puedo firmar el contrato mientras cenamos —contestó él con una sonrisa que había encandilado a muchas mujeres.

–Deberías leerlo primero –le riñó Sasha–. Asegúrate de que te sientes cómodo con las condiciones. No lo firmes sin al menos leerlo o enseñárselo a un abogado.

–Me vendería como esclavo para ti, incluso te entregaría el huevo izquierdo si lo quisieras –dijo sin rodeos.

Sasha parpadeó, pero estaba acostumbrada a esa clase de comentarios por parte de los artistas.

–No será necesario. Creo recordar que los testículos no se mencionan en el contrato. Puedes quedarte con los dos. Seguro que será un alivio para tu mujer. –Liam sonrió sin contestar. Mientras lo observaba, se acordó de un atractivo joven. Un joven que daba gusto mirar y que, pese al aire aniñado y a sus modales infantiles, poseía un gran talento–. ¿Dónde te gustaría cenar?

Había pensado ir al Harry's Bar con Xavier, pero su hijo se había criado en otro ambiente, tenía la indumentaria adecuada y sabía comportarse con corrección. Dudaba mucho que Liam tuviera modales o ropas mejores de los que lucía. Al fin y al cabo era un artista muerto de hambre, aunque si dependía de Sasha, no por mucho tiempo. Confiaba en convertirlo en la sensación de Nueva York y, con el tiempo, de París. Liam era todo un hallazgo, ese bien tan escaso de alguien con un enorme talento y que creaba grandes obras.

–Me gustaría arreglarme y sacarte por ahí para mostrarte mi agradecimiento –contestó él con una humildad que a Sasha le llegó al corazón.

–¿Arreglarte?

Lo miró con aire maternal. Liam sacaba la madre que Sasha llevaba dentro. Tenía la impresión de estar ante un niño en lugar de ante un hombre. Ella quería protegerlo y ayudarle. Le emocionaba la idea de trabajar con él y lanzarlo hacia una carrera de éxito. Era un gran descubrimiento. Aquél era un momento crucial no sólo para él, también para Sasha.

–Tengo un traje y un par de buenas camisas. Una de ellas está limpia. Creo que usé la otra para encerar el coche. –La miró avergonzado y Sasha se rió.

Tenía algo de picaruelo irresistible. Le recordaba a Xavier cuando tenía unos catorce años y luchaba por convertirse en un hombre. Su hijo lo había conseguido. Liam todavía no.

–Bueno, pues entonces vayamos al Harry's.

A Sasha le encantaba cenar allí. Era su restaurante favorito de Londres.

–Mierda. Todavía no me lo creo. ¿Tú sí?

Se volvió hacia Xavier con una mueca.

Su amigo le contestó con una sonrisa feliz. La cosa había acabado mejor de lo que podía esperar. Estaba emocionado por su amigo y agradecido con su madre por la oportunidad que le ofrecía.

–Yo sí me lo creo –repuso simplemente Xavier.

–Tío, te debo una. –Y chocaron los cinco.

A Sasha le parecían dos chavales en un club; sólo confiaba en que esa noche en el Harry's Liam supiera comportarse. Con los artistas nunca se sabía, razón por la que rara vez los llevaba a su restaurante preferido. Pero decidió arriesgarse con Liam. Tenía algo de inocente y encantador y, si se pasaba de la raya o actuaba de modo escandaloso o bullicioso lo llamaría al orden. Sus artistas eran como hijos para ella, a veces incluso los de mayor edad. Se sentía como una madre adoptiva, lo cual daba mucho trabajo pero era lo que más le gustaba de su oficio. Los artistas eran pollitos y ella la mamá gallina. Y aunque tampoco le llevaba muchos años a Liam, él parecía necesitar una madre, como Peter Pan.

–Cenaremos a las ocho. Mandaré el coche a recogerte a las siete y media y luego puedes pasar a buscarme por el hotel. Estaré esperándote abajo –le dijo Sasha al marcharse con su hijo.

–No olvides traer el contrato –le recordó Liam cuando ya bajaban las escaleras.

Había sido una tarde productiva para los dos y Liam estaba nervioso por la cena. Quería hablar con Sasha de la exposición y preguntarle cuántas obras necesitaría. Estaba dispuesto a trabajar como un esclavo durante todo el año para crear los mejores cuadros de su carrera. No la decepcionaría. Había llegado su gran oportunidad y lo sabía. Llevaba toda la vida trabajando para conseguirla. Y por muy mal que se comportara en su vida privada o las noches que salía con Xavier, siempre se había tomado muy en serio el trabajo. Sabía desde niño que había nacido para pintar. Eso le había aislado y apartado de los demás ya en la infancia y luego en la adolescencia y la juventud. Siempre se había sabido distinto y en realidad no le importaba. Su madre siempre le había apoyado y le había animado a perseguir su sueño. El resto de la familia no mostró nunca el mismo entusiasmo e incluso su propio padre lo trataba como a un bicho raro. Su actitud había abierto una brecha insalvable entre ellos. Por lo visto sólo su madre era capaz de ver el genio especial de Liam. Los demás, su padre, sus hermanos e incluso sus amigos se limitaban a considerarlo un tipo raro cuyos cuadros carecían de sentido para ellos. Su padre los calificaba de basura y sus hermanos los llamaban garabatos. Excluían a Liam de todo lo que hacían y, él, aislado, buscaba refugio en la pintura. Como todas las personas que habían sufrido muy pronto en la vida, Liam era mucho más profundo de lo que aparentaba. Sasha aún no lo sabía, pero ya lo intuía. Todos los artistas que conocía habían tenido que superar algún dolor o infierno privado. Tal vez hacía sus vidas más penosas, pero reforzaba su arte y su compromiso artístico. En su caso, haber perdido a su madre de niña despertó la compasión por tales artistas y la ayudó a entender sus sufrimientos. Sasha los comprendía, incluso a veces más de lo que creía. Era como si hubiera cierta armonía implícita.

–Sabía que su obra te gustaría –le dijo Xavier en el coche, con expresión satisfecha–. Tiene mucho talento –añadió, orgulloso de su amigo.

–Sí, sí que lo tiene.

Sasha confiaba plenamente, y además le entusiasmaba que el descubrimiento fuera obra de su hijo. Estaba muy orgullosa de su buen ojo.

–Además es un buen tipo –la tranquilizó Xavier–. Es amable, buena gente y sincero. Quiere a su mujer y a sus hijos. Aunque a veces cometa alguna locura es un buen hombre. Un poco salvaje, pero inofensivo.

–Es una lástima que la mujer esté en Vermont. Me habría gustado conocerla. Los cónyuges que uno elige dicen mucho de las personas –dijo en voz queda Sasha.

Durante un momento Xavier no comentó nada.

–Es fabulosa. Llevan toda la vida juntos. Se fue a Vermont hace un tiempo.

–¿Qué quieres decir? –Sasha miró a su hijo con expresión interrogadora–. ¿Siguen casados o le ha dejado?

–Creo que ambas cosas. Siguen casados pero me parece que se han dado un descanso o algo así. Liam no habla del tema. Su mujer vuelve a Vermont todos los veranos para ver a sus padres. Pero este año, al llegar septiembre no regresó. Según Liam quería quedarse unos meses más. Lleva allí desde junio. Liam es un gran tipo, pero no debe de ser fácil vivir con él. Ella lo mantuvo mientras estudiaba trabajando de doncella en complejos turísticos de verano e invierno. Aquí trabajaba de secretaria. En esencia es ella quien mantiene a Liam y a los niños y además aguanta todas sus tonterías de artista. No creo que Liam se divorcie, pero tampoco parece que ella lleve una vida fácil teniendo que trabajar para cinco personas. Espero que vuelva. Es una buena mujer y él la quiere, lo sé.

–Tal vez ahora podamos ayudarle. –La historia le resultaba conocida. La mayoría de sus artistas volvían locas a sus mujeres y se dedicaban a pintar mientras otros los mantenían. El de Liam no era el primer matrimonio amenazado o incluso sacrificado por el arte. Había oído antes la misma historia–. Si tiene que servirle de algo, podría darle un pequeño adelanto. Ya veremos qué me dice durante la cena. Quizá le ayude a arreglar las cosas con su mujer.

–Seguro que sí. Le llega en un buen momento. Su hijo mayor empieza la universidad el año que viene. Necesitará el dinero.

–Confiemos en que le haremos ganar un montón. Pero estas cosas no ocurren de hoy para mañana.

Aunque ambos sabían que a veces sí. Después de lo que Xavier acababa de contarle, deseó que ése fuera el caso de Liam. Seguro que su familia lo merecía tanto como él. Sobre todo con un chico a punto de entrar en la universidad. Liam no aparentaba edad para tener un hijo de casi veinte años. Parecía un adolescente.

Xavier abrazó a su madre y le prometió desayunar con ella a la mañana siguiente. Quedaron en verse a las diez porque Sasha tenía varias llamadas de negocios que atender a primera hora. Pensaba salir para el aeropuerto a mediodía y quería pasar las últimas horas en Londres con su hijo.

—Y esta noche, a ver si te comportas —le advirtió fingiendo seriedad como una madraza.

Él se alejó riendo. Sasha pensó para sus adentros que al menos en esa ocasión no le acompañaría Liam. De todos modos, ahora que le había conocido, le preocupaba menos la influencia que pudiera ejercer sobre Xavier. Además sospechaba que su hijo acertaba. Tal vez Liam pareciera juvenil e inmaduro, pero era inofensivo.

—¡Nos vemos por la mañana! —se despidió Xavier.

Subió a su coche y en cuestión de segundos se alejó sintiéndose feliz consigo mismo. Había sido una buena tarde. Liam estaba por fin en marcha. Su incipiente carrera acababa de experimentar un espectacular giro ascendente.

5

El chófer de Sasha pasó a por Liam a las siete y media en punto y luego la recogió a ella en el Claridge a las siete y cuarenta y cinco. Tal como había prometido, Sasha estaba esperándole en la planta baja y se sentó junto a Liam. Él lucía un traje negro correcto y una camisa roja pintada por él mismo que alguna vez había sido blanca. Había olvidado que había pintado su otra camisa buena, la que no había usado para encerar el coche. La pintó una noche de borrachera porque le pareció divertido. Ahora, como acababa de descubrir, era la única camisa que le quedaba. Confiaba en que a Sasha le gustara. No le gustaba, pero Sasha se lo calló. Liam era artista. Xavier también, y si se hubiera presentado en el Harry's Bar con algo semejante lo habría matado. Pero Liam no era su hijo.

Le miró los zapatos con disimulo; eran casi pasables, pero no del todo. Se trataba de unos zapatos negros, serios, de adulto, pensados para llevar cordones pero que por alguna razón ignota carecían de ellos. Liam dedujo mientras se arreglaba que probablemente los había aprovechado para otra cosa, tal vez para atar un paquete de un envío, pero no lo recordaba. De todos modos le gustaban sin cordones, los prefería así. Iba bien afeitado, recién duchado, olía delicioso y llevaba el pelo impecablemente limpio recogido con un sencillo lazo negro que disimulaba la goma con que se había atado la larga coleta rubia. Se le veía guapo e inmaculado, y salvo por la camisa y la ausencia de cordones en los zapatos tenía un aspecto respetable.

Pero, al fin y al cabo, era artista. Liam no seguía las normas, nunca lo había hecho. No veía razón alguna para acatar más normas que las suyas propias, lo cual explicaba en parte que su mujer se hubiera quedado en Vermont y no se hubieran visto desde julio. Pese a la camisa pintada de rojo y a la cola de caballo, su figura desprendía algo atractivo y aristocrático. Era un hombre guapo, un hombre de contrastes. De haber tenido otra vida o profesión podría haber sido actor o modelo, abogado o banquero, pero la camisa que había pintado de rojo delataba que no sólo era artista, sino un niño rebelde. La camisa gritaba: «Miradme. Puedo hacer lo que me plazca. Y no podéis evitarlo».

Le preguntó preocupado a Sasha si tenía buen aspecto y ella asintió. No quería herir sus sentimientos y, al fin y al cabo, la camisa era una obra de arte. No se fijó en que le faltaban los cordones hasta que llegaron a Harry's Bar. Y hasta que Liam no se encaramó a un taburete de la barra no descubrió que tampoco llevaba calcetines. El jefe de camareros la conocía bien y, sin mediar palabra, le prestó a Liam una larga corbata negra que, la verdad, encajaba perfectamente con la camisa. Sasha le ayudó a anudarla como hacía con Xavier cuando era niño. Liam explicó que hacía años que no se ponía una corbata y había olvidado cómo hacerlo. Se le veía completamente despreocupado. El hecho de que el resto de la sala fuera exquisitamente ataviado, los hombres con elegantes trajes sastre y camisas a medida confeccionadas en París y las mujeres con trajes de cóctel de famosos diseñadores, no le preocupaba en absoluto. Si algo no le faltaba a Liam era confianza, excepto en lo concerniente a Sasha. Quería impresionarla y no sabía muy bien cómo. Se la veía tan capaz y segura de sí misma, mostraba tal aplomo mientras hablaba con Liam, que, de repente, se sintió plenamente consciente de su inocencia. Ella le trataba como a un crío. Le aseguró que tenía un aspecto fantástico cuando él le preguntó, entró con él al restaurante con aire orgulloso y actuó como si todos los hombres de la sala debieran ser como él. A Liam la cabeza le daba vueltas por el mero hecho de andar detrás de ella y cuando por fin se sentaron se sentía como el mismísimo Picasso.

Ya le había preguntado por el contrato un par de veces en el coche. Así que para ahorrar tensiones, tanto a Liam como a ella, Sasha se lo entregó en cuanto ocuparon su mesa. Él lo firmó sin mirarlo pese a los consejos de Sasha en sentido contrario y luego la miró con expresión entusiasmada. Ya era un artista de Suvery. Era lo único que había soñado y deseado durante los últimos diez años de su vida. Liam sabía que nunca olvidaría esa noche, Sasha tampoco. Ella sospechaba que llegaría el día en que los dos se reirían de la velada al recordar a Liam entrando en Harry's Bar con una camisa pintada por él mismo. Pese a su aspecto joven y alocado, le rodeaba cierta aura de grandeza.

Tomaron un martini en el bar, después Sasha pidió champán y brindaron primero a la salud del artista y luego a la de ella. Sasha bebió dos copas. Liam se acabó el resto de la botella sin pestañear. Para entonces ya le había contado a Sasha que era la oveja negra de la familia. Su padre era banquero y vivía en San Francisco; sus hermanos eran uno médico y el otro abogado y ambos se habían casado con niñas bien. Liam había sido distinto desde el principio. Sus hermanos solían atormentarlo diciéndole que era adoptado, lo que era mentira. Pero desde el principio había sido diferente. Odiaba todas las cosas que gustaban a sus hermanos, odiaba el deporte e iba mal en el colegio mientras que ellos eran estudiantes modélicos. Los dos capitaneaban siempre el equipo de fútbol americano, baloncesto o hockey. En cambio, Liam se sentaba a solas en su cuarto a pintar. Le torturaban tirándole los cuadros. Liam le contó a Sasha que su padre le hizo saber muy pronto que le consideraba una gran decepción y una vergüenza para toda la familia. Durante un año de pesadilla, para castigarlo por sus malas notas, lo internaron en una academia militar. Una noche se coló en la cafetería y pintó caricaturas de los profesores en la pared, algunas pornográficas, siguiendo el plan que había ideado para que lo expulsaran y que, como contó a Sasha con una amplia sonrisa, funcionó a la perfección. Pero de vuelta en casa continuaron las torturas a manos de su familia. Al final, sin saber ya qué hacer con él, decidieron desdeñarlo por completo. Actuaban como si Liam no existiera, se olvidaban de avisarlo para cenar y ni siquiera se molestaban en hablar con él aunque estuvieran en la misma habitación. Su propia familia negaba su existencia y acabó convertido en un paria. Cuanto peor le trataban, peor se comportaba él. Dado que no encajaba ni acataba las normas y planes que establecían para él, le dejaron fuera de la familia. Más de una vez oyó que su padre afirmaba que tenía dos hijos en lugar de tres. Liam no se adaptaba al modo de hacer las cosas de la familia, por tanto le rechazaron. Con el tiempo terminó representando su papel de marginado incluso en la escuela. Le llamaban si había que pintar la escenografía del club de teatro o si necesitaban algún póster o cartel. Pero el resto del tiempo nadie le prestaba atención, ni en el colegio ni en casa. Los demás estudiantes le llamaban el «artista chiflado», calificativo que al principio se tomó como un grave insulto pero que terminó por gustarle y explotar al máximo.

«Deduje que si me convertía en lo que decían que era, un artista chiflado, podría hacer lo que me diera la gana, y así fue. Hacía lo que me apetecía.» Al final, como no se molestaba nunca en estudiar, lo expulsaron de una escuela tras otra. Abandonó definitivamente los estudios en el último curso, sin molestarse ni siquiera en graduarse, hasta que, ya casado, su mujer le obligó a sacarse el título. Pero la escuela nunca le había interesado. Era sólo un lugar donde lo torturaban por ser diferente. Según Liam sólo su madre había sabido reconocer su talento. En su familia el arte no se consideraba una ocupación respetable. Únicamente importaban los deportes y los estudios académicos y a él no se le daban bien ni una cosa ni otra, y tampoco lo intentaba. Sasha se preguntaba si no habría padecido algún problema de aprendizaje que le impidiera rendir en la escuela. A muchos de sus artistas les había ocurrido y aquel trastorno se había convertido en fuente de una profunda infelicidad compensada sólo por el talento artístico. Pero no conocía a Liam lo bastante para preguntarle y, por tanto, no lo hizo, se limitó a escuchar su historia con interés y compasión.

Liam insistió en que había sabido que quería dedicarse al arte desde el momento en que vino al mundo. Una vez, una mañana de Navidad, antes de que se despertaran los demás, pintó un mural en el salón familiar y luego el piano de cola y el sofá. Obviamente la camisa constituía un ejemplo reciente de la misma expresión artística. Aquella mañana fatídica, tendría unos siete años, no pudo entender por qué nadie valoró su obra. Su padre le pegó y, de manera algo inconexa pero muy sentida, Liam explicó que después de aquel incidente su madre enfermó de gravedad. Murió al verano siguiente; a partir de entonces la vida de Liam se convirtió en una pesadilla. Su única protectora, la única persona que le quería y le aceptaba, había desaparecido. Algunas noches ni siquiera se molestaban en alimentarlo. Fue como si Liam hubiera muerto con su madre. Y el arte se convirtió en su único consuelo, una válvula de escape, el único vínculo con ella que le quedaba, ya que a su madre le encantaba todo lo que él hacía. Liam le contó a Sasha que durante años, incluso todavía entonces, tenía la impresión de que pintaba para su madre. Lo dijo con los ojos llenos de lágrimas. El resto de la familia actuaba como si estuviera loco y así seguían. Hacía años que no había visto ni a su padre ni a sus hermanos.

A Beth, su mujer, la conoció mientras esquiaba en Vermont, después de abandonar el hogar familiar con dieciocho años e instalarse en Nueva York para pintar. Se casaron cuando Liam tenía diecinueve años y se dedicó a pintar y a morirse de hambre en Greenwich Village. Beth trabajaba como una negra y siempre le había mantenido pese a las críticas de su familia. La familia de Beth era tan conservadora como la suya; tampoco a ellos les gustaba Liam. Le detestaban por su irresponsabilidad y su incapacidad para mantener a su hija. Liam y Beth tenían tres hijos, dos chicos de diecisiete y once años y una niña de cinco. Eran el sol de su vida, como Beth hasta que regresó junto a su familia de Vermont el pasado julio.

–¿Crees que volverá? –preguntó Sasha con una mirada de preocupación.

Liam parecía tan vulnerable y tierno que le daban ganas de abrazarlo y arreglar todos sus problemas. Pero sabía por experiencia con otros artistas que las complicaciones que generaban en sus vidas a menudo resultaban imposibles de enmendar. Daba la impresión de que la relación de Liam con su familia era insalvable y casi con toda probabilidad no valía la pena ni intentarlo. Pero se le encogía el corazón cuando le escuchaba hablar primero de su infancia solitaria y luego de su esposa e hijos. Parecía perdido sin ellos; además, Sasha intuía que había mucho más que no le contaba. Liam le dedicó una mirada franca en respuesta a su pregunta sobre el regreso de Beth, luego titubeó un momento y por fin negó con la cabeza.

–No es probable. –Parecía convencido. Creía que Beth se había marchado para siempre.

–Tal vez cuando se entere de tus buenas perspectivas financieras cambie de opinión.

Por alguna razón insondable Sasha deseaba, por el bien de Liam, que Beth regresara con su marido. Pero no estaba tan segura de que Liam pensara lo mismo. Parecía que la separación le entristecía pero también que la aceptaba como algo inevitable. Habían estado casados veinte años y, obviamente, no había sido un matrimonio fácil. Sobre todo para ella. Tenía el aspecto de un hombre que ha cometido un crimen; estaba corroído por los remordimientos pero era consciente de que no había marcha atrás.

–No es el problema. El dinero no es problema.

Eso parecía tenerlo claro, de modo que Sasha no pudo más que preguntarse cuál debía de ser el problema. Para entonces estaban comiendo un plato de pasta acompañado de un burdeos excelente.

–¿Entonces?

Quizá los niños habían pesado demasiado. Sasha se preguntaba si ése habría sido el problema. O tal vez el inevitable desgaste del tiempo.

–En junio me acosté con su hermana –lo dijo con expresión triste y voz ronca y, pese a todos sus esfuerzos, Sasha no puedo evitar sorprenderse.

Cuando menos, parecía una enorme estupidez engañar a la mujer que había soportado innumerables trabajos para mantenerte a ti y a tus hijos durante veinte años. Además Xavier le había dicho que era una mujer encantadora. Tal vez Liam no lo fuera tanto. Desde luego, su confesión así lo indicaba.

–¿Por qué lo hiciste? –le preguntó como podría hacer con un niño.

–Nos emborrachamos un fin de semana que Beth y los niños estaban fuera. Se lo conté cuando regresaron. Imaginé que Becky se lo diría. Son gemelas.

–¿Idénticas?

A Sasha, aquella historia le pareció fascinante pero patética; sin embargo, se dejó llevar por el drama que Liam le contaba. Igual que había hecho con las historias sobre sus padres y hermanos. No sabía todavía por qué, ni siquiera si Liam lo merecía, pero le caía bien. Y quería ayudarle. Con todo, la traición a su mujer la había horrorizado. Para Sasha significaba una falta de fibra moral muy perturbadora. Al mismo tiempo Liam desprendía una inocencia infantil que empujaba a quererer perdonarle, por muy grave que fuera el crimen.

–Idénticas no, pero parecidas. Becky lleva años detrás de mí. A la mañana siguiente no podía creérmelo, pero era cierto. –Parecía a punto de echarse a llorar. De hecho, lloró mientras se lo contaba a Beth.

–¿Eres alcohólico?

La pregunta sonó algo dura. Desde luego le estaba dando con fruición al vino, pero no parecía borracho.

–No. Sólo estúpido. Beth y yo llevábamos un mal año. Ella quería que me buscara un empleo. Estaba harta de trabajar y pasar penurias por culpa del arte. Y sus padres no cesaban de repetirle que me dejara y volviera a casa. Su padre es carpintero y su madre maestra. Creen que mi obra es una mierda. Hasta yo empezaba a pensar lo mismo. Hasta hoy. –Sonrió a Sasha con agradecimiento.

Costaba resistirse a Liam. Incluso tras oír su confesión de adulterio, era difícil enfadarse con él. Liam tenía razón. Había cometido una estupidez. Y pese a todo seguía transmitiendo algo agradable e inocente. Sasha no sabía explicarlo de manera racional, Liam le atraía como persona, incluso como hombre.

–¿A qué se dedica Becky? –preguntó con desconfianza.

–Trabaja de camarera en unas pistas de esquí. Gana un montón de pasta y se tira a montones de tíos. Siempre me ha ido detrás. Y tal vez yo también la deseaba. No lo sé. Veinte años son mucho tiempo con la misma mujer. Era virgen cuando me casé con Beth y nunca hasta ahora la había engañado. –Pero sabía que estaba mal–. No es excusa, lo sé –admitió de corazón–. Ha sido una putada.

–¿No crees que acabará por perdonarte?

Sasha esperaba por el bien de él que así fuera. Era un tipo honrado e ingenioso que en veinte años sólo había cometido un error; eso sí, uno de los grandes. Y tener que mantener a cinco personas sin ayuda no debía de haber sido un camino de rosas para Beth.

–No creo que me perdone nunca. Ha tenido celos de Becky toda la vida. Ella liga con los hombres que quiere. Sin embargo, Beth me tenía a mí, a tres niños y montañas de trabajo. Jamás le he dado una buena vida. Nos ha mantenido todos estos años y ha creído en mí siempre. Hasta que me acosté con Becky. En Navidad llamé a Beth para hablar con ella y con los niños y me dijo que iba a pedir el divorcio. No la culpo. Está harta de mí. Al menos ahora podré mandarle algo de dinero. Después de tantos años, se lo merece.

Era un buen tipo, sólo estaba algo desconectado de la realidad, quizá por su naturaleza artística. Sasha había escuchado historias peores. Pero lamentaba el modo en que había puesto fin a su matrimonio. Era una pérdida terrible, una lástima. Todo el mundo tendría que pagar por el error de Liam.

–¿Cuánto hace que no ves a los niños?

–Desde que Beth se marchó. No podía permitirme el billete de avión. Además, es probable que sus padres me maten. Su padre está bastante cabreado.

–¿Le ha contado lo ocurrido?

–Beth, no. Becky lo ha hecho. Ella también me odia. Quería que dejara a Beth para casarme con ella. Dice que siempre había estado enamorada de mí. A veces ocurren cosas raras entre gemelos. Al menos entre ellas dos. Beth dice que Becky le ha tenido manía toda la vida. Es una mujer preciosa pero ningún hombre ha querido nunca casarse con ella. A los quince años se quedó embarazada y sus padres dieron el bebé en adopción. Creo que eso le jodió la cabeza para siempre. Hará unos seis años, al cumplir los dieciocho, intentó buscar al niño, y descubrió que había muerto dos años antes en un accidente. Becky es un desastre. Creo que se culpa de la muerte de su hijo. Tal vez odia a Beth porque tiene tres hijos maravillosos. No sé. Es bastante complicado.

–Eso parece. Por lo visto el junio pasado entrasteis en un campo de minas.

–Ya. Beth opina que su hermana me tendió una trampa. Que llevaba veinte años esperando la ocasión. Tres botellas de vino barato y me cargo veinte años de matrimonio con la mejor mujer del mundo.

–¿Por qué no vuelas a Vermont para hablar con ella? Puedo darte un adelanto. Pensaba hacerlo de todos modos.

Liam tenía aspecto de necesitarlo, incluso antes de que Sasha supiera que llevaba seis meses sin ver a sus hijos.

–Demasiado tarde. Ha vuelto con su amorcito del instituto. Se casarán en cuanto consiga el divorcio. Su mujer murió el año pasado y le dejó con cuatro críos. El tipo tiene algo de dinero, dirige un centro de esquí y está más que dispuesto a mantener a Beth y a mis hijos. Suena mejor que estar casada con un artista chiflado. Al menos a Beth se lo parece. –Se le veía triste, aunque se lo tomaba con filosofía.

–¿Te consideras un artista excéntrico, Liam? –preguntó Sasha con tacto.

90

En cierto modo lo parecía, pero en otro no. Por encima de todo parecía un inmaduro agradable. Resultaba increíble que un hombre tan guapo sólo se hubiera acostado con una mujer en su vida a excepción del lío de una noche con la gemela de su mujer. La historia también tenía su aspecto sórdido, pero parecía que, como decía Xavier, Liam era un tío majo. Sasha confiaba en él. Su instinto le decía que Liam era buena persona. Tonto e inmaduro tal vez, pero con un buen fondo.

–A veces soy un artista chiflado. Otra veces sólo quiero ser un niño. ¿Qué tiene de malo?

–Supongo que depende de quién salga perjudicado. En este caso, Beth. Y tus hijos. Y diría que tú también. Pero Becky no parece libre de culpa.

–No le importa nadie aparte de ella. Nunca le ha importado nadie.

–Eso parece. –Sasha se calló y meditó la cuestión hasta que cayó en la cuenta de que Liam la observaba.

–¿Y tú? Xavier cree que el sol se levanta y se pone contigo. Está loco por ti. Es raro que un hombre de su edad sienta eso por su madre. En tu caso, me parece que acierta. Tiene suerte de tener una madre tan cariñosa. –Liam también había tenido una, pero la perdió demasiado pronto.

–Yo también le quiero con locura. Es un chico magnífico. Como su hermana. Soy muy afortunada. –Sasha sonrió.

–Puede que no tanto. Sé que tu marido murió el año pasado –comentó él, en tono compasivo.

–Sí –confirmó Sasha serena, pero sus ojos llenos de lágrimas la incomodaron. Sus penas no eran asunto de Liam y no quería cargarlo con ellas ni compartir con él su dolor–. Murió hace quince meses. Estuvimos casados veinticinco años.

También él había sido el único hombre de su vida. Liam y Sasha tenían eso en común, además de haber perdido a sus madres siendo niños y las inevitables secuelas emocionales que tanto les habían afectado.

–La viudedad debe de ser muy dura –la consoló mientras se acababa la pasta y la miraba con dulzura.

–Sí. Es mejor ahora que al principio, pero sigo teniendo algunos días muy malos. –Liam asintió como si la comprendiera. Él había perdido a Beth por su propia estupidez y a causa de un error fatal. Ella había perdido a Arthur por culpa del destino–. Pero sigues adelante. No queda más opción. El trabajo ayuda.

–No puedes acurrucarte con tus cuadros por la noche. ¿Has salido con alguien?

No era asunto suyo, pero decidió contestarle de todos modos. No quería que supiera lo vulnerable y sola que se sentía. Si iba a representarle, tenía que aparentar fortaleza, al menos eso creía Sasha.

–No, no he salido con nadie. ¿Y tú?

Liam despertaba su curiosidad. Igual que ella a él. Después de todo lo que le había confesado sobre su familia y su matrimonio se había establecido cierta conexión entre ambos, más íntima de lo que Sasha había previsto y, desde luego, más de lo que deseaba. Se dio cuenta de que por primera vez se sentía atraída por uno de sus artistas, pero no tenía la menor intención de dejarse llevar. Podían sincerarse durante la cena. Eran dos personas solitarias que habían sufrido pérdidas cruciales siendo niños, lo que les había privado de su infancia, y también en su vida adulta habían perdido a seres queridos, pero Sasha jamás permitiría que el vínculo que los unía pasara de ahí. No pensaba actuar guiada por la atracción que sentía hacia él. Era demasiado disciplinada y sensata para eso. Tampoco le permitiría a él rendirse a los sentimientos que pudiera tener por ella, si es que los tenía, cosa harto improbable.

–He salido con un par de personas –admitió Liam–. Me las presentó Xavier. –Sonrió a la madre de su amigo, convertida ahora en su marchante. La conexión entre ambos resultaba curiosa incluso para él–. No pude. Eran unas crías. Además, ¿para qué? Todavía estaba muy afectado por lo de Beth. Fue el verano pasado, justo después de que me dejara. Desde entonces no he vuelto a salir con nadie. Supongo que ahora que va a volver a casarse será distinto. Pero no he visto a nadie que me guste. La mayoría de las mujeres dispuestas a mezclarse con artistas están bastante chifladas. –Sonrió al decirlo y, de pronto, pareció más adulto–. ¿Y tú? ¿Qué buscas?

–Nada. No quiero convertirme en una de esas patéticas mujeres desesperadas por encontrar marido. Las citas a mi edad son ridículas. Resultan humillantes, un espanto.

–No si encuentras al hombre ideal –replicó Liam con ternura, pero Sasha negó con la cabeza.

–Ya lo encontré. Pero ha muerto. Tema zanjado.

–Qué tontería –repuso con expresión enfadada Liam–. Eres demasiado joven para rendirte. Y demasiado guapa. ¿Cuántos años tienes?

Él le echaba unos cuarenta y cinco a lo sumo, y porque sabía la edad de Xavier. Tal vez tuviera un par menos, podría haberse casado con dieciocho.

–Cuarenta y ocho. De sobra para dejarlo correr. He disfrutado de veinticinco años maravillosos.

–Y todavía podrías vivir cincuenta más. ¿Quieres pasarlos sola? –La idea parecía horrorizarlo. A ella no. Sasha había aceptado lo que consideraba una soledad inevitable.

–No. Quería pasar el resto de mi vida con él. Y lo habría hecho de seguir mi marido con vida. Ahora no tengo elección. El resto de las opciones no me apetecen. Ni creo que lleguen a apetecerme nunca. Me parece más digno renunciar que andar por ahí detrás de cualquiera sólo por cumplir.

–Debió de ser un gran hombre si lo querías tanto.

Liam estaba todavía más impresionado a raíz de la conversación que estaban manteniendo. Sasha era una mujer sorprendente digna de admiración y respeto.

–Era maravilloso. Estábamos enamoradísimos.

–Sin duda. Pero está muerto, Sasha. Tú, no. De haber muerto tú en lugar de él es probable que hubiese encontrado a otra. Todos necesitamos a alguien a quien amar. La vida es demasiado dura para vivirla solos. –El último medio año sin Beth ni los niños había sido un infierno.

–No estoy segura de que sea mucho mejor si acabas con la persona equivocada. Como Becky. Yo acerté a la primera. No creo que volviese a tener tanta suerte de nuevo. ¿Para qué arriesgarse? –concluyó con nostalgia.

–Porque quizá la suerte se repita. Eres buena gente. Lo mereces. No sería lo mismo. Sería distinto. Pero la diferencia no siempre es mala.

–No me imagino saliendo con nadie –repuso con sinceridad mientras la camarera depositaba delante de ellos tres cuencos de dulces y un platito de galletas–. Lo poco que he visto da miedo.

–Sí, a mí también. –Liam se rió de lo absurdo de la situación–. Yo hago igual que tú. Me centro en el trabajo. No he parado de pintar desde que Beth se marchó.

–A mí me funciona. –Sasha sonrió. Mientras existieran artistas de talento como Liam su táctica seguiría funcionando–. Desde que se han ido los chicos es más duro. Al menos en París estoy cerca de Xavier y además voy mucho a Nueva York. Lo peor son las noches –confesó, y él asintió.

–También para mí. Y echo muchísimo de menos a los niños. Aunque imagino que estarán mejor sin mí, y además tienen al futuro marido de Beth. Ella dice que es un gran tipo y un buen padre. Probablemente mejor que yo. Están muchísimo mejor con Beth que conmigo. Su prometido es mucho más respetable que yo, más tradicional. Beth opina que eso es bueno para los niños. Porque él no es nada estrafalario. –Admitía todo aquello con humildad, sintiéndose derrotado. No sólo había perdido a su mujer, también a sus hijos.

–Eres su padre, Liam. No puedes abandonarlos. Deberías ir a verlos pronto.

–Sí. Iré. –Pero no parecía convencido, cosa que inquietó a Sasha.

Ésta había llamado al restaurante con antelación para que no les llevaran la cuenta a la mesa. No quería incomodar a Liam. Así que después de comer los dulces y tomar el café, salieron a la calle y subieron al coche. La galerista indicó al chófer que la llevara al hotel y luego acompañara a Liam a su casa. Pero cuando llegaron al hotel Liam dijo que prefería coger un taxi. Le propuso a Sasha ir a tomar una copa, pero a ella no le apetecía. Ya habían bebido suficiente vino y champán, y no solía beber.

–Te acompañaré a la habitación y luego me iré –la tranquilizó él.

Sasha había disfrutado de su compañía toda la velada y resultaba agradable que la acompañaran a casa. Notaba la soledad ya familiar apoderándose de ella, como la notaba también Liam. Las noches eran una agonía para los solitarios como ellos. Entonces Sasha sonrió y le miró los zapatos mientras subían juntos la escalera y volvió a fijarse en la ausencia de calcetines. No pudo evitar mofarse de él ahora que se conocían algo mejor.

–No he encontrado ni un par –se excusó Liam, algo avergonzado–. Además, soy artista. No tengo por qué llevar calcetines –repuso con una mirada desafiante.

Sasha se rió.

–¿Quién ha inventado esa norma?

–Yo –contestó, orgulloso–. Soy un artista chiflado. Hago lo que me da la gana.

Parecía un niño de cinco años y Sasha adivinó en sus ojos toda una vida de diabluras. A Liam le producía alergia cualquier forma de autoridad o control.

–No, no puedes hacer lo que te plazca. Todos tenemos que acatar las normas. –Se sintió como una maestra de escuela al decirlo y además Liam se rió de ella.

–¿Existe alguna norma relativa a los calcetines?

–Por supuesto –contestó Sasha pensando en enviarle un paquete con calcetines y camisas.

Saltaba a la vista que los necesitaba, y tal vez le enviara también cordones para los zapatos. Se preguntó si se los pondría. No era probable. Era evidente que le gustaba inventar sus propias normas y no parecer convencional. Luego se preguntó si tampoco usaba ropa interior, pero esa idea hizo que se sonrojara.

—¿En qué piensas? –Liam había captado la expresión de Sasha.

—En nada. –Se la veía incómoda.

—Sí, en algo piensas. Te preguntas si llevo ropa interior, ¿verdad? –adivinó.

Sasha se sonrojó de nuevo.

—No, en absoluto –mintió entre risillas.

—Mientes. Bueno, pues sí. Eso sí lo he encontrado.

—Me tranquiliza saberlo –contestó Sasha en tono grandilocuente, y él volvió a reírse.

—¿Qué ponía en el contrato que acabo de firmar? ¿Acaso tengo que llevar calcetines y ropa interior? Porque si es así, lo rompo. Nadie tiene derecho a decirme cómo debo vestir ni qué debo hacer.

La típica rebeldía adolescente. Liam Allison tenía serios problemas con cualquier tipo de control, o al menos lo parecía. Llevaba toda la vida nadando a contracorriente, enfrentándose a las convenciones y rompiendo las reglas.

—Pues mira, ahora que lo comentas, creo que aparece en el contrato.

Estaba disfrutando de lo lindo tomándole el pelo. Para entonces ya habían llegado a la puerta de la habitación.

—No, no sale –replicó él en tono petulante y tozudo. Como un niño malo.

—Sí sale. En el contrato consta que tienes que llevar ropa interior y calcetines.

—¡No puedes obligarme! –exclamó Liam.

—Por supuesto que puedo –repuso ella, remilgada pero firme. De pronto, Liam la miró con una extraña mueca y, por sorpresa, se inclinó y la silenció con un beso. Sasha tenía la llave en la mano y la dejó caer en el bolso a causa de la sorpresa. Terminado el beso, le miró fijamente–. ¿Por qué has hecho eso, Liam? –preguntó en voz queda, horrorizada porque le había gustado.

De hecho, le había gustado mucho. Demasiado. Más que demasiado. Entonces Liam recogió la llave y abrió la puerta de la habitación con delicadeza. Se quedó mirándola y ella, sin pronunciar palabra, entró en la habitación. Él la siguió. En cuestión de segundos, ya dentro, volvió a besarla y cerró la puerta con el pie. Sasha se debatía entre emociones contradictorias. Quería detenerlo. De verdad. Tenía intención de detener a Liam, pero no podía. Lo peor de todo era que no quería parar, y él tampoco. Liam siguió besándola hasta que la levantó entre sus brazos y la depositó delicadamente sobre la cama. Había una luz encendida y Liam la apagó. No le dijo nada a Sasha. La besó y la desnudó y, sin apenas tiempo para que ella se diera cuenta, estaban ambos tumbados juntos en la cama, desnudos, haciendo el amor. Quería detenerle pero no podía. No quería, de hecho. Quería hacer exactamente lo que estaban haciendo, igual que él. Eran dos personas moribundas que se habían encontrado y no podían dejarse escapar. La atracción que sentían era demasiado poderosa para resistirse. Y pese a las grandes diferencias en sus apariencias y estilos de vida, ambos se intuían almas gemelas, seres similares. Se necesitaban el uno al otro en sus respectivas soledades y se aferraron con fuerza hasta caer exhaustos, sin aliento, en los brazos del otro. Sasha permaneció tumbada mirándole en la oscuridad, asombrada por lo que acababa de hacer; él le sonrió con la dulzura de un hombre que era todo ternura.

–Creo que estoy enamorado de ti –le dijo en voz suave, y Sasha sintió los aguijones de las lágrimas.

Creía que nunca volvería a escuchar esas palabras y en ese instante Liam se las acababa de decir y ni siquiera se conocían. Sin embargo, en el fondo de su corazón, sabía que le conocía. Intuía la soledad de su infancia y la vulnerabilidad de su madurez.

–Es imposible. No me conoces –replicó en voz queda mientras las lágrimas caían lentamente por sus mejillas.

Lloraba por Arthur y por Liam, lloraba por ella.

–Es posible y sí que te conozco. Y quiero conocerte aún mejor. –Liam le había hablado mucho de sí mismo y quería saber más cosas de ella.

—Es una locura, Liam.

Sasha se apoyó en un codo y le miró desde arriba mientras él le secaba dulcemente las lágrimas a la luz de la luna. Todo lo que Liam hacía parecía tierno, amoroso y dulce.

—Puede —admitió—. Pero quizá es lo que ambos necesitamos. Yo sí. Y creo que tú también.

—¿El qué? ¿Sexo?

Parecía ofendida. No pensaba ser un rollo de una noche como Becky. Además, era ridículo. Era su marchante, no su novia. Hasta ese mismo día habían sido unos completos desconocidos y todavía lo eran. ¿Qué le estaba pasando? Se sentía a la deriva en un mar extraño, arrastrada hacia él por una corriente mucho más fuerte que ella y a la que no podía resistirse.

—No es sexo, Sasha. Y lo sabes. No es sólo sexo. Aunque ha estado muy bien.

De hecho había sido fabuloso. Muy notable teniendo en cuenta que no se conocían de nada. Había sido una experiencia increíble para los dos.

—Pues no puede ser amor. Ni siquiera nos conocemos.

—Confío en que lleguemos a conocernos.

Por encima de todo Liam parecía una buena persona y un hombre extraordinariamente atractivo. Demasiado para su propio bien y el de ella. Sasha se sentía visceralmente atraída hacia él y ahora comprendía que así había sido desde el momento en que se habían visto. Había intentado negarlo pero no había podido.

—Es imposible —repitió Sasha—. Soy tu marchante y tengo nueve años más que tú.

—¿Y qué? ¿También tienes normas para eso?

No parecía impresionarle la diferencia de edad, por lo visto no le daba importancia.

—Sí, también para eso. No me acuesto con mis artistas. Nunca lo he hecho y no pienso empezar ahora —afirmó con seguridad, como para recordárselo a sí misma.

—Pues creo que acabas de hacerlo. Además, antes estabas casada. Las normas han cambiado.

–¿O sea que ahora tengo que empezar a acostarme con los artistas? No creo, Liam.

De repente se sentía furiosa consigo misma y antes de poder añadir nada Liam la volvió a besar y deslizó sus manos por todo su cuerpo. Hasta el último centímetro de su piel se estremeció cuando él la tocó. Tenía la impresión de estar perdiendo la cabeza por Liam. Esta vez ni siquiera intentó detenerle. Lo deseaba incluso más que la primera vez y, al acabar, se acurrucó entre sus brazos y lloró. Fueron lágrimas de alivio. Él la atrajo todavía más y la abrazó con fuerza hasta que dejó de llorar. Sasha sentía que en su interior había reventado un dique y la inundaban las emociones.

–Te quiero, Sasha. Ni siquiera te conozco pero te quiero. Y sé que con el tiempo te querré aún más. Dame una oportunidad –le rogó.

La deseaba más de lo que jamás había deseado a ninguna mujer, ni siquiera a Beth.

–Esto no volverá a pasar.

El pecho de Liam apagó las palabras de Sasha y él sonrió.

–Te prometo que la próxima vez me pondré calcetines –contestó, sin soltarla.

–Hablo en serio, Liam –insistió ella en voz baja mientras se dejaba vencer por el sueño entre sus brazos.

–Ya lo sé, Sasha… Lo sé… Pero te quiero de todos modos.

Besó el pelo de la mujer esparcido sobre la almohada, sonrió sin dejar de abrazarla y se durmió. Era la primera buena noche para ambos desde hacía meses.

6

La luz del sol colándose en la habitación de Sasha en el Claridge los despertó a las nueve de la mañana siguiente. Liam abrió los ojos primero y se quedó abrazado a ella. Luego, como si notara que la observaba, Sasha se movió. Notaba unos brazos a su alrededor, un cuerpo tendido al lado y durante un minuto no supo de quién se trataba. Luego recordó. Cerró los ojos y gimió.

–Buenos días, Bella Durmiente –le susurró Liam, atrayéndola hacia él.

Sasha giró despacio y le miró. Sus narices casi se rozaban y lo vio tan guapo por la mañana como le había parecido la noche anterior. El corazón le dio un vuelco cuando sus miradas se cruzaron. No acababa de creer lo que había hecho. Bastaba verlo allí, atractivo y desnudo, con la larga melena rubia descansando sobre los hombros y el cuerpo cálido cerca de ella para confirmar que había perdido la cabeza.

–No ha pasado –dijo Sasha con firmeza.

Pero no conseguía incorporarse ni apartarse de él. Todo en Liam le hacía desearlo todavía más.

–Sí, ha pasado –replicó él con una risa y aspecto complacido.

Sasha pensó que jamás había visto a un hombre tan guapo.

–No puede ser, Liam. Es imposible.

Él siempre sería nueve años más joven que ella, por muy poca importancia que le diera, y uno de los artistas que Sasha representaba. Incluso en el que caso de que ella renunciara a llevar su carrera, Liam seguiría siendo demasiado joven. La diferencia de edad dependía más de la mentalidad y el aire juvenil que de las fechas que indicaban los pasaportes. Y no podía negarse a representarlo sólo porque se había comportado como una tonta. Como una vieja tonta. Así se sentía. Se había sentido hambrienta de amor, de compañía, de afecto, incluso de sexo. Pero no excusaba lo que había hecho. Estaba furiosa consigo misma y también un poquito con él. Aunque no lo bastante para salir de la cama. Ni ahora, ni la noche anterior.

–No es imposible a menos que tú quieras que lo sea. Tú misma lo dijiste anoche, justo antes de hacer el amor por segunda vez.

–Estaba loca. Alego demencia transitoria –repuso girando hasta quedarse de cara al techo para evitar mirarle a él. Se sentía bien por el mero hecho de estar tumbada cerca de Liam, volvía a sentirse mujer. Pero era un fruto prohibido, sabía que no debía permitirse volver a probarlo–. ¿Tienes idea de la locura que estamos cometiendo? –preguntó, volviéndose para hablarle a la cara.

Liam tenía unos enormes ojos verdes, el rostro casi ideal aunque con las imperfecciones justas para resultar viril. Parecía un actor de película. Necesitaba a una joven aspirante a estrella como coprotagonista, no a una mujer de la edad de Sasha. Puede que él no lo supiera o no quisiera admitirlo, pero ella lo tenía muy claro. Lo sabía por los dos.

–No es una locura, Sasha. Tú eres una mujer, yo soy un hombre. Nos gustamos, estamos los dos solos. Compartimos intereses, los dos vivimos para el arte. ¿Qué tiene eso de malo?

–Todo. Me siento lo bastante mayor para ser tu madre, basta con verme. Eres amigo de mi hijo. Soy tu representante. ¿Qué te parece para empezar? Y además, sigues enamorado de tu mujer.

Sasha no lo había dudado ni siquiera por un instante mientras él le contaba la historia de Beth y la gemela malvada.

–No aparentas tener edad para ser mi madre. Tienes un físico espectacular y sólo nueve años más que yo. ¿Y qué? Y ya no estoy enamorado de mi mujer. Además, ya no es mi mujer. Nos estamos divorciando. Tú y yo somos personas libres, sin compromisos, estamos más solos que la una y somos mayores de edad. A mí me suena totalmente posible. ¿Qué problema tienes? –Parecía algo preocupado.

–Sigo enamorada de mi marido –confesó con tristeza, pero esta vez no lloró.

Liam esperó un poco para contestar y cuando por fin lo hizo le acarició suavemente la cara con un dedo.

–Sasha, él ya no está. Ha muerto, pero tú sigues viva. –Ella lo había demostrado con creces la noche anterior–. Tienes derecho a ser feliz. Conmigo o con cualquiera. No puedes seguir escondiéndote. No está bien.

–Claro que puedo.

Giró y le dio la espalda, pero siguió sin levantarse de la cama. Liam no podía ver si lloraba, pero de todas formas la rodeó con los brazos y la acercó hacia él.

–Sasha, sé que parece una locura. Apenas te conozco y creo que te quiero. Siento como si llevara toda la vida esperándote.

–Es de locos –murmuró Sasha, sin volverse. Pero había parte de verdad en lo que Liam había dicho, aunque careciera de sentido–. Bebimos demasiado. No fue el amor, fue el vino. –Intentaba rechazar lo ocurrido, pero no convenció a ninguno de los dos.

–Bueno, fuera lo que fuese, quiero más. ¿Por qué no dejas que ocurra, a ver adónde nos lleva? –Liam se lo estaba rogando.

–Y después ¿qué? –Se volvió a mirarle. Sasha parecía atormentada por lo que habían hecho–. ¿Adónde quieres que nos lleve esto? Necesitas a alguien de tu edad. Soy mayor que tú y tu marchante. Soy conservadora, tú no. Seremos el hazmerreír de París.

Sobre todo si él se presentaba sin calcetines y con una camisa pintada en alguna de las recepciones a las que acudía Sasha. Ella era una señora respetable, con una vida seria y Liam no. Liam era exactamente lo que decía ser: un artista chiflado y, además, amigo de Xavier. Los hijos de Sasha se preocuparían tanto como su madre si se enteraban de lo ocurrido.

–No quiero a alguien de mi edad, Sasha. Te quiero a ti. –Luego meditó un minuto antes de volver a mirarla–. ¿Te avergüenzas de mí?

–Podría pasar, pero no pienso dejar que ocurra. Si saliera contigo parecería una vieja loca desesperada por un poco de sexo, Liam. Jamás funcionaría.

–Tal vez sí. Al menos algo de razón tienes. Necesitas sexo, pero, vieja o joven, no estás loca.

–Vaya si lo estoy… –insistió ella con expresión abatida.

Liam la besó para hacerla callar y animarla.

Sasha no estaba para recibir ánimos, pero tampoco era inmune al contacto de Liam, ni mucho menos. Pese a su firme determinación de evitar que ocurriera, que la situación continuara, respondió instantáneamente a su roce. Era más fuerte que ella. Jamás en la vida había experimentado algo parecido, ni siquiera con Arthur, al que había amado sinceramente durante más de la mitad de su existencia. Pero tal como había señalado Liam, Arthur ya no estaba. Liam sí. En cuestión de segundos sus cuerpos volvieron a entrelazarse. Sasha gimió de placer mientras él empezaba a hacerle el amor.

El reloj de la mesilla marcaba las diez menos cuarto cuando por fin se tendieron sin aliento, saciados.

–Dios mío –exclamó Sasha al ver la hora–. Xavier llegará en cualquier momento. Hemos quedado para desayunar.

–Liam se rió.

–Bueno, será mejor que salga pitando. –Desenrolló sus largas y esbeltas extremidades, se levantó y se quedó contemplándola–. En la vida había deseado tanto a una mujer. ¿Cuándo puedo volver?

–Nunca –repuso ella con dureza–. Salgo para el aeropuerto después de desayunar. Hablo en serio, Liam. Esto tiene que acabar. –Pero era ella quien necesitaba escuchar aquellas palabras. Jamás se había sentido tan confusa y descontrolada. Se sentía en una montaña rusa de camino al infierno. Sólo cabía esperar lo peor, así que no podía permitir que ocurriera nada más. Tenía que controlarse–. No permitiré que vuelva a ocurrir.

–Serías tonta. Pero como no creo que lo seas, te llamaré esta noche.

–No lo hagas. Quiero representarte. Eres un artista fabuloso con un maravilloso futuro por delante. Limitémonos al arte. No arriesguemos tu carrera.

–¿Me estás diciendo que si somos amantes no me representarás? Porque si es así, a la mierda la galería y el contrato. Me importas más que todo eso. –Eran afirmaciones contundentes y sinceras.

–Estás loco –contestó ella incorporándose en la cama y mirándolo fijamente.

–Puede. Mi familia también lo cree –repuso Liam mientras se vestía. No tenía tiempo para ducharse. Sabía que tenía que marcharse antes de que llegara Xavier o Sasha jamás se lo perdonaría–. Tú decides, Sasha –le dijo mirándola de pie junto a la cama donde habían hecho el amor tres veces.

Las tres mejores en la vida de Sasha. Pero no podía decidir basándose en el sexo. Verdaderamente tenía la impresión de haber perdido la cabeza. Y sabía que tenía que encontrarla de nuevo y rápido.

–No me llames –le prohibió con toda la dureza que logró reunir. Intentaba sonar sincera porque era lo correcto. Con independencia de lo que hubieran compartido, tenía que acabar antes de que volviera a empezar–. Ya me pondré en contacto contigo para cuestiones de trabajo.

–Podemos tener las dos cosas –argumentó él, muy razonable, pero como ella negó con la cabeza la atrajo para darle un último beso.

Sasha estaba de pie, desnuda delante de él y estupefacta por lo cómoda que se sentía. Tras la conversación de la cena y después de haber hecho el amor, le parecía que lo conocía de toda la vida. Con él se encontraba como en casa.

–No, las dos cosas no pueden ser. –Parecía desesperada–. No pienso ser tu amante y tu marchante.

Tampoco quería ser la figura materna de su vida. Jamás lo había hecho antes y no quería empezar ahora.

Él la besó y se marchó sin añadir palabra. Sasha permaneció largo rato con la vista clavada en la puerta, temerosa de lo que pudiera ocurrir y decidida a levantar muros entre ellos. En adelante, se dijo para sí, sería su marchante y nada más. Corrió hacia la ducha. Al salir la llamaban al teléfono. Temió que se tratara de Liam, pero era Xavier. Su hijo acababa de salir de casa y llegaría en cinco minutos.

–Muy bien, cielo –contestó la madre con voz serena pese al temblor de sus manos–. Yo también voy algo atrasada. Nos vemos en el vestíbulo dentro de quince minutos.

–¿Has terminado ya con las llamadas pendientes?

Xavier parecía de buen humor. Debía de haberlo pasado bien la noche anterior. Sasha se estremeció al imaginar qué pensaría de su madre si supiera lo que había ocurrido. Se sintió una pervertida.

–¿Qué llamadas? –preguntó, distraída–. Ah… Sí… Claro… Voy algo apurada de tiempo. Nos vemos luego. –Colgó y se sentó en la cama, temblando.

Había cometido una locura. Pero iba a atajarla. Ella era una mujer sensata, Liam no era más que un niño grande maleducado que había convertido en su profesión evitar madurar. Para asustarse todavía más, Sasha se recordó que Liam había cometido adulterio con la hermana gemela de su mujer. Por muy guapo que fuera se comportaba como un crío irresponsable, y encima se vanagloriaba de ello. Como había hecho ella. Sasha tenía que asumir el papel de adulto de la situación. Liam era incapaz.

Metió lo que había traído a Londres en una bolsa, se vistió a todo correr, se cepilló el pelo y se maquilló. Al cabo de un cuarto de hora estaba en el vestíbulo, a tiempo de ver llegar a su hijo, guapo y joven. Su forma de andar, la confianza y el modo de vestir le recordaron de inmediato a Liam. Eran contemporáneos en estilo de vida, actitud y comportamiento. Dos jóvenes rebeldes.

–Se te ve contenta –la saludó Xavier, complacido–. Nunca te veo con el pelo suelto. Te queda bien, mamá.

Sasha descubrió horrorizada que había olvidado recogerse el pelo. Con las prisas ni siquiera lo había notado al mirarse en el espejo. Suponía una señal evidente, para ella y para Xavier, de que algo había cambiado. Se había soltado el pelo en varios sentidos y había llegado el momento de recogerlo de nuevo y no tocarlo más.

–Gracias. Las prisas.

–Pues deberías soltártelo más a menudo. ¿Qué tal la cena con Liam?

–Bien... Divertida... No, en realidad... Es un poco ridículo ¿no? Se presentó sin calcetines ni cordones en los zapatos y con una camisa pintada por él.

Quizá si lo ridiculizaba ante Xavier ella misma vería la locura de todo el asunto. Pero lo cierto es que se sintió como una traidora.

–Es un buen tipo. Hombre, mamá, tienes algunos artistas con pintas muchísimo peores –contestó Xavier encogiéndose de hombros mientras su madre se recordaba a sí misma que con los demás nunca se había acostado.

Pero Liam era distinto. Ninguno de los otros artistas la había hecho sentir como él sólo con verlo desde el otro lado de la habitación. Se había sentido atraída por él desde el momento de conocerlo, aunque había tratado de convencerse de que eran imaginaciones suyas. Había intentado negar la realidad sin conseguirlo. Al final resultó que no eran meras imaginaciones. Peor aún, era real.

Desayunaron en el vestíbulo. Sasha tomó un té y clavó la vista en las pastas del plato. No podía comer. No tenía hambre. Xavier engulló las suyas... y las de su madre. Se moría de hambre.

Charlaron de nada en particular durante una hora. Cuando Xavier la despidió para ir al aeropuerto se preguntó si su hijo vería a Liam ese día y qué se dirían. Como le confesara algo a Xavier, lo mataría. Pero confiaba en que callara. No era mezquino ni malicioso, sólo demasiado irresponsable y joven para su edad. Jovencísimo. Aparentaba más la edad de Xavier que la de ella o la que tenía en realidad. Sasha se obligó a no pensar en él de camino al aeropuerto, por lo que sacó algunos papeles del maletín.

No lograba concentrarse en lo que leía. Fijó la vista en el contrato de Liam, en la firma garabateada de cualquier modo en el Harry's Bar, y por un instante pensó en romperlo. Pero no podía hacerle algo así. Liam le había devuelto las dos copias, de modo que tendría que remitirle una desde París. Él le había dado su teléfono móvil al marcharse pero Sasha no lo habría llamado por nada del mundo. Ella no le había dado el suyo. Tampoco el de casa. Liam sólo tenía el número de la galería de París y Sasha rogaba al cielo que no se le ocurriera telefonearla. Si llamaba, le pasaría con otra persona. Cualquiera menos ella. No quería volver a oír su voz, al menos en una larga temporada. Su voz tenía un murmullo profundo y sensual con una dulzura que la alteraba. Lo había notado desde el principio. Ahora adoraba su voz y todo lo que tuviera que ver con él salvo el modo en que se comportaba. Lo último que Sasha necesitaba a su edad era liarse con un artista chiflado que actuaba como un delincuente juvenil. Lo que le había dicho por la mañana era cierto: si iniciaba una relación romántica con él y se hacía pública, se convertiría en el hazmerreír de París, e incluso de Nueva York. Sasha tenía una reputación que proteger. Liam, no. A él no le importaba ni una ni otra. No tenía nada que perder liándose con ella. En cambio Sasha podía perderlo todo, cuando menos el respeto de sus hijos, colegas y amigos. Embarcó en el avión en Heathrow teniéndolo muy presente. Había vivido un incidente escandaloso, singular, una experiencia extracorporal de locos, pero en modo alguno permitiría que volviera a repetirse. Nunca. Mientras el avión despegaba con rumbo a París, Sasha se prometió mantener la cordura.

A las cuatro en punto entró en su despacho parisino. Pese al sol que hacía en Londres, en París llovía. Le había costado encontrar taxi en el aeropuerto y llegó a la oficina empapada. El agua la devolvió a la realidad tras la experiencia embriagadora vivida en Londres; la ayudó a recuperar el juicio.

–Dios mío, tienes muy mal aspecto –le comentó Bernard, el encargado, al cruzarse con ella en el pasillo–. Estás empapada. Deberías irte a casa a cambiarte de ropa si no quieres acabar enferma, Sasha.

–Sólo un minuto. Tengo que hacer unas llamadas. A propósito… –Sonrió a Bernard y el encargado se dio cuenta de que a pesar de la ropa empapada y el pelo mojado hacía meses que Sasha no tenía tan buen aspecto. Por primera vez desde hacía más de un año se la veía relajada y feliz. Saltaba a la vista que la visita a su hijo había sido un éxito–. Tenemos un artista nuevo. Un amigo de Xavier de Londres. Ha firmado el contrato, tenemos que mandarle su copia. Un joven estadounidense. Su obra es maravillosa.

–Estupendo. Me muero de ganas de verla.

No disfrutaba tanto del arte contemporáneo como Sasha. Bernard, como el padre de su jefa, era más tradicional, pero respetaba mucho el criterio de Sasha a la hora de descubrir artistas emergentes. Tenía un don infalible para detectar lo que podía venderse.

–Le he propuesto organizar la primera exposición en Nueva York.

Bernard asintió y cada uno se dirigió a su respectivo despacho. Cuando Sasha entró en el suyo se llevó una sorpresa. Un enorme ramo de rosas rojas la esperaba en el escritorio. Enseguida comprobó con alivio que la secretaria no había abierto la tarjeta. El simple hecho de que las flores fueran rojas le había parecido personal y por tanto había dejado el sobre cerrado para alegría de Sasha cuando comprobó quién las enviaba. No quería que en el despacho creyeran que tenía un amante secreto. Porque no lo tenía. Había cometido un error, lo había corregido y así seguiría.

La tarjeta rezaba: «Es posible. Te quiero, Liam». La rompió en pedacitos minúsculos que luego, completamente avergonzada, tiró a la papelera. Las rosas tenían que haberle costado una fortuna y sabía que Liam no podía permitírselas. El detalle la conmovió y estuvo tentada de telefonearle, pero se contuvo. Había hecho voto de silencio y pensaba respetarlo por mucho que le costara.

En lugar de telefonearlo para agradecerle las rosas, le escribió un nota educada que lo mismo podría ser obra de su abuela que de su marchante. No tenía nada de personal. Se la entregó a la secretaria con la copia del contrato de Liam, su número de teléfono y su dirección. Después le pidió que abriera un archivo para Liam Allison, un artista nuevo. «Bonitas flores», le comentó Eugénie. Lo que Sasha le había contado explicaba el envío de flores. Las había mandado un artista nuevo, un bonito detalle por parte de un pintor muerto de hambre. Aunque tal vez no estuviera tan desesperado. Las rosas en enero eran muy caras. Por un momento Eugénie se había preguntado si Sasha se habría echado novio, pero no: se trataba tan sólo de un nuevo artista. En cualquier caso, se la veía más feliz de lo que había estado en mucho tiempo. Desde la muerte de Arthur parecía siempre deprimida. Ahora caminaba con brío. Había regresado de Londres mucho más relajada.

A las seis de la tarde, Sasha regresó a la parte del edificio donde se encontraba su hogar, aliviada porque Liam no había intentado telefonearla. Se preparó una taza de té y algo de sopa. Se dio un baño caliente y trató de no pensar en él, lo cual no resultó fácil. La noche anterior a la misma hora habían cenado juntos en el Harry's Bar. Tuvo que esforzarse todavía más para no recordar lo que había ocurrido después, de vuelta en el hotel.

Una llamada de teléfono a media noche la sacó de su ensueño. Era Tatianna. Había encontrado trabajo esa misma mañana. Trabajaría para el departamento de arte de una revista de moda; coordinaría las fotografías y se encargaría de cualquier otra cosa que le mandaran. Estaba contenta y emocionada. Una vez compartida la buena nueva, se preocupó por el bienestar de su madre.

–¿Qué tal te ha ido por Londres?

–Bien, divertido. –Alejó a Liam de sus pensamientos–. He visto a Xavier y a montones de artistas.

–¿Y al amigo de Xavier?

–¿Qué amigo? –respondió, presa del pánico.

–Pensaba que quería presentarte a un amigo suyo para que vieras su obra.

–Ah, ése –contestó en tono aliviado–. Bien. Contratado.

–Vaya, tiene que ser bueno. Ha tenido suerte.

–Es muy bueno. El año que viene le organizaremos una exposición en Nueva York. –Se obligó a hablar con seriedad y profesionalidad.

–Imagino que estará contentísimo. –Los artistas le suplicaban sin parar que les presentara a su madre. Era un engorro. No quería que la utilizaran como conducto para llegar a Sasha. Xavier lo llevaba mucho mejor–. ¿Cuándo vienes a Nueva York?

–Hasta dentro de unas semanas no creo que vuelva. Tengo mucho trabajo. Ven a verme el fin de semana si te apetece. –Sasha disfrutaba viendo a sus hijos, estando con ellos.

–Detesto París cuando llueve. He hablado con una amiga que ha regresado hoy. Dice que hace un tiempo asqueroso.

–No es muy bueno, no –admitió Sasha–. En Londres hacía sol.

–Aquí se supone que mañana nevará. Tal vez me vaya a esquiar el fin de semana.

–Cuidado en la carretera. ¿Cuándo empiezas en el trabajo nuevo? –Sasha bostezó, para ella era tarde aunque en Nueva York fueran sólo las seis.

–Mañana.

Tatianna sonaba exultante y, por un instante, su madre la envidió. La vida de su hija no había hecho más que comenzar. En cambio la suya estaba tocando a su fin. Los mejores años habían quedado atrás. Los niños habían crecido. Arthur ya no estaba. No tenía ninguna ilusión por delante más que el trabajo y, quizá, los nietos, cosa que no la emocionaba demasiado. Después de despedirse de su hija y acostarse se sintió como una anciana. Una vez en la cama no pudo evitar acordarse de Liam. Había sido un detalle enviarle las rosas. Y también una tontería. La tarjeta que Sasha había roto aseguraba que la relación era «posible». Ella sabía que no.

Esa noche sólo logró dormir a ratos, pensando en él, y a las nueve de la mañana siguiente ya estaba sentada frente al escritorio. En Londres eran las ocho. Se preguntó qué estaría haciendo Liam y si intentaría telefonearla. Era sábado y no tenía por qué estar en la oficina, pero no tenía nada mejor que hacer. Había rechazado varias invitaciones a cenar y almorzar para el fin de semana. Hacía un tiempo espantoso y resultaba demasiado deprimente quedarse en casa. Prefería trabajar. Liam la llamó a las cuatro de la tarde pero Sasha no contestó. Le pidió a la joven que trabajaba en la galería que le dijera que había salido y que llamara a Bernard el lunes. Bernard, sensatamente, no trabajaba los fines de semana. Tenía esposa, tres hijos y una casa en Normandía donde pasaban los fines de semana. En vida de Arthur ella tampoco trabajaba el fin de semana. Ahora era cuanto tenía para llenar los días y distraerse. Desde la muerte de su esposo los fines de semana eran una tortura.

Cerraron la galería a las seis y Sasha regresó a casa a las siete. Se había llevado con ella una pila de revistas de arte. Encendió las luces. Era hora de cenar, pero no tenía hambre. Mientras se preparaba una taza de té se recordó de nuevo que no tenía sentido pensar en Liam. No la conducía a nada más que a la locura y al abatimiento. Cuando se disponía a servirse el té llamaron a la puerta. Como el timbre no dejaba de sonar dedujo que el portero no estaba en su puesto. Cruzó el patio hacia la gran puerta exterior de bronce sin la menor idea de quién podía ser. Nadie llamaba a su puerta por las noches.

Miró por la mirilla pero no vio nada; luego pulsó el portero automático que abría una de las hojas de la gran puerta de bronce. Tal vez habían dejado algo fuera. En cuanto abrió la puerta y echó un vistazo alrededor descubrió a Liam plantado delante de ella bajo la lluvia, calado hasta los huesos. Llevaba una bolsa pequeña, vaqueros y camiseta. Además, lucía unas viejas botas vaqueras y la lluvia le aplastaba la larga melena rubia contra la cabeza. Sasha se quedó mirándolo sin articular palabra mientras él la observaba, hasta que de pronto ella se hizo a un lado para dejarlo pasar al menos al patio, donde podría refugiarse de la lluvia.

–Me pediste que no te llamara desde Londres –se excusó él, con una sonrisa–. Así que no lo he hecho. Te he llamado desde París. No he telefoneado hasta que no he estado aquí. Imaginé que ya estarías en casa.

–¿Qué estás haciendo aquí, Liam?

Parecía más preocupada que enfadada. Y, en algún lugar en el fondo de su corazón, estaba asustada. A poco que se esforzaran cualquiera de los dos, el asunto podía escapar a su control.

–He venido a verte. –Más que nunca parecía un niño mayor–. Desde ayer sólo pienso en ti. De modo que se me ha ocurrido venir a verte. Te echaba de menos.

También Sasha le había añorado, pero verlo conllevaba un riesgo que no podía permitirse.

–Muy bonitas, las rosas –le agradeció, con educación.

–¿Sí? ¿Las has tirado? –De pronto, se le veía decepcionado.

–Claro que no. Están en el despacho. –Seguían bajo la cubierta del patio–. Le he dicho a mi secretaria que las mandaba un artista nuevo.

–¿Por qué tienes que dar explicaciones? Eres una mujer libre.

–Nadie es libre, Liam. Al menos, yo no lo soy. Tengo un negocio, hijos, empleados, clientes, responsabilidades, obligaciones y una reputación. No puedo andar por ahí comportándome como una colegiala sedienta de amor –hablaba tanto para él como para ella.

–¿Por qué no? Para variar podría sentarte muy bien soltarte un poco el pelo. –Su hijo le había dicho lo mismo, literalmente, al verla con el pelo suelto en Londres. Por alguna razón Liam la trastornaba. Y eso no era lo que Sasha quería. No iba a echar su vida por la ventana y hacer el ridículo enamorándose de un niño grande–. ¿Me dejas que te invite a cenar?

En cuanto oyó su propuesta, Sasha recordó la irritante cena de un mes atrás con Gonzague de Saint-Mallory en Alain Ducasse, cuando aquel tipo supuso que se acostaría con él para vender un cuadro. Qué insulto. Esta invitación no lo era. Tal vez fuera una tontería, pero era sincera y no tenía nada de insultante. Gonzague tenía mucho menos de hombre y de caballero que el joven que con orgullo se autoproclamaba un artista chiflado.

–¿Por qué no pasas dentro y te preparo algo? No deberías quedarte fuera con tan mal tiempo. –Sasha se encaminó hacia la casa dejando la puerta abierta–. ¿Dónde te hospedas? –preguntó, nerviosa.

Si le contestaba que con ella, no le dejaría cruzar el umbral.

–En una pensión de artistas del Marais, cerca de la place des Vosges. La conozco del verano pasado.

Sasha asintió y lo condujo hacia el salón. La casa y los muebles databan del siglo XVIII. La decoración consistía en piezas de arte contemporáneo y moderno. Poca gente habría conseguido con éxito una mezcla tan artística. El resultado era elegante, alegre y acogedor. Una gran chimenea reconstruida en mármol blanco dominaba la estancia iluminada por una única lámpara, un antorchero alto de plata que había comprado hacía años en Venecia. Toda la habitación estaba llena de candelabros. Sasha nunca se molestaba en encender las velas. Daban demasiado trabajo. Cruzaron el salón y el comedor y pasaron directos a la cocina, una estancia grande y acogedora decorada al estilo rústico francés con una enorme mesa de madera y cuadros de artistas emergentes por todas las paredes. Dominaban los colores amarillo y naranja, que creaban cierta ilusión de luz solar. Sobre la mesa había un gran candelabro veneciano de color blanco que se iluminó al accionar un interruptor. La cocina era cálida y acogedora; en vida de Arthur habían pasado muchas horas en ella. La usaban de sala de estar. Las sillas estaban forradas de suave cuero marrón.

–Vaya, Sasha… Es precioso. ¿Quién lo ha decorado?

–Yo misma. –Le sonrió–. Resulta un poco ecléctica. El resto de la casa es más formal.

Como lo era la galería y el ala de la casa donde había vivido su padre, que había coleccionado antigüedades y pinturas exquisitas. Pero Sasha prefería su zona de la vivienda. Igual que Liam. A él le encantó el sitio y enseguida se encontró como en casa.

Sasha le calentó un poco de sopa y le ofreció una tortilla, que él aceptó agradecido, admitiendo que estaba hambriento. No había comido nada desde el almuerzo.

–Puedo preparar algo de pasta, si tienes –propuso Liam.

Sasha dudó un instante antes de aceptar. No quería que se quedara mucho rato. Le daría de comer, le reñiría por presentarse en su casa y lo mandaría de vuelta a la pensión de artistas del Marais. Lo que hiciera después era asunto suyo. No pensaba implicarse, ni en ese momento ni nunca.

Se entretuvieron cocinando y al cabo de media hora se sentaron juntos a la mesa de la cocina a charlar y discutir sobre un par de artistas que Sasha representaba. A Liam uno de ellos le parecía excelente, prometedor y merecedor de la oportunidad que se le había concedido; el otro, en su opinión, carecía de mérito y de talento y era una vergüenza que Sasha fuera su agente. Liam opinaba que tenía un estilo imitativo, superficial, falso y pretencioso.

–No lo soporto. Es un imbécil. –Liam tenía opiniones contundentes acerca de casi todo.

–Ya –concedió Sasha. A ella tampoco le gustaba–. Pero sus obras se venden como rosquillas y los museos le adoran.

–Se limitan a hacerle la pelota porque su mujer tiene dinero. –La miró con timidez y se rió–. Supongo que si tú y yo acabamos juntos alguien podría decir lo mismo de mí –pronunció aquello de un modo que daba miedo.

–No te preocupes, no ocurrirá. Jamás tendrás ese problema –repuso ella con tristeza–. ¿Ves?, ya tienes otra razón para que no acabemos juntos, como dices tú.

–Quiero enseñarte una cosa –anunció Liam mientras se remangaba una pernera empapada de los vaqueros y, con ciertas dificultades, se quitaba una bota.

Sasha no vio nada especial. Liam llevaba calcetines blancos de deporte.

—Mira —señaló él–. Calcetines. Me los he puesto por ti. Los he comprado en el aeropuerto.

Con las botas no se veían, pero como un niño que buscaba complacer a su madre, quería que Sasha supiera lo que había hecho y recibir el premio merecido.

—Buen chico, Liam —bromeó Sasha, en realidad, bastante conmovida.

Resultaba obvio que Liam quería agradarle, ganarse su aprobación. Pero necesitaba mucho más que un par de calcetines para convertirse en adulto. Todo en él delataba que era un artista chiflado e infantil. Y, como él mismo había expuesto con orgullo, nadie lo controlaría jamás. Su padre y sus hermanos lo habían intentado y Liam los había desafiado. Sasha no quería entrar en el juego. Quería que se controlara él solito y se comportara como un adulto. Incluso el viaje a París, un gesto adorable, respondía a un acto impulsivo y espontáneo que además no respetaba lo que Sasha le había pedido, es decir, que se mantuviera alejado de ella y olvidara el momento de locura que se habían permitido en Londres.

—¿Qué planes tenías para esta noche antes de que apareciera? —preguntó Liam con interés en cuanto terminaron la cena.

La contribución de ambos a la comida había quedado deliciosa. Ambos sabían cocinar.

—Nada. Leer. Acostarme. No salgo mucho.

—¿Por qué no? —La miró con el ceño fruncido.

—Por razones evidentes: tristeza, soledad. Me deprime ir sola a las fiestas. Me siento de más, como el único animal desparejado del arca de Noé. Además a mis amigos les doy lástima y eso es incluso peor. Sólo voy cuando no tengo más remedio, por trabajo.

—Necesitas salir más —repuso él con firmeza, como si le hubiera contratado para que le asesorara sobre su vida social–. Necesitas divertirte más. No puedes pasarte los días sentada en una casa vacía leyendo y escuchando llover. Joder, yo me suicidaría.

Sasha no le dijo que le entendía, que más de una vez había pensado en el suicidio desde la muerte de Arthur y que lo único que la había detenido era saber que no podía hacer algo así a sus hijos. De no ser por ellos, se habría suicidado. Pero Liam lo intuyó. Visto el modo en que Sasha vivía y la soledad que se había impuesto, no la culpaba. Lo único que le quedaba en la vida era la galería y las ocasionales visitas de sus hijos.

—Mañana te llevo al cine. ¿En París dan películas de samuráis? —se interesó mientras la ayudaba a recoger la mesa. Sasha se rió.

—No tengo ni idea. Nunca he visto ninguna.

Al menos, Liam la divertía. A veces la hacía reír como hacía años que no se reía, como tal vez nunca se había reído.

—Pues tienes que ver una. Son fantásticas. Buenísimas para el espíritu. Ni siquiera tienes que leer los subtítulos, basta con atender a los sonidos. Se hacen picadillo unos a otros y suena magnífico. Toda una experiencia psicológica. A Xavier le encantan.

—Nunca me lo ha dicho.

—Supongo que le da vergüenza. Se tiene por un intelectual muy serio. Y las pelis de samuráis no tienen nada de intelectual. Odio las pelis que va a ver Xavier; me duermo.

—Yo también. —Sasha se rió sin disimulo—. Le encantan esas películas polacas y checoslovacas que no terminan nunca. Yo nunca le acompaño.

—Bien, entonces ven al cine conmigo. Te llevaré a una peli para chicas. ¿Cuánto hace que no vas al cine?

Sasha lo pensó un momento y se dio cuenta de que la respuesta era la misma que para todo lo demás en su vida.

—Desde la muerte de Arthur.

Liam asintió sin decir nada y echó un vistazo al congelador. Sasha tenía una nevera con congelador americana, cosa rara en París. Arthur había insistido en comprarla cuando remodelaron la casa. También tenían grandes cuartos de baño al estilo estadounidense, todo un lujo en Francia.

—¿Tienes helado? Soy adicto a los helados.

Había cosas peores a las que engancharse. Como él, por ejemplo. Liam ni siquiera había bebido vino con la cena a pesar de que Sasha se lo había ofrecido.

–La verdad... –Sasha abrió el congelador y miró dentro. Sólo había hielo. La nevera sólo contenía lo que la asistenta le dejaba para cenar. Un poco de ensalada, algunas verduras, sopa casera y, de vez en cuando, fiambres, queso o pollo. No comía mucho. Liam comía como el joven sano que era. Sasha le miró avergonzada–. No hay helado. Lo siento. –Ni siquiera recordaba la última vez que lo había comprado o probado.

–Pues tenemos un problema grave. –Parecía sinceramente preocupado.

–Lo tendré en cuenta para la próxima vez –contestó ella como si fuera a haber una próxima vez pese a su decisión en sentido contrario; luego tuvo una idea. Hacía años que no había ido, desde que los niños eran pequeños. Ahora tenía otro niño. Tenía a Liam–. Ponte la chaqueta. Vamos a salir –anunció de repente, y se levantó con una sonrisa.

–¿Adónde? –preguntó Liam mientras Sasha se ponía el chubasquero y cogía el bolso.

Todavía llevaba el traje pantalón negro que usaba para trabajar. En un segundo, salieron a la calle. Sasha lo guió hasta el aparcamiento y se sentó al volante de su pequeño Renault. Liam tuvo que contorsionarse para entrar. Tenía las piernas demasiado largas para aquel coche que, no obstante, era perfecto para ella.

Sasha condujo hasta la isla de Saint-Louis y aparcó el coche, luego se cogió del brazo de Liam mientras caminaban juntos bajo un solo paraguas. Se detuvieron frente a un viejo comercio llamado Berthillon y Sasha miró a Liam con expresión satisfecha. «El mejor helado de París.» Le explicó el sistema de las bolas, los cucuruchos, los vasitos y los complementos. Liam eligió pera, melocotón y limón en un cucurucho y además compraron tres tarrinas grandes de chocolate, vainilla y café. Sasha se pidió un helado de coco de una bola y regresaron al coche charlando animadamente. De vuelta a casa Sasha le obsequió con una breve visita turística por la ciudad pese a que Liam le había dicho que ya la conocía, aunque no las zonas con las que ella estaba familiarizada. De improviso, decidieron detenerse en el Café de Flore. Era uno de los más antiguos de París. De regreso al coche pasaron por delante del Deux Magots y llegaron a casa a las diez. Liam decidió probar los otros helados que había comprado. Esta vez se sentaron en el salón y encendieron las velas. Al final habían disfrutado de una velada deliciosa. La clase de velada que no se disfruta estando sola. Si Sasha hubiera ido a Berthillon sola se habría deprimido; conducir por París no habría tenido sentido. Y sentarse sola en el Café de Flore habría resultado doloroso. Pero con Liam todo había salido bien, se habían divertido. Había sido gracias a la conversación y a las discusiones políticas, al debate artístico, al intercambio de opiniones, a las risas que arrancaba con sus anécdotas y sus bromas, a la euforia y el entusiasmo irreprimibles con que se tomaba la vida. Tal vez fuera algo infantil, pero era listo y una compañía entretenida. Sasha empezaba a plantearse mantener una amistad con él. Era la una de la madrugada cuando dejaron de charlar y Sasha empezó a bostezar.

Entonces Liam le pidió permiso para usar el teléfono y llamar a la pensión. Tenía pensado telefonear desde el aeropuerto pero no se había acordado. Volvió al cabo de unos minutos con ojillos de cordero degollado.

–Menudo fallo –dijo, avergonzado.

Esa noche ni siquiera la había besado, cosa que Sasha le agradecía. De haberlo hecho habría tenido que pedirle que se fuera. Se había prometido no dejar que las cosas volvieran a escapársele de las manos.

–¿Qué pasa?

Sasha estaba apagando las velas. Liam se iría enseguida. La noche había salido bien, sin problemas. Sólo con que consiguiera sobreponerse a la irreprimible atracción que sentía hacia él todo sería perfecto.

–He llamado demasiado tarde. Están completos. Supongo que encontraré otro hotel –añadió preguntándole con la mirada.

Sasha de pronto se preocupó.

–¿Me estás pidiendo si puedes quedarte aquí?

Sasha se preguntaba si la estaría manipulando o si de verdad la pensión de artistas del Marais estaba completa. Pero parecía avergonzado de verdad. Sencillamente no se organizaba, nunca lo había hecho. Le había contado que desde que tenía diecinueve años Beth se había encargado de todo, hasta que se marchó. Y al principio no sabía apañárselas sin ella, pero estaba aprendiendo.

–No era mi intención –aseguró Liam, de corazón–. No quería ponerte en un aprieto. Puedo dormir en el aeropuerto si es necesario o en la estación de trenes. No sería la primera vez, no pasa nada.

–Qué tontería –repuso Sasha en tono práctico, luego respiró hondo–. Puedes dormir en el cuarto de Xavier. Pero Liam, no pienso acostarme contigo. No quiero que pongas mi vida patas arriba, ni la tuya tampoco. Si seguimos por el camino de ayer sólo lograremos confundirnos.

Liam no recordaba que ninguno de los dos pareciera confuso la noche anterior, pero no dijo nada y asintió.

–Seré bueno. Lo prometo.

Sabía que para ella también habría sido difícil. Sasha había vivido en aquella casa con su marido y sus hijos. No era una mera hoja en blanco como la habitación de hotel de Londres. Liam no quería molestarla ni asustarla y sabía que eso era lo único que conseguiría si daba algún paso más.

La siguió respetuosamente hacia el dormitorio de Xavier en el piso de arriba. Estaba justo encima del de su madre; era una bonita habitación de hombre joven, de decoración sencilla en azul marino y con un cuadro de una mujer y un chico que ella le había regalado hacía años por Navidad. A Xavier le había encantado el cuadro y seguía colgado allí como recuerdo de infancia. Los ojos de buey de la habitación daban al jardín; a Liam le gustó saber que la tendría cerca. Le dio dos besos de buenas noches en las mejillas y consiguió controlarse. No tenía prisa. Si era necesario, lo que sentía por ella podía esperar. Pasó la noche tumbado en la cama pensando en ella; Sasha la pasó pensando en él. Más de mil veces pensó en bajar corriendo la escalera, pero resistió. No volvió a verla hasta la mañana siguiente en la cocina.

Sasha preparó huevos con beicon y hablaron de qué iban a hacer. Como Liam se había quedado en el cuarto de Xavier sin quejarse ni intentar sobrepasar los límites que le habían marcado, Sasha ya no estaba ansiosa por que se marchara. El día era gris pero el tiempo había mejorado y decidieron salir a pasear por la orilla del Sena. Contemplaron los *bateaux-mouches* mientras Sasha le mostraba cosas nuevas. Liam compró un libro de arte y se lo regaló. Compraron creps en un puesto callejero, pasearon frente a las tiendas de animales y se rieron de las gallinas. Liam quiso entrar en una y le habló de un perro que había tenido de niño. Murió el mismo año que su madre. El resto del tiempo la hizo reír, contándole chistes y divertidas anécdotas. Sasha le preguntó por sus hijos y le habló de los suyos. Fue una de esas tardes perfectas en que todo resulta fácil y agradable, de amistad y confidencias compartidas y de un amor implícito pero profundo, por mucho que Sasha se resistiera. Liam le dio algo que hacía quince meses que echaba de menos: compañía y alguien con quien hablar. Llenó su soledad como la espuma que se expande hasta el borde de un recipiente.

En la última tienda de mascotas del *quai*, Liam descubrió una cocker spaniel. El tendero le dijo que era la perrita más pequeña de la camada y Sasha comentó que nunca había visto una mirada tan triste como aquélla.

–Deberías comprarte un perro –le aconsejó Liam con confianza–. Te haría compañía.

Él también había considerado esa opción, pero no se veía capaz de cuidarlo.

–Trabajo demasiado. Tendría que dejarlo aquí o arrastrarlo conmigo de avión en avión y no me parece justo para el animal.

–Si tú lo haces ¿por qué no puede hacerlo un perro?

–No he tenido perro desde que los niños eran pequeños. Dan demasiado trabajo –repuso en tono práctico–. Se mearía por toda la galería y Bernard me mataría, igual que Karen en Nueva York.

–No puedes permitir que los demás decidan por ti.

Pero Sasha lo hacía. Iba a hacerlo en el caso de Liam. Le asustaba demasiado lo que pensaran los demás si se liaba con él. Además, tampoco él estaba amaestrado.

Sacaron de la jaula a la cachorrita, que volvió a la vida en cuanto Liam se puso a jugar con ella. Sasha retrocedió un poco para verlos mejor; la perrita le lamía la cara a Liam, que se dejaba querer. Era una perrita negra y blanca, con una cabeza muy bonita, las patas negras y los cuatro pies blancos. Liam le contó que el perro que había tenido de niño también era un cocker spaniel.

–Quizá deberías comprarla tú y llevártela a casa –le animó Sasha.

Saltaba a la vista que Liam se había enamorado de la perrita, porque le entristeció devolverla a la jaula. El animal aulló y ladró al ver que se marchaban. Liam se volvió, le lanzó un beso y se despidió.

–No podría entrarla en Inglaterra –le explicó a Sasha–. Los británicos son complicadísimos. Han relajado un poco la cuarentena, pero necesitas un montón de papeleo para poder tenerla al aire libre. Además –sonrió con mirada traviesa– no soy lo bastante responsable para tener un perro. Cuando pinto me olvido de todo. Para tener un perro necesitaría primero a otra mujer.

–¡Pues sí que son exigentes los británicos!

Los peores temores de Sasha se confirmaron, pero esta vez no se asustó. Se trataba simplemente de reconocer lo evidente. Liam era plenamente consciente de quién y cómo era. Igual que Sasha. Era un chico irresponsable y encantador.

Volvieron a Berthillon y esa noche Sasha lo llevó en coche al aeropuerto. Liam permaneció largo rato contemplándola antes de intentar bajar de aquel coche ridículamente pequeño.

–Lo he pasado de maravilla contigo este fin de semana –dijo, con calma.

No habían hecho el amor. No habían cometido ningún exceso. Sencillamente habían estado juntos, habían comido helado, charlado, paseado, comprado libros de arte, se habían sentado en los cafés y habían jugado con una perrita. Todo lo que Sasha echaba de menos y al mismo tiempo algo distinto de cuanto conocía. Con Arthur habían llevado una vida de adultos, una vida de socios responsables ocupados en menesteres serios. Liam tenía algo maravilloso, juguetón y juvenil. Era en parte hombre, en parte chico, futuro amante si ella se lo permitía y, en cierto modo, por sus maneras juveniles, casi como un hijo adoptado.

–Yo también he disfrutado –contestó Sasha con una sonrisa–. Gracias por sorprenderme. Si me hubieras pedido permiso para venir, jamás te lo habría dado.

–Por eso no te pregunté. –Se inclinó y la besó.

Sasha le agradecía que hubiera respetado sus deseos hasta entonces. Mientras le besaba volvió a sentir todo lo que había notado en Londres y había logrado controlar ese fin de semana. Le habría resultado imposible si la hubiera besado antes de ese momento. Y todavía habría sido más imposible para él. Se besaron durante un rato y luego se quedaron sentados, mirándose. Era imposible permitirse algo más. Sasha deseaba que pudiera ser de otro modo, pero sabía que no era posible. En esta ocasión no se lo dijo a Liam. No había necesidad. Liam conocía la opinión de Sasha.

–Quiero volver a verte –pidió él antes de bajar–. ¿Me dejas, Sasha?

–No lo sé. Ya veremos. Tengo que pensarlo. Tal vez sea tentar al destino repetir algo así; sería engañarnos fingir que podemos limitarnos a esto. Cuesta mucho resistirse a ti.

Liam la besó de nuevo para demostrárselo. Sasha apenas podía respirar cuando el beso terminó. Lo deseaba con toda su alma. Lo único que quería era llevárselo a casa. Pero no lo hizo. Sabía que no podía. Se bajó del coche y se rió con ganas al verlo desenredar las piernas para descender.

—Eres mi marchante, por Dios. ¿Es que con todo el dinero que ganarás conmigo no podrías al menos permitirte un coche como Dios manda? Me voy a herniar de entrar y salir de este cacharro. Quizá debería ser yo quien te diera un adelanto.

Sasha se rió y lo acompañó al aeropuerto. Liam llevaba las botas, los vaqueros, un suéter de pescador que había comprado en Irlanda y una gorra de béisbol que su hijo le había enviado desde Estados Unidos. Se le veía alto, masculino y joven. Todo su ser resultaba apetecible, en especial esa cualidad infantil que tanto asustaba a Sasha.

Lo siguió en silencio hasta la puerta de embarque. Fue el último en embarcar. Una parte de Sasha quería que perdiera el avión y se quedara con ella. Pero otra quería que se marchara para no regresar jamás. Las dos partes estaban enzarzadas en una lucha sin cuartel.

—Te echaré de menos —le dijo él en voz queda.

—Y yo.

Estaba siendo sincera. Siempre era sincera con él. Tenía la sensación de poder contárselo todo.

Entonces él le dio un beso largo y apasionado mientras las puertas del avión empezaban a cerrarse.

—Ve… Perderás el avión… —susurró Sasha.

Liam echó a correr y se giró una última vez, con una sonrisa de oreja a oreja, para despedirse; después subió al avión. Sasha no tenía ni idea de cuándo volverían a verse.

Liam se sentó pensando en ella y en la notable combinación de contrastes que la definía. Dura y tierna, vulnerable y fuerte. A veces seria y triste, cuando hablaba de sus padres o su difunto marido, y luego de pronto divertida y feliz e incluso, en ocasiones, cuando hablaba de sus artistas, sus hijos o sus puntos de vista sobre la vida, juvenil. Esperaba cosas sencillas de la vida, nada presuntuosas. Pero se mostraba complicada en lo relativo a las rígidas ideas que tenía acerca de cómo creía que debía comportarse en sociedad y cómo quería que la percibieran. Gran dama y exasperantemente refinada un minuto, podía ser caprichosa y pícara al siguiente. Sabía por Xavier que era una madre fabulosa e intuía que también era una gran amiga. Responsable, consciente, capaz, brillante en su campo y al mismo tiempo, una mujer menuda y solitaria que necesitaba un hombre que la quisiera y en el que apoyarse. Y por mucho que se preparara para llevarle la contraria, Liam estaba dispuesto a convertirse en ese hombre. Por mucho que tardara.

7

Al día siguiente, Sasha estaba silenciosa y meditabunda en su despacho. Pasó largo rato sentada frente al escritorio, con la vista clavada en un papel sin verlo, ausente. Estaba pensando en Liam, en lo bien que lo habían pasado el fin de semana y en lo estúpida que había sido al permitirse su compañía. No tenía la menor duda de que si continuaban por ese camino alguien saldría malparado. Probablemente ella. O quizá él. Pero ella se jugaba más.

Estaba mirando por la ventana meditando en todo ello cuando Eugénie entró en la habitación.

—Sasha —dijo, titubeante—, ha llegado un paquete para ti. No estoy segura de dónde quieres que lo ponga.

Sasha supuso que serían cuadros de algún artista. Los europeos le mandaban las obras a la galería de París y desde allí la galería las enviaba a Nueva York si estaban programadas para alguna exposición.

—Déjalo con las obras que llegaron la semana pasada —contestó Sasha, distraída—. Sale todo para Nueva York el primero de febrero. Pero comprueba en la lista que no pertenezca a ninguna exposición de París.

—No creo que quieras enviarlo a Nueva York —repuso la secretaria, con expresión extraña.

De vez en cuando, Sasha la asustaba, sobre todo últimamente. Y no estaba segura de cómo reaccionaría al ver el envío.

—Por amor de Dios, Eugénie, basta ya de tanto misterio. ¿Qué es?

—¿Te lo traigo?

–Si tienes que desembalarlo, no. No quiero tener el despacho patas arriba. Ábrelo en el almacén. Ya bajaré luego a verlo. –Eugénie no se movió y Sasha empezó a ponerse nerviosa–. Está bien, tráelo. Ya recogeremos.

Resultaba obvio que Eugénie prefería entregarle el paquete directamente a Sasha, que empezaba a temerse algún problema grave.

Rauda, la secretaria desapareció y regresó pasados unos instantes cargada con el paquete. Lo llevaba en brazos. Se volvió hacia su jefa, que la miró anonadada. Era el cachorro de cocker spaniel con el que Liam y ella habían jugado el día anterior en la tienda de animales del *quai*. La perrita parecía aterrada y Eugénie no se quedaba atrás. No tenía ni idea de cómo reaccionaría Sasha. Para alivio de la secretaria, su jefa se limitó a quedarse de pie con expresión pasmada y una creciente sonrisa en la cara.

–Dios mío… ¿Qué voy a hacer yo con eso? –Sasha parecía abrumada.

–El hombre de la tienda dijo que ya sabes quién lo envía –informó Eugénie con inseguridad.

–Sí. Es de parte de Liam Allison, el artista nuevo. –No tenía sentido ocultárselo. Antes o después se descubriría. Con suerte, la razón del regalo permanecería en secreto. Entonces Eugénie se acercó a entregarle la perrita, que lamió la cara de Sasha con la misma energía con la que había lamido la de Liam el día anterior–. Ay, señor… No puedo creerlo. –Sostuvo a la perrita en brazos un momento y luego la depositó en el suelo con delicadeza. Llevaba menos de un minuto de pie cuando se agachó a los pies de Sasha y se meó en la alfombra, pero sin causar grandes daños–. Está loco –sentenció Sasha ampliando aún más la sonrisa.

Eugénie se sintió aliviada al comprobar que no se enfadaba por lo de la alfombra.

–Es una monada –comentó mientras el cachorro olfateaba el mobiliario y correteaba por el despacho.

Cada pocos segundos corría como una flecha de vuelta

junto a Sasha. Todavía correteaba sin parar cuando Sasha se fijó en las patitas negras de pies blancos.

—¿Tiene nombre? —preguntó la secretaria.

Sasha dudó un momento y luego dibujó una sonrisa de oreja a oreja.

—Creo que sí. La llamaré *Calcetines*. —Tenía cuatro patitas blancas que parecían calcetines, toda una dedicatoria a Liam—. ¿Venía con comida? —No tenía idea de qué darle de comer.

—El hombre ha asegurado que venía con todo lo necesario, incluida una bolsa de viaje para cuando te la lleves a Nueva York. Tiene incluso un jersey rosa y un collar y una cadena a juego.

Liam había pensado en todo. Sasha sabía de la falta de dinero del pintor y del esfuerzo que había hecho pensando en lo que podría ganar en Suvery. La perra no era barata y los accesorios y complementos debían de haber costado mucho dinero. A Sasha le encantaba que fuera tan generoso y amable. Enviarle el animal había sido un detalle dulce y bienintencionado. Pese a sus maneras alocadas, tenía buen corazón. En cuanto Eugénie salió del despacho, Sasha descolgó el teléfono. Localizó a Liam en el estudio, en el teléfono móvil.

—No acabo de creer lo que has hecho. Estás como una cabra. Y además te has gastado una fortuna, Liam. ¿Qué voy a hacer yo con una perrita?

—Necesitas que te hagan compañía. Al menos mientras yo estoy en Londres. ¿Está bien?

Pasó por alto el comentario acerca del dispendio. Eso no era asunto de Sasha. Le apetecía malcriarla. En su opinión, se merecía eso y más.

—Está estupenda. Es la cosa más dulce que han hecho por mí en la vida, Liam.

—Me alegro. —Parecía complacido. Le había preocupado un tanto que Sasha se enfadara y significó un gran alivio que no lo hiciera. Ella seguía bajo los efectos de la impresión—. ¿Cómo vas a llamarla?

—*Calcetines* —contestó, encantada, y Liam se rió.

–Es perfecto. Ahora tendré que ponerme calcetines. Igual que ella. –Recordaba las cuatro patitas blancas como la nieve. –Estás completamente zumbado. Es la mayor locura que he visto.

–Bien. Te hace falta un poco de confusión en la vida. Necesitas sorpresas agradables y menos control.

En ese instante *Calcetines* alzó la vista hacia su dueña con interés, se agachó y volvió a mearse en la alfombra. Para Sasha resultaba evidente que ya no controlaba nada. Ni a Liam, ni a ella misma y desde luego tampoco a la perra. La cachorrita tenía sólo ocho semanas y tardaría meses en amaestrarla. Iba a tener que retirar las alfombras de la casa.

–Ha sido una sorpresa maravillosa, Liam. No salgo de mi asombro. –Ni siquiera sabía cómo reaccionar y por qué lo había hecho Liam. No obstante, valoraba el gesto.

–Me preguntaba si podría pasar a verla el fin de semana. No te alteres. No voy a verte a ti. Sólo a la perra.

Sasha dudó y permaneció un rato en silencio. Liam no le había regalado la perra para presionarla, sino como muestra de amor. Tras visitarla en París había comprendido la vida solitaria que llevaba. El silencio y la soledad de la casa habían hecho que se compadeciera de ella. Así que pensó que una perrita podría ayudarla. Y si Sasha se lo permitía, también él se prestaría a colaborar.

–No sé –contestó Sasha, con sinceridad–. Tengo miedo, Liam. Sería una locura comprometerme más. Creo que al final los dos lo lamentaríamos.

En particular ella, si Liam encontraba a una mujer de su edad después de que Sasha se hubiera enamorado locamente de él. No le costaba imaginarle con una chica de veinticinco o treinta años en lugar de con alguien de su edad. Desde el punto de vista de Sasha una aventura amorosa con Liam sólo podía acabar mal.

–No tiene por qué. Deja de obsesionarte con la edad, Sasha.

–No se trata sólo de la edad. Es todo. Soy tu representante. Si la cosa se tuerce podría destrozar nuestra relación laboral. No estás divorciado. Podrías volver con Beth cualquier día de éstos. Soy nueve años mayor que tú y deberías salir con una mujer que tuviera la mitad de años que yo. Tú quieres ser un artista estrafalario y yo llevo una vida tradicional y aburrida; te volverías loco. –Últimamente hasta ella se aburría. Además no podía llevarlo a ninguna parte sin sentirse ridícula y no tenía idea de cómo se comportaría él, aunque eso no quería decírselo–. Nada en todo este asunto tiene sentido.

–¿El amor debe tener sentido? –preguntó, decepcionado.

Sasha iba repasando la lista de inconvenientes como los puntos que había que tratar en un contrato que se negaba a firmar. Pero así funcionaba la vida, era su modo de enfocar las cosas.

–Debería tenerlo. Ya cuesta bastante mantener una relación sin mezclar a dos personas radicalmente distintas como nosotros e intentar que funcione. No creo que nosotros lo consiguiéramos. Además, esto no es amor, sólo sentimos atracción física. Una especie de química demente me hace perder la cabeza cuando estás cerca.

–Pues este fin de semana no has perdido la cabeza. Ojalá. Pero no. Creo que nos hemos comportado muy bien –replicó, orgulloso.

–¿Y cuánto crees que podríamos aguantar así?

–No mucho, espero. –Se rió, y a ella le encantó el sonido de su risa. Sasha le escuchaba con una sonrisa y contemplando a la perrita–. Cuando vuelvo a Londres me paso la noche duchándome con agua fría.

–Exacto. Si empezamos a vernos uno de los dos perderá la cabeza y haremos algo de lo que terminaremos por arrepentirnos.

La atracción que Liam ejercía sobre ella equivalía a acercar una cerilla a un cartucho de dinamita. Había quedado demostrado el viernes que habían cenado en el Harry's.

–¿Y ahora qué hacemos? –preguntó, desanimado.

No parecía que estuviera convenciéndola. Sasha era igual de tozuda que él.

–Ejerceré de marchante respetable. Y tú te comportarás como un niño bueno.

–Detesto que me hagan eso. No soy un crío.

–A veces no queda más remedio que hacer lo correcto –insistió ella, con sensatez–. Es mucho más divertido hacer lo que a una le viene en gana. Pero así se hiere a la gente. –Tuvo el buen gusto de no recordarle el devaneo con su cuñada, que le había costado el matrimonio.

–Quiero verte, Sasha –insistió él–. Quiero ir a París el fin de semana. –Y después añadió–: Debería ver a la perra. Al fin y al cabo soy su padre.

–No, señor –se empecinó ella–. Esta perra no tiene padre y tendrá que crecer sin él, le guste o no. Puedes ser el padrino, si quieres.

–Vale, vale. Es mi ahijada canina. Pero pienso ir el fin de semana a París a veros a las dos.

–No te dejaré entrar –amenazó con firmeza Sasha.

–¿Por qué no? ¿Qué más tienes que hacer? ¿Sentarte a solas en tu casa a oscuras y matarte a trabajar? Por amor de Dios, Sasha, vive de una vez. Lo mereces. Y yo también.

–No, tú no te lo mereces y yo tampoco si lo que buscamos es hacer el ridículo. Tú te estás dando un capricho, pero no dejaré que lo hagas a mi costa.

Hablaba en serio. Se jugaba demasiado. Liam sólo perdería el corazón.

–No es justo –se quejó él, en tono dolido.

–Claro sí. Tengo casi diez años más que tú y quieres que me comporte según tu voluntad. No quieres ser respetable y conservador. No tienes la menor intención de adaptarte a mi vida. Quieres entretenerte, divertirte y jugar al artista chiflado. Pero a mí no me apetece, Liam; quieres poner mi mundo patas arriba y no voy a permitirlo.

–En el Harry's Bar me comporté con corrección –se ofendió antes de añadir–: Salvo por la camisa y los calcetines. De haber sabido que te importaba tanto me habría comprado una camisa y unos calcetines, por Dios. –Empezaba a alzar la voz.

–No se trata de la camisa y los calcetines. Se trata de la persona que eres y la vida que deseas. No dejas de repetir que nadie puede controlarte, decirte qué tienes que hacer. Quieres ser un espíritu libre, Liam, y estás en tu derecho. Simplemente no lo hagas en mi vida. Ambos sabemos que cuando te dejas llevar haces lo que sea que te pase por la cabeza. A ti te parece divertido. Bien, pero a mí no. Y te guste o no soy demasiado vieja para ti. Por amor de Dios, ¡si eres el mejor amigo de mi hijo! Xavier tiene veinticinco años y yo cuarenta y ocho.

Las normas y comportamientos que regían la vida de Liam resultaban más apropiados para el mundo de su hijo que para el de ella y a Liam le gustaba así. Toda la vida se había negado a crecer en nombre del arte y la independencia.

–Tengo treinta y nueve años –gimió él–. Estoy más cerca de tu edad que de la de Xavier.

–Pero no te gusta actuar en consecuencia. Ése es el problema. Te gusta fingir que tienes veinticinco. Si quisiera otro hijo, lo adoptaría. No es la clase de relación que quisiera mantener contigo. –También Sasha había alzado la voz.

–¿Qué clase de relación quieres conmigo? A mí me parece que el viernes nos fue bien. Y este fin de semana tampoco nos ha ido nada mal. No sólo quiero acostarme contigo. También me gusta que hablemos.

–Y a mí. Pero eres un lujo que no puedo permitirme.

–Desde luego no me cabe la menor duda de que eres la mujer más terca que conozco. Iré a verte el viernes quieras o no. Ya discutiremos el fin de semana.

–No quiero verte –repuso, asustada. Lo que sentía por Liam la descontrolaba.

–Bueno, pues yo sí quiero. Una última vez, para discutir esto cara a cara. No puedo hablar de estas cosas por teléfono.

–No hay nada de que hablar. Es imposible, Liam. Tenemos que aceptarlo. No hay otra opción.

–Tú eres la que lo está convirtiendo en imposible. Sólo es imposible si tú quieres. –Parecía más frustrado de lo que podía expresar.

–Dilo como quieras.

–Es la mayor tontería que he escuchado en toda mi vida.

–A veces hacer lo correcto puede parecer una tontería. Pero en este caso, estamos haciendo lo correcto.

No añadió que si Liam hubiera hecho lo correcto con Becky no habría perdido ni a su mujer ni a sus hijos. Había preferido permitirse un capricho. Y ahora trataba de hacer lo mismo con ella.

–Te llamaré mañana –insistió, desesperado.

Como mínimo Sasha había afianzado su determinación de no liarse con él pese al detalle de la perrita, un regalo encantador que seguía sin convencerla de que Liam fuera el hombre adecuado para ella.

–No me llames a menos que tengas asuntos de negocios que tratar. No quiero volver a discutir este tema contigo. No hacemos más que darle vueltas a lo mismo y volvernos locos mutuamente.

Pero aún era peor cuando lo tenía cerca. Jamás había sentido una atracción física similar por ningún hombre. Le costaba comprenderlo y todavía más resistirse.

–Te llamaré esta semana –amenazó.

Pero no la llamó, y eso fue un alivio para Sasha. Le dolía hacerlo, pero creía que por fin le había convencido para que se rindiera. Por mucho que deseara estar de nuevo con él, sabía que no podía permitírselo.

El único consuelo de la semana fue la alegría de la cachorrita que Liam le había enviado. *Calcetines* era un cielo y, pese a los frecuentes accidentes con las alfombras, Sasha estaba encantada con ella. Era el mejor regalo que podía haberle hecho. El segundo mejor regalo consistía en dejarla en paz, cosa que también hizo.

Ese fin de semana el tiempo en París fue de nuevo espantoso, con días grises y ventosos que no daban tregua. Mañanas de niebla, noches lluviosas y tardes deprimentes con vientos cortantes que helaban los huesos. El viernes, Sasha trabajó hasta tarde, se acostó pronto y a las nueve de la mañana siguiente ya estaba en el escritorio de la galería, con la perra. Todos querían a *Calcetines*, hasta Bernard.

Sasha trabajó todo el sábado en la galería y pasó la noche sola en casa con *Calcetines*. Liam no la había telefoneado desde el lunes y, en cierto modo, se sentía aliviada. Aunque también estaba triste. Estaba loca por él pero era un fruto prohibido en todos los sentidos. Un fruto que estaba decidida a no catar costara lo que costase. Tenía que sacrificarse.

A las nueve de la noche del sábado llamaron al timbre. No a la puerta exterior, sino a la de la vivienda. Sasha supuso que se trataría de la portera, porque no había oído el timbre de la gran puerta de bronce. Así que abrió en camisón y con el cachorro en brazos. Esperaba encontrarse con el anciano rostro de madame Barboutier y en cambio se topó cara a cara con Liam.

–¿Qué haces aquí? –preguntó sin alegrarse de verlo.

El corazón se le aceleró y le fallaron las rodillas. Pero nada de ello traslució en su rostro y no le brindó ninguna cálida bienvenida. Le había pedido que no la visitara.

–He venido a ver a mi ahijada. –Sasha la llevaba en brazos. Liam miró a la perra y sonrió–. Tiene buen aspecto.

Igual que él y al contrario de Sasha.

Ella parecía cansada y molesta, y lo estaba. Había pasado la semana sufriendo por culpa de Liam. No le había resultado fácil respetar su decisión de no verle. Y ahora lo tenía plantado en el umbral de casa, más guapo que nunca. Era todo lo que ella deseaba y no podía permitirse. Opuso cuanta resistencia pudo.

–Te pedí que no vinieras –le recordó con frialdad, al borde de las lágrimas.

–Quiero hablar contigo –contestó él con expresión seria. Se adivinaba en sus ojos que tampoco era feliz–. ¿Por qué no nos damos un tiempo a ver qué pasa? Tal vez descubramos que no había para tanto.

–¿Y si lo hay? Entonces, ¿qué? Mis hijos se pondrían hechos unos basiliscos. Mis artistas pensarían que estoy chalada. Y nos convertiríamos en la comidilla de París y Nueva York.

La escena que pintaba no era bonita pero era perfectamente factible que se convirtiera en realidad. Liam también lo sabía.

—¿Alguna vez piensas en otra cosa que no sea un desastre o qué opinan los demás? —le preguntó sin moverse del sitio, con la bolsa todavía en la mano—. ¿Y si todo saliera bien? ¿Y si a la gente le trajera sin cuidado lo que hagamos? ¿Y si a tus artistas les diera igual y tus hijos quisieran verte feliz aunque sea con un hombre más joven que tú? Al final, tanta preocupación quedaría en nada.

—Hasta que encontraras a una chica de tu edad o más joven y te enamoraras de ella. No quiero pasar por eso.

—¿Y si me muero? ¿Y si te mueres? ¿Y si nos parte un rayo mientras hacemos el amor? ¿Y el cólera, la difteria, el sarampión? ¿Y si nos mata una bomba nuclear en la siguiente guerra mundial?

—Preferiría una bomba nuclear a hacer el ridículo por tu culpa. No quiero, Liam. Prefiero quedarme sola.

—No seas tonta. Me he enamorado dos veces en la vida: de Beth, y duró veinte años, y ahora de ti. Nunca le he prometido mi amor a nadie más, sólo a vosotras dos.

—Me quieres porque no puedes tenerme —se lamentó Sasha. Ella y la perra temblaban de frío.

—¿Me dejas al menos pasar un minuto? He conducido durante horas. Cancelaron mi vuelo y he tenido que venir por el túnel.

Sasha se apartó deseando tener el valor para no dejarle entrar, pero carecía de él. Desde que le había conocido no había tenido fuerzas para resistírsele, de modo que Liam entró despacio en el salón. Las luces estaban apagadas y la habitación fría. Sasha iba a meterse en cama con la perra.

—Muy bien, me rindo. Déjame pasar aquí la noche. No te tocaré. Me marcharé por la mañana antes de que te levantes. Estoy demasiado cansado para conducir ahora de vuelta.

Sasha lo miró largo rato antes de ceder. Podía dormir de nuevo en el cuarto de Xavier. Ella cerraría la puerta de su habitación con llave. Más para evitar la tentación de salir que para impedirle entrar.

–¿Te apetece comer algo? –le ofreció, dejando a la perra en el suelo.

–¿Tienes helado?

–Creo que sí. La semana pasada compramos un montón y no lo he probado.

–Pues deberías. Te sentaría bien.

La veía demasiado delgada. Tenía aspecto de haber adelgazado un poco esa semana. Liam confiaba en que se debiera a que sufría por él.

La siguió a la cocina con *Calcetines* pegada a sus talones. La perra se meó en el suelo de la cocina y Liam lo limpió mientras Sasha le servía helado de café y chocolate en un cuenco gigante.

–¿Quieres algo más?

Liam negó con la cabeza, se sentó a la mesa de la cocina y no dijo nada. No quedaba nada por añadir. Se lo habían dicho todo. Sasha nunca había pasado por una experiencia tan terrible, aparte de la muerte de su marido dieciséis meses atrás. Permaneció sentada en silencio viéndole comer. Y cuando terminó, se levantó.

–Me voy a la cama. Puedes quedarte en el salón todo el tiempo que quieras. Ya sabes dónde está el cuarto de Xavier.

–Gracias, yo también estoy cansado. Me retiro.

La siguió escaleras arriba y Sasha lo dejó en su rellano. Le oyó subir a la planta de arriba y cerrar la puerta del dormitorio de su hijo.

Luego Sasha se preparó un baño y se llevó a la cachorrita con ella. No se molestó en echar el cerrojo. Sabía que no era necesario. Por fin Liam había entrado en razón y se marcharía por la mañana. Aquel triste episodio de tentación, indulgencia y tortura tocaría a su fin. No veía el momento de que Liam se marchara.

Estaba cepillándose los dientes de pie en el cuarto de baño, en camisón, cuando alzó la vista y descubrió a Liam en el espejo. No le había oído entrar. La perrita se emocionó en cuanto lo vio y Sasha se asustó.

–Lo he entendido, Sasha. Sólo quiero pasar la noche contigo. Una última vez. Sólo quiero abrazarte. Prometo que no haré nada que no quieras.

Ése era el problema. Ése había sido el problema desde el principio. Sasha empezó a negar con la cabeza pero sus miradas se encontraron en el espejo. Los dos lloraban. Sin mediar palabra, Sasha soltó el cepillo y se volvió hacia él con los brazos abiertos. Quería pasar una última noche con él. Sólo quería abrazarlo y sentirlo junto a ella antes de que se separaran para siempre. Quizá nunca volverían a disfrutar de ese momento y ambos lo sabían. Sasha asintió en silencio mientras las lágrimas caían por sus mejillas.

–No pasa nada, nena... No pasa nada... Todo va a salir bien... Te lo prometo –murmuró él.

–No, no es verdad.

Ambos lo sabían, pero Sasha se sentía bien estando con él. Enseguida se acurrucaron juntos en la cama helada del cuarto de Sasha. La perrita tenía su propia cama en el cuarto de baño. Liam apagó la luz y los dos se abrazaron sin hablar. Sasha llevaba camisón y Liam calzoncillos, camiseta y calcetines. Se había comprado otro par sólo por ella.

–Te quiero –le susurró mientras la abrazaba.

–Yo también –contestó ella con tristeza–. Ojalá las cosas fueran diferentes.

Deseó ser más joven, distinta, para poder sentirse cómoda saliendo con él. No lo amaba como había querido a Arthur. Pero le atraía profundamente y ya empezaba a sentirse unida a él. Nunca había experimentado nada semejante. Quizá más que amor fuera pasión. Pero en cualquier caso, le parecía peligroso y le costaba horrores resistirse.

–Es todo lo que necesitamos por ahora –musitó Liam, agradecido de tenerla entre sus brazos y compartir la cama con ella. Era más de lo que se había atrevido a soñar mientras conducía desde Londres hacia París. Había temido que

Sasha ni siquiera le abriera la puerta, así que se sentía afortunado–. ¿Cómo voy a vivir sin ti, Sasha?

Ella no le contestó, pero estaba pensando lo mismo. Hasta el momento se las habían apañado. En adelante tendrían que seguir intentándolo. Sólo tenían esa noche. Él se moría por hacerle el amor pero no quería estropear el momento. La abrazó hasta que se quedó dormida.

Por la mañana Sasha le notó moverse y se despertó en el acto. Sabía que Liam se marcharía nada más levantarse. Se quedó tumbada, a la espera de que Liam saliera de la cama. Éste permaneció inmóvil a la luz perlada de primera hora de la mañana.

–¿Estás despierta? –Sasha asintió–. ¿Quieres que me vaya?

–Hasta la última célula de su cuerpo deseaba que se quedara, pero tenía que dejarlo marchar.

–Dentro de un minuto –le contestó.

Sasha alargó un brazo y lo atrajo hacia ella. El vértigo de estar con él apenas le permitía respirar. Notó cómo él se excitaba mientras la abrazaba. Sus cuerpos estaban pegados y empezaron a besarse. El resto ocurrió sin que ninguno de los dos lo buscara. Liam estaba aterrado cuando acabaron. Sabía que esa vez Sasha nunca le perdonaría y no volvería a verla. Había faltado a su promesa, la deseaba tanto que no había podido contenerse.

–Te quiero –le musitó Sasha.

Después se apartó de él para mirarlo. Sus caras descansaban una junto a la otra en la almohada; Liam no había visto nunca ninguna mujer tan bella, de cualquier edad.

–¿Qué vamos a hacer?

–Dímelo tú –contestó él en un murmullo, y contuvo la respiración.

–No lo sé… No quiero perderte… Ya he perdido demasiado. –No podía dejarlo escapar. Todavía no.

–¿Puedo quedarme?

Sasha asintió. Liam la abrazó y poco después volvían a hacer el amor. Pasaron el día entero en la cama, durmiendo, abrazándose y haciendo el amor. Al final Liam se levantó para dar de comer a la perra y preparó dos cuencos de helado para ellos.

–¿Me he vuelto loca? –le preguntó Sasha mientras comía helado de chocolate en la cama con él.

No quería nada más. Le bastaba estar allí con él, con el helado cayéndole por la barbilla. Liam se lo limpió con cuidado.

–Yo nunca había estado más cuerdo. No puedo hablar por ti.

–Me parece un sueño.

–Si lo es, es maravilloso. –Sonrió y la besó.

Se quedaron en la cama todo el domingo. Se bañaron juntos y bajaron el tiempo justo para comer; luego regresaron corriendo a la cama como niños que escapan de sus padres. No había nadie de quien escapar. Ni lugar donde esconderse. En algún momento del fin de semana, Sasha había cruzado la raya entre los brazos de Liam. Ahora no tenía ni idea de qué harían. Sólo sabía que quería estar con él mientras durara.

Cocinaron juntos, cenaron riendo y charlando animadamente, jugaron con el perro, fregaron los platos y luego corrieron a la cama a hacer el amor.

–Estoy demasiado vieja para esto –se quejó después Sasha, respirando a duras penas.

–Y yo. –Liam se rió–. Me estás matando.

Sasha lo miró, preocupada.

–¿Cuándo vuelves a Londres?

–¿Qué te parece nunca? –Bromeaba, pero a los dos les gustó la idea–. ¿Y si me quedo una semana?

Serviría de experimento para comprobar cómo se las apañaban en la vida real. Sasha no esperaba semejante proposición, pero la aceptó.

–Podría decir a los de la galería que has venido para conocer esto y que eres mi invitado.

Liam sabía que Sasha se sentía obligada a dar explicaciones, pero aceptaría cualquier cosa que ella decidiera.

–Me parece bien. También podrías decirles que soy tu novio y que pasaremos la semana en la cama. –Como la vio nerviosa, la besó–. No te preocupes, no diré nada que pueda incomodarte.

–Mejor que no –le advirtió.

–Lo prometo.

Se tumbaron y pasaron la noche abrazados. A Sasha le entusiasmaba la perspectiva de compartir la semana con él. El día anterior se había prometido que iba a dejarlo y en el curso de un único fin de semana había decidido arriesgar su vida por él. En aquel momento no tenía opción, fuera o no posible esa relación. Pronto lo descubrirían.

8

Sasha tenía un aire todavía más respetable de lo habitual cuando cruzó el patio hacia las oficinas el lunes por la mañana acompañada de Liam y *Calcetines*. Los lunes, la galería permanecía cerrada pero las oficinas abrían, por lo que podían ponerse al día con el papeleo atrasado. Sasha vestía pantalones y suéter negros. Liam iba de Liam: llevaba botas vaqueras, chaqueta de cuero, camiseta blanca, gorra de béisbol y vaqueros. Tenían pensado salir a comprar más camisetas y algo de ropa interior por la tarde. No se había traído mudas para una semana puesto que planeaba quedarse sólo el fin de semana.

Sasha le presentó a sus empleados. Liam era de trato fácil y agradable y pareció caer bien a todos. Les había enviado diapositivas de sus obras la semana anterior. Bernard le aseguró que se morían de ganas de exponer sus cuadros. Charlaron de la exposición en solitario que montarían en Nueva York a finales de año. Mientras, las dos galerías mostrarían su trabajo, tanto en París como en Nueva York. Para él significaba una gran oportunidad. En cuanto a Eugénie, estuvo a punto de desmayarse al verlo. Después le confesaría a Sasha que nunca había visto a un hombre tan guapo. Ni Sasha. Lo cual era parte del problema que la consumía.

Por la noche, mientras conversaban sobre la galería Liam se despatarró en la cama como un león joven; luego hicieron el amor.

—En fin, ¿qué te ha parecido? —le preguntó Sasha.

Le interesaba su opinión como artista.

Con él tenía la rara oportunidad de conocer de primera mano la valoración que hacía un artista de la galería. Sin duda una perspectiva interesante para una marchante que además respetaba el criterio de Liam, sin olvidar por ello el suyo propio. Su instinto siempre había acertado en lo relativo a la galería y a los artistas.

–¿Qué me ha parecido? –Parecía desconcertado. Todavía trataba de recuperar el aliento tras el reciente ejercicio y le sorprendía que Sasha ya estuviera pensando en trabajo–. Bien, veamos… Mejor que anoche… No tan bien como esta mañana… Tal vez estaba un poco cansado… Creo que el mejor fue el domingo por la tarde en la bañera… –Siguió enumerando y comparando sus encuentros sexuales mientras Sasha se reía por lo bajo.

–¡Basta, Liam! Me refiero a la galería y a mis empleados.

–Ah, eso. Muy bien. Me han caído muy bien. –Estaba mucho más interesado en hacer el amor que en hablar de trabajo.

–Ponte serio un minuto –le reprendió.

Disfrutaba charlando de trabajo con él. Con Arthur también lo hacía.

–¿Serio? Si me tomo un poco más en serio lo de hacer el amor me desvaneceré en tus brazos y tendrás que reanimarme. Soy mayor de lo que aparento.

–Y yo –contestó Sasha con mirada pesarosa.

–Nunca lo había hecho tan a menudo. Empiezo a sentirme un juguete sexual –comentó, algo preocupado–. Bien pensado, puede que lo sea. ¿Es eso lo que soy para ti? –Se puso serio.

–No seas burro.

Sasha se tumbó sobre la almohada. Tenía que admitir que lo estaba pasando en grande con Liam. Y a menudo.

–Me siento el esclavo sexual del *faubourg* Saint-Honoré. Tendría que llamar al SAMU para que viniera a rescatarme –protestó en referencia al servicio de emergencias francés.

–Creo que empiezas a convertirte en una adicción –admitió Sasha, pero de momento lo pasaba demasiado bien para preocuparse. Había optado por aparcar sus miedos, al menos esa semana, y disfrutar de tenerlo cerca a diario.

–Podríamos apuntarnos a un grupo de rehabilitación. Esclavos del Amor Anónimos. Aunque ¿para qué estropear la diversión? –Se le veía divertido.

–Exacto.

Sasha se inclinó para besarlo. Ninguno de los dos creía que fuera posible, pero volvieron a hacer el amor antes de dormirse y otra vez al día siguiente antes de que Sasha fuera al trabajo. Se sentía atolondrada como una jovencita pero intentó que en la galería no se le notara.

Liam llegó al poco rato; le gustó ver la galería abierta al público. Sasha descubrió complacida que Bernard había invitado a Liam a almorzar. Parecía que les caía bien a todos, y eso ya era algo. Le había preocupado que no encajara, pero de momento no había problema.

Liam pasó el resto de la semana vagando por París y visitando a artistas del Marais, y Sasha se esforzó por aligerar su carga de trabajo para poder dedicarle el máximo tiempo posible. Con todo, a veces tenía que reunirse con clientes que esperaban que les atendiera en persona para adquirir obras importantes. Hacia el final de la semana Liam entró en mitad de una de dichas reuniones. Vestía camiseta, cazadora de motorista de cuero, gorra de béisbol y botas y pantalones vaqueros. Y, aunque sólo Sasha lo supiera, calcetines y ropa interior. Estaba decidido a comportarse de manera correcta y civilizada toda la semana. Sasha le presentó a los clientes que estaba atendiendo en cuanto entró a buscarla. No había dudado en interrumpirla, cosa que la molestó. Su expresión se tornó adusta e irritada cuando Liam se inclinó y la besó en la boca.

Sasha estaba furiosa. Sus clientes tenían más de setenta años, la mujer era una princesa italiana y el marido era directivo de un importante banco francés. No parecían más conservadores que ella. Sasha se había puesto un traje de Chanel y un collar de perlas. Aparentaba tanta respetabilidad como ellos. Liam parecía James Dean con el pelo largo, lo cual no encajaba con los clientes. Le presentó como uno de sus artistas y a punto estuvo de perder los nervios cuando, sin que nadie lo invitara, se sentó a tomar el té con ellos y luego cambió de opinión y se sirvió una copa. Se sentía como en casa, detalle que los clientes no pasaron por alto. La princesa parecía estupefacta y el banquero no disimulaba su enojo. A Sasha sólo le quedaba confiar en que lo tomaran por un artista excéntrico, aunque el beso en los labios les había delatado y costaría bastante justificarlo. Además, los clientes exigían toda la atención de Sasha. Acababan de adquirir dos cuadros valorados en medio millón de dólares cada uno. Liam mostró claramente su indiferencia ante los cuadros que descansaban en los caballetes y comentó que le parecían bonitos pero no emocionantes. Sasha quería matarlo. En cuanto los clientes se marcharon, se volvió hacia él con ánimo de venganza.

–¿Se puede saber en qué estabas pensando para decir algo así? Yo me gano la vida con esto. Esas dos personas acababan de adquirir dos cuadros por valor de un millón de dólares, al contado, y me da igual si lo que han comprado te emociona o deja de emocionarte, lo mismo que a ellos. Al menos podrías haber fingido que te gustaban –añadió, echando humo–. ¿Cómo te atreves a interrumpir una reunión? Es mi lugar de trabajo, no el dormitorio. ¿Has perdido la cabeza?

Liam había hecho justo lo que Sasha más temía. La había dejado en ridículo delante de unos clientes importantes y no parecía ni siquiera un poco arrepentido. La maldita cuestión del control. Nadie iba a decirle qué tenía que hacer ni cómo debía comportarse. Los límites y las normas no existían para él.

–Nunca miento sobre el arte –repuso con expresión desconcertada al tiempo que se despatarraba sobre el sofá del despacho–. Soy demasiado íntegro para eso. Además, he sido educado. Les he dicho que no me emocionaban. En realidad eran una mierda. Pertenecen a un período espantoso del artista, las obras anteriores son mucho mejores.

–Soy plenamente consciente de ello, Liam, pero ellos querían esos dos cuadros y se los localicé. Me costó ocho meses conseguirlos de un marchante holandés y casi me fastidias la venta. Aparte de eso, no puedes colarte aquí y servirte una copa mientras atiendo a mis clientes. Muestra algo de respeto, por favor.

—Muéstralo tú. Te crees la dueña del mundo. Soy igual de bueno que esos dos. No puedes esconderme debajo de la alfombra en cuanto cruza esa puerta un tipo con el talonario en la mano.

—Por supuesto que puedo. Son mi medio de vida y el de mis hijos. Y si piensas seguir aquí, cuando yo baile al son que me dicten, tú también lo harás.

—Que te crees tú eso. Tú no mandas sobre mí, Sasha. No trabajo aquí. Y si soy el hombre de tu vida, deberías tratarme con respeto.

—No tientes a la suerte ni presumas tanto. Pareces un ángel del infierno que entra sin permiso a echar un trago mientras los demás tomamos el té.

—Eso son gilipolleces y lo sabes. Basta con que les digas que soy uno de tus artistas. No necesitan saber nada más. No pienso desfilar por aquí en traje y beber té sólo porque estés vendiendo dos cuadros de mierda que de todos modos no deberías vender. Si eran los que querían, tendrías que educarlos un poco, encontrarles algo mejor y cobrarles más. Pero esos dos cuadros eran una bazofia y lo sabes. Y en cuanto a mi aspecto, llevo calcetines y ropa interior. Debería bastarte. No pienso andar por ahí como un mono atado a una correa, disfrazado para ti.

—Nadie te lo pide. Sólo te pido que seas educado con los clientes, que seas discreto y te adecentes. Puedes esperar a que se vayan para echar un trago. Y no pintas nada en mis reuniones de negocios. Me da igual que seas independiente, no pienso tolerártelo.

—¿Quién te crees que eres? —le gritó—. No eres mi madre. Hago lo que me da la gana. No puedes decirme lo que tengo que hacer. Te quiero, pero no me controlarás, Sasha. No soy ni uno de tus empleados ni tu hijo. De hecho, ni siquiera estoy seguro de qué soy para ti.

Liam iba montando en cólera mientras que Sasha mantenía la calma. No pensaba discutir con él. Sabía que nadie saldría ganador. Pero tampoco permitiría que se comportara como le viniera en gana. El artista chiflado brillaba en su máximo esplendor.

—Me has besado, Liam. En la boca —le recordó mientras él la fulminaba con la mirada desde el otro extremo de la habitación—. Delante de los clientes. Ha estado fuera de lugar y lo sabes.

—¡No me digas lo que está bien! —le chilló—. Te quiero. Por Dios, ni que te hubiera hundido la lengua hasta el estómago. Te he dado un piquito en los labios.

»¿Qué soy para ti? ¿Un chavalín para pasarlo bien? ¿Hasta eso tienes que esconder? —preguntó, sintiéndose insultado.

Sasha había herido sus sentimientos al criticarle y lo sabía. Pero Liam tenía que aprender a comportarse. Tal como se temía, la relación no iba a resultar fácil. Le encantaba estar con él en privado pero la ponía nerviosa cuando se paseaba por la galería haciendo y diciendo lo primero que le pasaba por la cabeza. A veces no pensaba. Y evidentemente era alérgico a las normas.

—Eres demasiado viejo para llamarte chaval. —Liam, acalorado, hizo el ademán de replicar pero en cambio se echó a reír.

—Tienes razón. Supongo que soy demasiado viejo. Pero a veces me siento como un chaval. Se te ve muy estirada y acartonada cuando recibes a los clientes. ¿Por qué no te relajas? Quizá lo prefieran.

—No son esa clase de clientes. Los que compran artistas noveles son distintos, Liam. Pero éstos esperan de mí que sea acartonada y estirada. Si no, le comprarían a otro. Créeme. Llevo veintitrés años en el negocio. Y he visto a mi padre trabajar en esto desde que nací. Sé lo que me hago. El negocio tiene sus reglas.

—Tú y tus reglas —gruñó, pero enseguida se serenó. Antes que ella.

Liam la había irritado sobremanera al irrumpir en la reunión. En opinión de Sasha, aquella actitud no presagiaba nada bueno. La había alterado. No obstante lo llevó a cenar a Le Voltaire. También se había convertido en el restaurante favorito de Liam. Para ir a Le Voltaire no tenía que arreglarse. Podía entrar en vaqueros, cazadora de cuero y botas a pesar de que al local acudían algunas de las personas más refinadas y elegantes de París. El humor de Liam mejoró considerablemente después de apurar una botella de vino. Pero Sasha seguía inquieta por la breve pero acalorada pelea de la tarde. Liam se había sentido insultado y a Sasha le había indignado su displicencia mientras ella dirigía su negocio. Liam tendría que aprender las normas básicas, y rápido. Alguien tenía que ceder y ése era Liam. De lo contrario, su relación se iría a pique enseguida. Sasha necesitó de toda la noche para serenarse, pero al día siguiente ya estaba bien.

El resto de la semana todo fue como una seda entre los dos. Bernard le comentó a Sasha que por lo visto Liam iba a quedarse bastante tiempo en París pero no parecía que sospechara por qué motivo. Sasha le explicó que como Liam no podía pagarse un hotel le había dejado el cuarto de Xavier y a Bernard le pareció lógico. Pero si Liam se quedaba a menudo y durante bastante tiempo, antes o después su secreto saldría a la luz.

Pasaron un fin de semana divertido y sin sobresaltos. Fueron al cine, el domingo almorzaron en la *brasserie* Lipp y tomaron café en el Deux Magots. Sasha intentó llevarlo al bar del Ritz a tomar una copa, pero no le dejaron entrar en vaqueros porque no era huésped del hotel, cosa que a Liam le pareció una estupidez. Lo era, pero también en el Ritz tenían sus normas, mientras las de Liam eran escasas. Las suyas aludían a la necesidad de ser decente, amable y afectuoso, pero no decían nada sobre comportarse con corrección. Además siempre se mostraba cariñoso con Sasha. No cabía duda de que la quería; sin embargo a ella le preocupaba que cometiera alguna imprudencia que sacara a la luz su relación. Todavía no estaba preparada para ello. Haberle permitido quedarse en París toda la semana y merodear por la galería ya era un paso bastante grande. No pensaba pasar de ahí. Tal vez nunca.

Estaban en cama el domingo por la noche cuando Liam le preguntó como por casualidad qué haría al día siguiente. Era la primera pista de que no pensaba marcharse, tal como habían acordado. A Sasha no le importó, le encantaba estar con él aunque era consciente de que, al menos en la galería, costaría mucho más justificar su continuada presencia. Ellos dos eran los únicos que estaban al corriente de su relación. Liam propuso cenar al día siguiente con unos amigos suyos del Marais.

–¿O sea que te gustaría quedarte?

Liam asintió y sonrió con timidez.

–Sí. Si te parece bien.

Sasha dudó un segundo, sopesó los riesgos y terminó por sonreírle. Le encantaba tenerle con ella. Ya se le ocurriría alguna explicación.

–Claro, por supuesto.

Pero no sabía si quedar con sus amigos artistas porque alguno podría conocerla y además estaba muy ocupada. Liam se mostró decepcionado y algo dolido. Sasha le besó y le contó que tenía una cena de punta en blanco organizada por unos clientes importantes. En verano le habían comprado un Monet y ya hacía semanas que había aceptado la invitación. Todavía no estaba preparada para aventurarse a llevarlo a una cena formal en casa de un cliente importante, cosa que Liam aseguró entender a pesar de parecer molesto. Sasha sólo le dijo que no podía invitar a nadie.

–Pues diles que no puedes ir –propuso él, enfurruñado.

Sasha fingió no darse cuenta de su tono.

–No puedo, Liam. Son mis clientes más importantes. –Era cierto.

–Y yo ¿qué soy?

–El hombre al que amo. No busques pelea. Hablamos de trabajo.

–¿Habrías llevado a Arthur? –preguntó, tajante.

Ambos sabían que sí. Pero la situación era completamente diferente. Arthur podía ir a todas partes y así lo hacía. Liam, no. Liam no quería jugar al juego de todos. Además Arthur se comportaba como un adulto. Liam, en absoluto.

–No es justo –se quejó Sasha, con expresión infeliz–. Estábamos casados. Arthur era tan correcto y conservador como mis clientes. Si era banquero, por Dios.

–Y yo un joven punk. –La voz de Liam revelaba que ya estaba enfadado.

–No –intentó tranquilizarlo–, eres un artista chiflado ¿recuerdas? Me lo dijiste tú. No quieres que nadie «te controle». Si quieres ponerte esmoquin, comportarte y actuar como un banquero, puedes acompañarme a donde quieras.

No podía concederle más. Pero Liam no admitía concesiones. Quería la libertad de comportarse como quisiera adondequiera que fuera, con o sin ella.

–Deberían aceptarme tal como soy. Y tú también –repuso, enojado.

–Y lo hago. Pero ellos no lo harán. Si quieres acompañarme a esa clase de lugares tendrás que acatar las reglas del juego. Como hago yo. Ésas son las normas. Esta vez no puedes venir conmigo porque no he avisado con tiempo. Pero si hablas en serio, te compraré un esmoquin y ya me acompañarás la próxima vez. Si te avienes a respetar las reglas. Es un trato.

–Que se jodan. –De pronto parecía muy furioso–. ¿Quién coño se creen que son? Soy mucho más hombre que ellos. Ya tuve que aguantar toda esta mierda de mi padre cuando era niño. No pienso jugar a nada por nadie, Sasha, ni siquiera por ti.

–No tienes que hacerlo –repuso ella, con calma–. No tienes que ir a mis reuniones pomposas. Pero si quieres asistir, tienes que acatar las reglas. Funciona así.

–¿Y quién dicta las reglas? ¿Un gilipollas pomposo vestido de mono amaestrado? ¿Por qué debería comportarme y vestirme como él? ¿Por qué no puedo ser yo?

–Porque esos viejos gilipollas y pomposos tienen dinero y poder y dictan las normas. El que tiene la pasta manda. Y si piensas moverte por su mundo, tendrás que ser civilizado y bailar al son que toquen.

–Si estuvieras orgullosa de mí y me quisieras me llevarías contigo de todos modos.

Era un niño en plena rabieta y Sasha se desanimó. Se había temido algo parecido y no había tardado en llegar. Era la segunda discusión que tenían en menos de una semana. Confirmaba sus temores de que la relación no funcionaría. Le gustaban muchas cosas de él: su amabilidad, su ternura, y su afecto indisimulado por ella, su sentido del humor, su inteligencia, su talento, lo fabuloso que era en la cama... pero los berrinches y la falta de madurez no estaban incluidos en la lista.

–Estoy orgullosa de ti y te quiero. Pero no voy a introducirte en ese mundo para que me dejes en ridículo ni te pongas en evidencia. Si te comportas como te da la gana, seremos el hazmerreír de todos.

–¿Qué es más importante para ti, Sasha? ¿Ellos o yo?

–Todo es importante. Te quiero. Pero es mi mundo. Yo soy así. Te lo dije cuando nos conocimos. Siempre tendremos el mismo problema a menos que renuncies a comportarte como un artista chiflado y actúes como un hombre. Si prefieres seguir jugando al artista estrafalario y ser el joven rebelde e indomable al que nadie puede controlar, tendrás que dejar que me mueva sola por ese mundo. Así de simple. Tú eliges.

–Yo soy como soy. No pienso cambiar ni bajarme los pantalones, ni por ti ni por nadie.

–Estás en tu derecho. Pero no puedes obligarme a aceptarte si decides no seguir ni sus reglas ni las mías.

–En realidad se trata de ti ¿no? No de esa gente. Quieres que me haga pasar por Arthur. Bueno, pues no soy Arthur. Soy yo.

–Esto no tiene nada que ver con Arthur –le contestó apretando los dientes–. Mira, ¿por qué no cenas con tus amigos mañana? Yo iré a mi cena de estirados, me marcharé pronto y me uniré a vosotros en el Marais.

—¿Cómo? ¿Y pasearte tú por los barrios bajos? ¿Lady Magnánima saldrá de la mansión para reunirse con su amante palurdo en los suburbios? Si no soy lo bastante bueno para que me lleves contigo, me vuelvo a Londres mañana mismo.

De todas maneras el plan original había sido marcharse el lunes. La oferta de quedarse más había pillado a Sasha por sorpresa.

—Tú verás —respondió ella con serenidad—. Lo hago lo mejor que puedo, Liam. Habrá momentos difíciles para ambos. Lo sabíamos desde el principio.

—Sí, ya lo sabíamos. Lo que no sabía es que quien iba a tener que fastidiarse era yo. ¿Cuántas humillaciones esperas que soporte? Me dices cómo tengo que comportarme en la galería, qué debo hacer para no ofender a la clientela. Tengo que andar por ahí de puntillas, evitar besarte y servirme una copa. Y si quiero acompañarte a algún lugar importante, tengo que vestirme de Pequeño Lord y actuar como Malcolm Forbes. Bien, pues Sasha, soy artista. No tengo formación de mono de feria ni de banquero, y no dejaré que me cortes las pelotas.

—No intento cortarte nada. Vivimos en mundos distintos. Esto tenía que pasar. Vamos a tener que aprender a ser comprensivos y flexibles si queremos que lo nuestro funcione.

Ninguno de los dos sabía si algún día funcionaría y empezaba a parecer imposible, visto que Liam insistía en mantener sus costumbres de artista chiflado y tenía intención de acompañarla a todas partes. La dos cosas eran incompatibles. Sasha se lo había advertido. Y ahora se había topado con un muro.

—Te lo dije, no voy a dejar que me cortes las pelotas. Mañana me vuelvo a Londres. Cuando aclares tus prioridades, me llamas.

Sasha tenía ganas de gritar.

—Esto no tiene nada que ver con prioridades, Liam —replicó tratando desesperadamente de no perder los nervios. Resultaba frustrante razonar con él; era como intentarlo con un niño enfadado–. Se trata de respetar las normas y vivir en mundos diferentes. Es como entrar en un club. Si quieres ingresar en este club, tienes que acatar sus reglas.

–Eso no lo haré nunca, Sasha. Nunca. Si quisiera hacerlo seguiría en California con mi padre, aguantando sus tonterías. Y yo ya no aguanto tonterías ajenas y a ti menos que a nadie. Si quieres que forme parte de tu vida, me tomas o me dejas, pero no me digas cómo debo comportarme ni qué normas debo acatar. Si me quieres no hay normas, al menos no debería.

–Siempre las hay. También yo tengo que respetarlas. No puedo comportarme como me venga en gana. No puedo presentarme en vaqueros, botas y gorra de béisbol. Tengo que acudir como van ellos, bien peinada y con vestido de noche. Tengo que parecer tan respetable como ellos, como soy yo en realidad, porque yo creo en las mismas normas. Me gustan las cosas civilizadas.

–¡Yo no quiero ser civilizado, joder! Quiero ser yo. Quiero que me respeten y me acepten por lo que soy con independencia de mi comportamiento, no fingiré ser quien no soy para hacerles la pelota. No pienso volver a hacerle la pelota a nadie.

Resultaba evidente que la discusión estaba sacando a la luz recuerdos de la infancia de Liam; hasta Sasha se daba cuenta de que su enfado con ella era desproporcionado. Parecía fuera de sí. Nada de lo que Sasha decía tenía sentido para él ni conseguía serenarlo. Al contrario, sólo servía para empeorar la situación. Sasha le escuchaba sintiéndose impotente. Liam vagaba a solas por algún lugar de la estratosfera.

–No te estoy pidiendo que le hagas la pelota a nadie, Liam. Sobre todo, en mi caso. Compórtate como quieras. Pero si quieres seguir así tendrás que quedarte de tu lado de la barrera y permanecer en tu mundo, o en nuestro mundo privado; a mí me parece bien. Pero si quieres cruzar al otro lado de la barrera y entrar conmigo en ese otro mundo tendrás que acatar las normas.

–A la mierda las normas. Y puestos a pensar, Sasha, a la mierda contigo. Si no estás orgullosa de mí, si te avergüenzas de mí porque soy más joven y no me respetas por lo que soy, entonces no quiero estar contigo. Y no quiero estar aquí. Mañana me voy a casa. Llámame cuando te aclares.

–¿Acerca de qué? ¿Sobre qué se supone que debo aclararme? ¿Qué esperas de mí?

Se sentía aturdida. Liam decía cosas irracionales, cosas que no tenían sentido. Y ninguna era nueva. Liam sabía de antemano quién era Sasha y lo que representaba. Estas cuestiones la habían preocupado desde el principio. La edad era lo de menos. Que no tuviera límites y se comportara de forma inmadura era mucho peor. Parecía un niño de cinco años.

–O me incluyes en ese mundo tuyo tal como soy y no intentas dejarme en casa como a un gigoló contratado para una noche o me largo de aquí para siempre. No pienso permitir que me dejes en casa como si fuera basura. A mí no me dices cómo debo comportarme –vociferó Liam mientras ella intentaba reprimir las lágrimas.

Sasha quería que Liam fuera mejor. Quería que la relación funcionara, pero así nunca saldría bien.

–Está en tus manos –replicó Sasha, súbitamente enfadada–. Deja de actuar como un crío quejándote de que no quieres bañarte o ponerte el bañador y amenazando con que tirarás la comida por el suelo siempre que quieras. Si quieres comer con los mayores, compórtate como un adulto. Basta ya, por Dios. No puedes jugar eternamente al artista chiflado a menos que quieras codearte con otros niños tan maleducados como tú. Si es lo que quieres, entonces no te quejes de que no te saque por ahí. Dios, me encantaría, me gustaría muchísimo, pero no pienso morirme de vergüenza mientras tú te dedicas a fanfarronear y a demostrar lo atrevido que eres. Si tanto me quieres, madura y aprende a comportarte. No pienso salir con un niño malcriado. Así que mejor te lo piensas y te aclaras tú. Yo lo tengo muy claro: estoy contigo. Ahora o cumples tu parte del trato o te callas. No basta con amor y sexo para salir adelante en la vida. Te guste o no, llegará el momento en que tendrás que crecer. Tal vez sea el momento oportuno para que lo intentes. Piénsalo. Vuelve a Londres si quieres y cuando decidas madurar me llamas.

Esa noche no se dijeron nada más. Por primera vez desde que Liam había llegado a París se mantuvieron cada uno en su lado de la cama, separados por un ancho vacío. Liam se sentía muy dolido por todo lo que Sasha le había dicho y por lo que él consideraba una falta de lealtad. Y ella estaba furiosa por su pataleta. Liam se comportaba como un niño muy maleducado. Por la mañana se levantaron en silencio. Liam se duchó, se afeitó y se vistió. Antes de que Sasha saliera para la oficina, preparó la maleta y se detuvo un instante en el vestíbulo.

–Te quiero, Sasha. Pero no permitiré que me controles ni que me mandes. Me respeto demasiado.

–Yo también te quiero y te respeto. De veras –dijo ella, de corazón–. Como artista y como hombre.

Aunque tenía sus dudas sobre hasta qué punto merecía respeto como padre, pues todavía no le conocía lo suficiente para juzgar ese particular y nunca le había visto con sus hijos. Pero le gustaban muchas cosas de él y cada día se enamoraba un poco más. Aunque no lo suficiente para renunciar a su vida por él. Era demasiado mayor para ello. Además, le gustaba su vida tal como era.

–No se trata de controlar a nadie, sino de respeto mutuo. Si me respetas, adelante, entra en mi mundo, sigue sus reglas y compórtate como un caballero. Si no quieres hacerlo, estás en tu derecho, pero luego no te quejes cuando vaya sola a ver a gente de mi mundo. Las dos cosas no pueden ser. En el mundo elegante no puedes jugar al «hago lo que quiero», Liam. Eres demasiado mayor para eso. Ni siquiera los niños actúan así.

–Nunca seré de otro modo. Si me quieres tienes que aceptarlo y estar dispuesta a llevarme a todas partes tal como soy.

–No puedo. No puedo hacerme eso, ni a mí, ni a mis hijos ni a la reputación que me he labrado durante años. No puedo permitir que me ridiculices en público, Liam. –Y sabía que ocurriría. Había oído demasiadas proezas suyas de boca de Xavier aunque nunca hubiera presenciado ninguna. Le bastaba con que hubiera interrumpido una reunión con clientes. Y la pataleta. Sasha tenía sus dudas–. Bastante malo es que te saque casi diez años. Sé que no son muchos, pero vistas tu actitud y tus ideas, me lo parecen. La diferencia de edad ya es difícil, y hará que se levante más de una ceja. No me pidas además que te lleve a los lugares más exclusivos mientras tú te reservas el derecho a interpretar el papel de artista escandaloso sólo para dejar claro quién eres. Eso no es una muestra ni de amor ni de respeto. Ya sabías quién era y cómo vivía. Me dijiste que podrías adaptarte. Te creí. Ahora no quieres cumplir. Quieres hacer lo que te venga en gana en mi mundo y no puedes. Yo tampoco. Nadie puede. Todos nos comportamos y no nos pasamos de la raya. Espero que entres en razón porque te quiero y quiero estar contigo. Y lo que estás haciendo no es justo.

El hecho de que la conversación pudiera interpretarse como una disputa la asustaba. ¿Quién era ese hombre? ¿Por qué la libertad total era tan vital para él incluso a expensas de Sasha?

–Aquí el único que se jode y el único al que le faltan al respeto soy yo –se quejó, al borde del mohín–. Tienes que decir siempre la última palabra ¿no?

–Lo único que digo es que me gustaría que maduraras. O te comportas como un ser civilizado o me dejas hacer mis cosas mientras tú juegas con tus amiguitos. Puedes ser todo lo escandaloso que quieras, pero en tal caso no esperes que vaya alardeando de ti. Si quieres escándalo, te quedas en casa conmigo y lo tenemos en privado, no en público.

–No pienso convertirme en tu pequeño secreto, Sasha. Tendrás que buscarte a otro hombre. O me sacas contigo y te muestras orgullosa de cómo soy o se acabó.

–Entonces supongo que se acabó por el momento. Piénsatelo, Liam. Confío en que recuperes la sensatez cuando vuelvas a Londres. Si te parece que empiezas a ver sentido a nuestra relación, llámame.

Él la miró, asintió y sin detenerse a besarla, cogió la bolsa, pasó por su lado como una exhalación y dio un portazo al salir. Después Sasha se sentó a meditar sobre lo que había pasado. Le quería pero no lo suficiente para poner toda su vida patas arriba por él y renunciar a su forma de ser. Era demasiado mayor para realizar tantos cambios por alguien. Ni siquiera por Liam. Sabía que estaba enamorada de él. Pero quizá no lo suficiente.

9

Al principio los días sin Liam parecían eternizarse. Sasha se había acostumbrado a estar con él en el poco tiempo que habían pasado juntos, a hablar, comer y hacer el amor. Incluso Bernard comentó la ausencia de Liam y preguntó si seguía en la ciudad. Sasha le contestó que había regresado a Londres.

–Es un chico muy dulce, pero tiene que haberte sido difícil tenerlo por aquí tanto tiempo.

A Sasha los diez días que se había quedado le habían parecido perfectos hasta que, hacia el final, habían comenzado a discutir. También le llamó la atención que Bernard le llamara «chico». Resumía la esencia del problema: Liam era un chico en lugar de un hombre y como tal actuaba. Unas veces se comportaba de acuerdo a su edad y otras como un adolescente rebelde. Sasha esperaba más de alguien que rozaba los cuarenta años. Estaba hecho todo un Peter Pan. Al principio pensó que los comentarios de Bernard eran sarcásticos y escondían cierta curiosidad por la relación que pudiera mantener ella con Liam. Luego se dio cuenta de que Bernard se limitaba a exponer con sinceridad su opinión. Creía que Sasha había sido extremadamente generosa permitiéndole alojarse en su casa tanto tiempo. Por lo visto, su secreto seguía a salvo. A Bernard jamás se le habría pasado por la cabeza que Sasha pudiera liarse con Liam. Y en cualquier caso, parecía que la relación había terminado.

Con Liam de vuelta en Londres, Sasha se pasaba las noches esperando una llamada. Pero no llegó. Liam no la llamó y ella tampoco a él. Habían llegado a un punto muerto dadas las ridículas exigencias y el comportamiento infantil de Liam.

Sasha no esperaba que su aventura amorosa durara para siempre, pero sí un poco más. No tenía sentido que lo llamara; Liam le había expuesto sus condiciones con claridad meridiana. O lo paseaba en público por los círculos en los que ella se movía, por muy formales que fueran y con independencia del comportamiento de Liam, o se cancelaba el trato. Liam había impuesto unas condiciones inaceptables le quisiera o no. Además Sasha no tenía más acuerdo que ofrecerle que el que ya le había expuesto antes de que se marchara de París. A finales de mes dejó de esperar que la llamara. Sabía que habían terminado. Y en Londres, Liam esperaba sentado a que ella lo llamara sabiendo lo mismo. Habían tardado semanas en lugar de años pero se habían separado. Sasha tenía razón desde el principio. Era imposible. Se recordó a sí misma que cuanto antes mejor. Pero de todos modos esperaba con tristeza una llamada que no llegaba. Por muy infantil que fuera a veces, Liam tenía su lado atractivo y le echaba de menos.

Sasha necesitó dos meses para reconciliarse con él, pero incluso entonces siguió lamentando que hubiera desaparecido de su vida. Sin embargo, no podía contárselo a nadie. Nadie había estado al corriente de la relación, de modo que no podía acudir a ninguna persona en busca de consejo o consuelo. No podía llorarle con nadie ni hablar de él. Simplemente tenía que aceptar que se había marchado. De todos modos sabía que no habría funcionado. Liam era demasiado inmaduro, demasiado difícil y poco razonable, y se negaba a crecer. Así se lo había demostrado con la pataleta y la huida.

Sasha viajó a Nueva York en febrero y en marzo; en ambas visitas le pilló una tormenta de nieve. Tatianna adoraba su nuevo trabajo. La galería iba bien. Sasha planeaba ir a ver a Xavier a Londres en abril e intentaba prepararse con tiempo porque sabía que Liam andaría por allí. Sólo esperaba no encontrárselo cuando estuviera con Xavier. Pero tampoco podía pedirle a su hijo que lo evitara porque delataría su secreto.

Poco antes de partir hacia Londres, en abril, Eugénie le comunicó que había recibido un correo electrónico de Liam.

Había concluido varias obras nuevas y le pedía a Sasha que fuera a verlas. Se ofrecía también a mandar diapositivas, pero quería que su marchante las viera al natural. En el mensaje aseguraba que eran su mejor trabajo hasta la fecha.

–Por cierto –recordó Eugénie mientras informaba a Sasha del correo al final de una larga jornada de trabajo–, te envía sus mejores deseos y espera que estés bien.

Sasha lo estaba. Transcurridos más de dos meses sin noticias de Liam por fin se encontraba mucho mejor que en febrero, aunque seguía molesta con él. Además le parecía una estupidez que le enviara «sus mejores deseos». ¿Los mejores? Sasha ya había visto lo mejor y lo peor de él. Aunque por un instante había creído estar enamorada, Liam se había encargado de sacarla de su engaño con su comportamiento. Se había comportado con ella como un crío. Estaba harta de artistas autocomplacientes que ya no eran tan jóvenes aunque intentaran aparentarlo y seguían comportándose como adolescentes entrados ya en la mediana edad. Liam tenía treinta y nueve años; era demasiado mayor para actuar del modo en que lo había hecho al dejar París. No obstante, le dolía no haber vuelto a saber de él. Pero era demasiado orgullosa para llamarle.

Le dijo a Eugénie que esa noche tenía una cena. Mientras se arreglaba, recordó la que tuvo con Liam. Salía para Londres al día siguiente para ver a Xavier. No sabía qué haría respecto a Liam y las obras que quería que viera. Era su representante, pero no tenía ninguna prisa por verle. Liam la había colocado en una situación muy incómoda; de hecho, resultaba incómoda para ambos. Se alegraba de no haberlo presentado en sociedad. Ahora le habría costado justificar su ausencia.

La cena de esa noche la organizaba el embajador de Estados Unidos en París. Acudirían a la fiesta varios artistas y marchantes de primer orden, un escritor estadounidense de visita en la ciudad y, según le habían comentado a Sasha, un actor famoso. En resumen, un grupo de lo más variopinto para el que no estaba de humor. Por razones que sólo ella y

Liam conocían, Sasha llevaba dos meses irritable y arisca con todo el mundo, aunque últimamente empezaba a estar de mejor humor. Para la cena en casa del embajador eligió un vestido de encaje negro, se recogió el pelo en un moño como de costumbre y optó por un par de zapatos nuevos muy sensuales, a pesar de que no sabía muy bien por qué se tomaba tantas molestias. Desde el triste final de su breve aventura con Liam no había vuelto a salir con nadie ni le apetecía. Había sabido desde el principio que la relación estaba condenada al fracaso. Se sentía una estúpida por haberse dejado convencer y darle una oportunidad. Pero a veces, en privado, admitía que ella lo había deseado tanto como él y que en el fondo de su corazón había albergado cierta esperanza de que funcionara. Una lástima que no hubiera sido así. Liam tenía talento artístico, pero como hombre era un inmaduro. Ahora no le sorprendía en absoluto que Beth lo hubiera dejado y se hubiera llevado a los niños consigo. Veinte años de matrimonio con él tenían que haber sido una pesadilla.

Al entrar en la residencia del embajador, se obligó a quitarse a Liam de la cabeza, como llevaba haciendo en los dos últimos meses. A excepción de un par de estrellas del rock, conocía a todos los asistentes. A su modo, París era una ciudad muy pequeña. El mundo entero lo era.

Le tocó sentarse junto a uno de los actores, un tipo completamente pagado de sí mismo que no tenía nada que decirle. Estaba mucho más interesado en la mujer de su derecha, casada con un productor de Hollywood. Llevaba una hora adulándola cuando Sasha centró su atención en el comensal de su izquierda. Le sonaba de algo y por fin recordó quién era. En otra época había sido considerado el mago de Wall Street, pero ahora estaba retirado. Arthur se lo presentó una vez en una fiesta en los Hamptons. Y para su sorpresa, el hombre se acordaba de ella.

—Deben de haber pasado diez años —calculó Sasha, impresionada.

El hombre era de la edad de Arthur, que entonces tendría cincuenta y nueve años. Hacía año y medio de su muerte.

—Me impresionó mucho cuando nos conocimos. He estado muchas veces en su galería. —Le sonrió, y Sasha se fijó en su atractivo de hombre maduro. Ya no recordaba si era viudo o divorciado y, en todo caso, podía haber vuelto a casarse.

—¿La galería de Nueva York? —preguntó Sasha, para darle conversación.

No le interesaba demasiado, pero resultaba un buen conversador, mucho mejor que el actor de su derecha, que la había ninguneado. Sasha no le servía para nada.

—Me refería a la de aquí. Ahora vivo en París. —Se llamaba Phillip Henshaw. Sasha se preguntaba qué le habría llevado a París. Se había retirado joven, tal como había planeado hacer Arthur—. Mis dos hijas se casaron con franceses y se mudaron a París. Al morir mi esposa, decidí alejarme un tiempo de Nueva York. Llevo aquí cinco años y me encanta.

Sasha captó un leve deje sureño en su voz y al poco Phillip le explicó que había nacido en Luisiana. El embajador y él habían ido juntos a la Universidad de Virginia. La mujer del embajador era de Georgia. Después le contó a Sasha que tenía una casa en la Provenza y un piso en Londres. Visitaba ambos lugares una vez al mes.

—Yo mañana voy a Londres a ver a mi hijo y a visitar a algunos artistas. —Sasha le sonrió, se sentía a gusto.

—Y yo. Quiero decir que también voy a Londres. —Le devolvió la sonrisa y un poco después dijo que lo sintió mucho al enterarse de la muerte de Arthur—. A nuestra edad no es nada fácil encontrarse otra vez solo, sobre todo en el caso de un matrimonio feliz.

A Sasha, el comentario le llegó al alma.

—Por eso me mudé a París. No soportaba Nueva York sin Arthur —confesó.

—¿Todavía conserva la casa de los Hamptons? —También se acordaba de eso.

Sasha asintió, y después suspiró.

–Ya no voy nunca. Me cuesta estar en sitios que me resultan tan familiares, que tanto nos gustaban a los dos.

Charlaron un rato sobre Nueva York y descubrieron que tenían muchos conocidos comunes. Lo bueno de conversar con Phillip de su antigua vida era que le impedía pensar en Liam. Había significado una distracción constante durante los últimos dos meses. Sasha se sentía enojada y decepcionada por el modo en que habían salido las cosas y por el final de su aventura, un final silencioso. Y lo que era peor, ahora tenía que sobreponerse y actuar sólo como su marchante. Liarse con él había sido una tontería mayor de lo que se temía. Pero no se sentía destrozada como al morir Arthur. Sólo triste y decepcionada; incluso empezaba a tomárselo con filosofía.

Se llevó una sorpresa cuando al salir de casa del embajador, Phillip Henshaw le propuso cenar juntos en Londres la noche siguiente. Sasha se dijo que tal vez consiguiera venderle alguna pieza para sus casas.

De modo que aceptó. Phillip le propuso el Mark's Club, un lugar al que Arthur y Sasha solían ir. El establecimiento pertenecía al dueño del Annabel's y el Harry's Bar. Phillip se ofreció entonces a llevarla a casa en coche; Sasha se lo agradeció, pero había traído coche con chófer. No le gustaba conducir de noche cuando iba muy arreglada o a alguna fiesta. Así que Phillip la acompañó hasta el vehículo y quedó en pasar a recogerla a las siete del día siguiente por el hotel Claridge. Sasha pensó en él de camino a casa. No era muy excitante, pero al menos parecía inteligente, educado y atento. Y podría resultar agradable cenar en Londres con un amigo. No sabía cuáles eran los planes de Xavier, pero ella pensaba pasar la tarde con su hijo y, si estaba libre, cenar juntos al día siguiente. Todavía no había decidido si vería a Liam. Quizá no. Quizá mandaría a Bernard a Londres, aunque al encargado le extrañaría que Sasha no se reuniera con Liam, sobre todo teniendo en cuenta que éste se había instalado en casa de ella durante su estancia en París. Iba a costar explicarlo. Liam había conseguido que la situación entre ambos se hubiera vuelto muy extraña.

Sasha cogió el avión de las nueve de la mañana de Le Bourget y gracias a la diferencia horaria de una hora y a la brevedad del vuelo llegó a Londres a la misma hora que había salido de París, es decir a las nueve. A las diez y media ya se había instalado en su habitual suite del Claridge. Telefoneó a Xavier, quedaron para almorzar y luego visitó a un par de artistas.

A la una en punto llegó al restaurante que su hijo había elegido para almorzar, pero nada más entrar en el jardín donde Xavier la esperaba descubrió que iba acompañado de Liam. La consoló un poco notar que se sentía tan incómodo como ella. Por lo visto –se enteró más tarde–, Liam había pasado la mañana en el estudio de Xavier y a éste no se le ocurrió ningún motivo para no llevarlo a almorzar con ellos, dado que Sasha era su agente. Además a Xavier le gustaba Liam, aunque lamentó no poder pasar un rato a solas con su madre. Le encantaba charlar con ella.

–Hola, Liam –saludó Sasha, con cautela, cuando él se levantó para recibirla.

Le parecía una pesadilla verse obligada a almorzar con él. Era la primera vez que le veía desde que se había marchado de su casa de París con cajas destempladas. Como de costumbre, vestía con su habitual estilo excéntrico pero atractivo. Camiseta, cazadora de cuero, gorra de béisbol, pantalones salpicados de pintura y deportivas rojas de caña alta. Pese a seguir enfadada con él Sasha tuvo que admitir que, como siempre, estaba guapísimo. Su coleta lucía dos meses más larga.

–¿Cómo va todo, Sasha? –le preguntó por fin, algo violento.

Hasta entonces Xavier había cargado con el peso de la conversación y le sorprendió notar cierta tensión entre su madre y el pintor. Tenía la impresión de que se llevaban bien y mantenían una buena amistad. Aunque de pronto cayó en la cuenta de que últimamente Liam no la mencionaba.

–¿Habéis tenido alguna diferencia artística? –terminó por preguntar Xavier con expresión divertida.

Los conocía bien a ambos y sabía que defendían sus ideas con vehemencia. Además, se notaba la tensión existente entre los dos. El aire se podía cortar con el proverbial cuchillo.

—Sí —contestó Liam, a la vez enfadado y contento.

—En absoluto —respondió Sasha al mismo tiempo.

—En qué quedamos, ¿sí o no? —preguntó Xavier riéndose mientras Liam se retorcía en la silla y su madre adoptaba una expresión gélida.

—No quiso llevarme con ella a una fiesta cuando estaba en París. Me pareció una grosería, al fin y al cabo, era su invitado.

Era un modo de explicarlo, pensó Sasha. Lo último que quería era obligar a Xavier a tomar partido, en particular porque su hijo sólo conocía parte de la historia y ella no tenía intención de contarle el resto. Se alegró de comprobar que Liam no le había contado nada de su breve aventura amorosa, su hijo parecía ignorar lo ocurrido. No tenía ni idea.

—¿Cómo ibas vestido para que no quisiera llevarte a la fiesta? —preguntó con tranquilidad Xavier mientras marchante y artista, ex amantes ambos, se miraban.

Saltaba a la vista que Liam seguía enfadado con ella.

—No sé… Lo normal… ¿Qué importa? —gruñó éste mientras Sasha los observaba en silencio.

—En las fiestas a las que va mi madre, mucho. Si quieres mi opinión, apuesto a que ésa es la razón de que no te invitara a acompañarla. —Xavier hablaba como si su madre no estuviera. Sasha calló—. A mí tampoco me habría llevado. Conoce a una gente increíblemente estirada y aburrida. Lo siento, mamá —se disculpó mirando a Sasha, que asintió: era exactamente lo mismo que le había advertido a Liam desde el principio.

—Es lo que le dije —terció Sasha—. Le dije que no podía ir de artista chiflado con esa gente. Y me dijo que yo no le controlaba.

—No creo que pudieras hacerlo —dijo Xavier, y luego se dirigió a Liam—. ¿Qué pasa con el rollo ese del artista estrafalario? Si es lo que te gusta, ¿para qué quieres ir a las fiestas de mi madre? Yo le pagaría dinero para que no me llevara. Las odio.

–Y yo. Sencillamente no me gusta que me dejen en casa como si tuviera cuatro años ni que me digan cómo debo comportarme.

–¿Qué más te da a ti si te lleva o no te lleva? Eres uno de sus artistas, Liam. No su marido. A mi padre tampoco le gustaban esas fiestas. Siempre contaba que los clientes más importantes de mi madre lo mataban de aburrimiento. Se saltaba todas las que podía. –Sasha sonrió y Liam quedó pensativo–. Hablas como un amante celoso –le riñó Xavier sin comprender todavía lo ocurrido, cosa que Sasha agradeció profundamente.

–O un niño malcriado –añadió Sasha–. Yo le advertí que en esas fiestas no puedes comportarte como un memo. Y él replicó que se comportaría como le viniera en gana. Punto final.

–Final del romance. Pero gracias a Dios, Xavier no sabía esa parte. Aunque vistos los comentarios de Liam le sorprendía que su hijo no lo sospechara. No se le había ocurrido ni por un segundo que su amigo pudiera haberse acostado con su madre. Acto seguido Sasha se volvió hacia Liam para recordarle lo que le había dicho hacía dos meses–: En cuanto decidas vestirte y actuar como un adulto, será un placer llevarte donde quieras. Entretanto… –Su voz se apagó y Liam puso los ojos en blanco.

–Pareces mi padre.

Otra vez parecía enfadado con Sasha, cosa que sorprendió a Xavier. Su madre tenía razón. Liam actuaba de forma infantil y consentida y aunque no siempre apoyaba a su madre, esta vez sintió que tenía que hacerlo.

–Hablas de cuando eras niño –le recordó Xavier–. Ya eres adulto. Acabas de cumplir los cuarenta. Coño, casi eres un viejo… –Se volvió a su madre–: Perdón, mamá.

–No pasa nada. No es un viejo, pero sí lo bastante mayor para no montar una pataleta por una fiesta.

–Mi padre y mis hermanos nunca me llevaban a ningún lado. Mi padre me llamaba monstruito y mis hermanos me tenían por un bicho raro. Siempre fui un marginado. Por eso me fui de San Francisco. Me harté. No dejaré que nadie vuelva a tratarme así.

–Seguro que eras un bicho raro –convino Xavier con expresión divertida. Sasha, al ver la mirada de Liam, se sintió más comprensiva. Obviamente había hurgado en una herida de infancia. Liam no tenía una madre que lo protegiera y lo defendiera de la falta de sensibilidad y de la crueldad de su padre y hermanos. De pronto, le entraron ganas de abrazarlo, pero no podía ser–. A veces todavía lo eres –insistió Xavier. Liam sonrió–. Joder, ¿qué esperabas? Eres artista. Yo también soy raro. Es síntoma de talento y grandeza. A mí me gusta ser un bicho raro, y a ti también. Pero a mí no conseguirías llevarme a una de esas fiestas ni pagando.

–Supongo que me sentí excluido. Como en los viejos tiempos, cuando era niño. Imagino que fue como meter el dedo en la llaga. Me estaban diciendo que no podía ir a un sitio a menos que me comportara como una persona que no soy. Tal vez fueron los recuerdos los que me sacaron de quicio y no tu madre.

Liam miró con nerviosismo a Sasha; quería disculparse, pero no podía. Sus miradas se cruzaron y permanecieron entrelazadas un rato. Milagrosamente, Xavier no se fijó.

–Joder, tío, eras sólo un invitado. De todas formas seguro que mamá no podía llevarte a la fiesta.

–No, no podía. La discusión fue más en un plano teórico: trataba sobre la libertad de comportamiento.

–Y el control –añadió Liam–. Pierdo la cabeza cuando me insultan así. De niño siempre me dejaban de lado, como si no tuviera ninguna relación con ellos o no fuera lo bastante bueno. Siempre estaban intentando controlarme y obligarme a comportarme a su gusto, cosa que yo no podía hacer.

Sasha comprendía que el problema era mucho más profundo. También tenía que ver con haber perdido la protección y el amor incondicional de su madre cuando tenía siete años. Ésa era la persona con la que había discutido en París: un niño de siete años que había perdido a su madre. De re-

165

pente Sasha entendía muchas cosas, como el comportamiento infantil que había presenciado en París. Siguió escuchándole, apoyándolo con el corazón.

—Muy bien, ¿ya estamos todos de acuerdo? —Xavier se dirigió a Liam—: Parece claro que sufriste una especie de brote psicótico, un *déjà vu* o algo así. Mi madre va a fiestas que organizan las personas más aburridas del planeta y a las que nadie en su sano juicio querría ir. Además, tú eres un artista chiflado y no deberías ir a esos lugares, con gente como la que ella conoce. Mi madre está bien, la gente con la que se codea no. La gente como nosotros tenemos que salir entre nosotros. No con gente como los conocidos y los clientes de mi madre; nos ahogarían el talento. Tú júntate conmigo y olvida los rollos elegantes de Sasha. Créeme, los detestarías. Y ahora, ¿podríamos tranquilizarnos y almorzar? Voy al lavabo. Vosotros dos os dais un beso y arregláis vuestras diferencias para que Sasha no esté enfadada contigo y te venda cuadros. Cuando vuelva lo pasaremos estupendamente, como la última vez que nos vimos. ¿De acuerdo, niños? —Los dos le sonrieron. Xavier los había sacado del punto muerto en el que llevaban dos meses y ni siquiera conocía toda la historia—. Gracias.

Se levantó y desapareció en dirección al servicio de caballeros mientras Liam miraba a Sasha. Todavía la quería y gracias a Xavier ya no estaba enfadado con ella. Bien pensado, el problema no había sido con ella. Había tocado una fibra sensible y presionado toda clase de resortes. Tanto que a Liam le había sido del todo imposible atender a razones hasta que, dos meses más tarde, Xavier había intervenido.

—Lo siento, Sasha —se disculpó Liam en voz baja—. Te he echado muchísimo de menos. Eres la mujer más terca del planeta. No me has llamado ni una sola vez.

—Tú tampoco has llamado. Y yo también te he echado de menos. Lo siento muchísimo. No entendía qué significaba para ti ni por qué. Ahora lo comprendo. No quería hacerte daño.

Alargaron los brazos hasta tocarse las manos.

–Y no lo hiciste. Ellos sí. Por un momento te confundí con ellos. –Un momento muy largo. Habían transcurrido más de dos meses desde que se había marchado de París–. Salgamos a tomar algo antes de que te vayas de Londres.

Sasha asintió justo cuando Xavier regresó a la mesa.

–¿Todos contentos?

–Mucho. –Sasha estaba radiante–. Eres un mediador excelente. Debería recurrir a tus servicios más a menudo. –Al volverse para mirar a Liam, vio que sonreía.

Pidieron el almuerzo y los dos hombres hablaron de trabajo mientras Sasha escuchaba. Nunca lo pasaba tan bien como cuando charlaba con artistas, en particular con aquellos dos. Después de comer fueron al estudio de Liam a ver sus cuadros más recientes. Eran incluso mejores que los anteriores. Sasha le sonrió al verlos.

–Dios mío, Liam, son fantásticos. –Saltaba a la vista que Liam había profundizado en lo más hondo de su alma para encontrar lo que mostraban aquellas telas.

–Siempre trabajas bien cuando estás cabreado –comentó, divertido, Xavier.

–A veces –puntualizó Liam con tristeza. Sasha le estrechó la mano al pasar por su lado–. Sólo estaba cabreado al principio. Luego me sentía fatal. En realidad cuando estoy deprimido es cuando mejor trabajo. Odio admitirlo, pero es verdad –añadió con expresión agotada y la vista clavada en los lienzos; habían sido dos meses muy solitarios sin Sasha.

–En mi caso también funciona –admitió Xavier.

–Ojalá pudiera decir que he sido igual de productiva –añadió ella.

Había pasado dos meses muy dolorosos sin Liam. Ahora deseaba poder quedarse más tiempo con él pero tenía que visitar a otro artista. Aunque se alegraba de haber visto su trabajo. Quizá ahora que sólo era su marchante les iría mejor a los dos. Estaba claro que su breve aventura amorosa había resultado un desastre. Pero gracias a Xavier, al menos la guerra había terminado.

–¿Qué hacéis esta noche? –preguntó Liam mientras Sasha se marchaba. Parecía que tenía prisa.

–Yo estoy ocupada –repuso ella enseguida, y Xavier dijo que tenía una cita.

–¿Una de tus fiestas aburridas? –le preguntó Liam con aire divertido.

–No, una cena tranquila con un posible cliente.

No tenía por qué darle explicaciones. La guerra había terminado, pero también su idilio. Con suerte, quedarían como amigos.

–¿Y mañana? –Liam quería volver a verla antes de que regresara a París y con Xavier presente resultaba más fácil.

–Yo estoy libre –terció Xavier.

–Yo también –admitió Sasha a pesar de que habría preferido quedar a solas con su hijo. Con Liam no sería lo mismo.

Éste propuso cenar en su pub favorito. Xavier aceptó sin pensarlo; Sasha lo hizo con algo menos de entusiasmo, pero después de lo que Liam había dicho durante el almuerzo no quería ofenderle. Podría desayunar a solas con Xavier a la mañana siguiente, antes de salir para París.

Sasha quedó en pasar a recogerlos con el coche a la noche siguiente aunque un pub ruidoso no coincidía con su idea de una velada ideal. Lo hacía por ellos, quizá un poco más por Liam. Lo dejó sintiéndose protectora y cariñosa.

Estuvo ocupada el resto de la tarde; hizo algunos recados en New Bond Street y volvió al hotel con el tiempo justo para cambiarse antes de que Phillip la recogiera para cenar. Estaba cepillándose el pelo y recogiéndoselo en su habitual moño cuando Liam llamó por teléfono.

–Me alegro de que hayamos coincidido –dijo Liam con tristeza–. Xavier nos ha hecho un gran favor. Al menos, a mí. Siento muchísimo haber perdido los nervios en París.

–No pasa nada –contestó Sasha, sujetándose el pelo con una mano y el teléfono con la otra–. Son cosas que ocurren. Hoy, cuando te has explicado, también lo he lamentado.

Liam le había hablado antes de su padre pero Sasha no había relacionado las dos cosas. Por encima de todo Liam necesitaba una madre. Pero ella no quería ejercer ese papel. Ya tenía a sus hijos. Tal vez Liam necesitara a una madre más que a una amante. Pero dicha circunstancia, sumada a la diferencia de edad, hacía que Sasha se sintiera todavía más vieja. Quizá como marchante en lugar de amante podría ayudarlo mejor. La mayoría de sus artistas necesitaban una madre y esperaban de ella que lo fuera. Parte de su misión consistía en criarlos. No le importaba hacerlo, al menos en el caso de Liam. Tal vez le ayudaría. No es que le fuera demasiado en ello, aparte de la comisión por los cuadros. Todavía le resultaba atractivo y seguía sintiendo la misma descarga eléctrica cuando lo miraba, pero sus sentimientos hacia Liam habían cambiado. Ahora vivían más ocultos, en cierto modo, en un nivel más profundo. Le quería pero ahora podía mirarlo sin querer arrancarle la ropa. Durante los dos últimos meses había sublimado lo que sentía, y ahora, sobre todo, le despertaba compasión. Era mejor para ella, más sano que la locura en la que había caído por él a principios de invierno, cuando se conocieron. Aunque añoraba lo que habían compartido. Era como si sus sentimientos por él hubieran madurado y se hubieran transformado desde la última vez que se habían visto. Sasha se contentaba con ejercer de marchante y amiga; nada más.

—¿Eres feliz? —le preguntó Liam, y Sasha sonrió.

—Si lo que me preguntas es si estoy con alguien, no, no lo estoy. Me ha costado cierto tiempo recuperarme de lo ocurrido. Me llevé una decepción cuando te fuiste de París. —Había resultado particularmente difícil renunciar a Liam después de haber perdido a Arthur—. Pero lo he superado. Estas cosas pasan. Nunca creí que lo nuestro funcionara. Sencillamente lamenté descubrir que estaba en lo cierto y que no podía ser.

—Podría haber funcionado si yo no hubiera perdido la chaveta. —Parecía avergonzado.

—No fue eso. Quizá tenías razón. Fue una grosería dejarte de lado y tratarte como si fueras un secreto. No supe qué otra cosa hacer.

–Ni yo. Ahora no parece que hubiera para tanto, pero entonces me pareció importante.

–Y a mí. Me alegro de que Xavier lo haya arreglado.

–Es un gran chico, Sasha.

–Lo sé. Soy muy afortunada. –Consultó el reloj. Phillip llegaría en diez minutos y todavía tenía que peinarse y maquillarse–. Lo siento, pero tengo prisa. Pasan a recogerme dentro de diez minutos.

–¿Por qué será que pienso que tienes una cita en lugar de una cena con un cliente? –Las dos cosas eran verdad, pero ya no eran asunto de Liam ni volvería a serlo.

–Porque debes de estar un poco paranoico –le pinchó–. Anda, ve a pintar algo. Nos vemos mañana.

–Que lo pases bien –se despidió Liam.

Por un instante Sasha notó la agitación de antes, aunque ahora sabía resistirse. Había pasado un tiempo prudencial y ella había recobrado el juicio.

–Gracias, Liam.

Después estuvo yendo de un lado para otro de la habitación durante diez minutos, intentando no pensar en él. Cuando Phillip llamó desde el vestíbulo, estaba lista. Pasaron una velada perfecta. Tuvo todo lo que debería tener una primera cita: educación, cortesía, interés, inteligencia y diversión. Phillip era un buen hombre y una compañía agradable. Había disfrutado de una carrera interesante, le gustaba viajar y tenía amigos en todas partes. Jugaba al tenis y al golf, leía con voracidad y se interesaba en serio por el arte, además mantenía una estrecha relación con sus hijos y nietos. Sasha no notó que existiera gran química entre ellos, pero lo pasaron bien. Descubrió que era un alivio no sentir ninguna de las cosas que había sentido por Liam. En compañía de Phillip se sentía tranquila y a gusto. Ni siquiera le preocupaba venderle algún cuadro.

Cenaron en el Mark's Club y después la llevó al Annabel's. Sasha llegó a casa a una hora decente, poco después de la medianoche. Phillip le dijo que al día siguiente iba a Holanda a ver un velero que había encargado y que la telefonearía en cuanto regresara a París. No experimentó ni la tortura ni la excitación que había sentido por Liam.

Esa noche durmió a pierna suelta; al día siguiente se citó con un artista, visitó dos galerías y salió de compras. Regresó al hotel a tiempo para ponerse unos vaqueros antes de reunirse con Xavier y Liam. Tenía la impresión de salir de marcha con dos hijos. Liam había elegido un pub ruidoso y atestado de gente, tal como ella temía. Apenas se oían de un lado al otro de la mesa. Después de cenar pasaron a la barra, donde Xavier flirteó con varias mujeres y Liam intentó mantener una conversación inteligente con ella. Sasha no veía el momento de que la velada tocara a su fin, pues la noche se eternizaba. Le resultaba raro estar allí con Liam. Las mujeres que los rodeaban y que no ocultaban el deseo que éste les despertaba tenían todas veintipocos años. A Sasha le bastó mirarlas a ellas y mirarlo a él para saber que no quería estar allí. Al cabo de diez minutos se quejó de un dolor de cabeza insoportable y los dejó a los dos solos, felices y bebiendo. No estaban bebidos cuando se marchó, pero sospechaba que terminarían emborrachándose. Fue una noche muy diferente de la velada anterior con Phillip. Todo lo que la anterior había tenido de educada y civilizada, ésta lo había tenido de vocinglera, desordenada y caótica. De camino al hotel, Sasha se dio cuenta de que la velada y el pub hacían que se sintiera triste y vieja. No sabía por qué, pero le había deprimido ver a Liam. Era el precio que tenía que pagar por la locura de enredarse con él. Ahora cada vez que le viera tendría que recordar lo que había ocurrido y por qué había acabado. Porque Liam no era una opción para ella. Jamás podría haber funcionado.

Fue un alivio llegar al hotel y quitarse la ropa. Se puso el camisón y se tumbó en la cama para disfrutar del silencio y pensar en él. Se le hacía extraño pensar que había sido suyo y que ahora estaba a disposición de todas aquellas jóvenes excitadas y anónimas. Creía, como había creído siempre, que Liam debía estar con una mujer de su edad, es decir, más joven que Sasha. Lo único que no sabía y quizá nunca llegaría a descubrir era con quién debía estar ella. Tal vez con nadie. Ahora se sentía fuera de lugar y sola en todas partes, en el mundo de Liam y en el suyo.

A las once apagó la luz y ya dormía profundamente cuando sonó el teléfono. Por un momento, no supo dónde estaba, después se situó. La voz del auricular sonaba profunda y familiar.

—Estoy en el vestíbulo —dijo la voz para empezar.

—¿Quién es?

—Soy Liam.

—Estaba dormida.

—¿Qué tal el dolor de cabeza?

—Un poco mejor. —No quería confesarle que en realidad no había existido.

—Tengo que hablar contigo. —Sonaba ansioso.

—Te llamaré mañana.

No quería verle. Sólo la entristecería aún más. Esa noche le había dejado donde debía estar, en el pub, rodeado de mujeres insultantemente jóvenes.

—No quiero esperar tanto. Por favor, Sasha… Déjame subir a verte.

—No me parece buena idea. —Se había despertado del todo—. Todo está como tiene que ser. Volvemos a ser amigos. No lo estropeemos discutiendo ahora en qué nos equivocamos y por qué. Tú eres feliz. Yo soy feliz. No tenemos necesidad de volver sobre lo mismo.

—No quiero volver sobre nada. Sólo quiero verte.

—Soy la misma que hace un par de horas pero en pijama en lugar de vaqueros.

—Por favor… Sé que te vas por la mañana. —Parecía triste.

—Te llamaré desde París. —Sasha se mantuvo firme.

—No quiero hablar contigo cuando estés en París. Ahora estás aquí. Quiero verte.

—¿Estás borracho? —preguntó, preocupada.

—No. Pero lo estaré si no quieres verme. —Se rió.

Sasha suspiró y se lo pensó un momento. No se le ocurría

ni una sola buena razón para verle. Pero sí varias malas. Todavía le atraía y no quería cometer ninguna locura.

–Mierda… Muy bien… Sube, pero si haces la menor tontería llamaré a seguridad y te echarán a la calle.

–No haré tonterías. Lo prometo.

Sasha se levantó de la cama, se puso una bata y salió a la sala de la suite. Todavía no se había anudado el cinturón cuando Liam llamó a la puerta. Una vez. Sasha abrió y le dejó entrar. Se le veía alto, esbelto y guapo y seguía despertando en ella la agitación de siempre, pero esta vez Sasha decidió obviarla. Retrocedió un paso y, con cara somnolienta, le invitó a pasar.

–Lo siento… No sé por qué, Sash… Pero tenía que verte.

–Bueno, pues ya me ves. –Le sonrió y se sentó en una silla; Liam se acercó, se arrodilló y la abrazó.

–Siento haberme comportado como un estúpido. Estaba loco porque tenía la sensación de que me ninguneabas. Quería ir a aquella fiesta contigo y que te sintieras orgullosa de mí. Pero no sabía cómo decírtelo.

–Yo tampoco estuve acertada. A veces pasa. Cuanto más te enfadas tú, más me cierro en banda yo. Ya te dije que era imposible. Lo nuestro nunca habría funcionado.

–Todavía es posible si tú quieres. He estado pensando mucho.

–No empieces otra vez. No quiero discutir contigo. Y no pienso cometer ninguna estupidez –advirtió cruzándose de brazos no sin considerable esfuerzo.

Lo que de verdad deseaba era abrazarlo, pero no iba a ocurrir. Todavía sentía algo por él. Y Liam había bebido. Había quedado demostrado en demasiadas ocasiones que esa combinación resultaba letal.

–¿Qué tal la cita de anoche?

–Encantador, inteligente, respetable e increíblemente aburrido –contestó sin pensar, luego le miró fijamente–. No sé lo que digo. Ayer lo pasé estupendamente con una persona maravillosa. No sé por qué lo he dicho. –Le inquietó el comentario. Las palabras habían escapado de su boca.

–Probablemente porque es verdad. Sasha, te quiero –dijo Liam con expresión desesperada–. Me importa un carajo si lo mantenemos en secreto. Ahora comprendo que tendría que ser así. De otro modo sería un lío. Me da igual si no vamos nunca juntos a las fiestas. Sólo quiero estar contigo y compartir lo que teníamos antes de que lo mandara todo a la mierda en París.

–No lo mandaste a la mierda tú solo, fuimos los dos. Lo nuestro nunca tendría que haber pasado. Te lo dije, Liam. Es imposible. ¿Cuántas estupideces más esperas que hagamos? Hemos tenido suerte. Nos hemos hecho daño el uno al otro, pero no ha sido nada irreparable. La próxima vez podría ser peor y terminar muy mal. Dejémoslo mientras aún estemos a tiempo. Yo haré de marchante y tú de artista. –Liam se colocó delante de ella, se inclinó y la besó. Y Sasha, odiándose a sí misma, respondió–: De acuerdo, te quiero. Pero eso no cambia nada. No pienso seguir con esto. Es imposible. Imposible. ¿Cuántas veces y de cuántas maneras tengo que decírtelo? –Él la besó de nuevo y esta vez, cuando terminó, Sasha apenas podía respirar–. Liam… Por favor… No… Nos volveremos locos… –Liam no podía dejar de besarla, Sasha tampoco podía.

–Yo ya estoy loco –respondió él con amargura–. Desde que cometí la estupidez de dejarte en París.

–No fue ninguna estupidez… y no quieres convertirte en mi secreto. Tienes razón. Mereces algo mejor. Y yo no puedo dártelo. No estoy preparada para admitir ante el mundo que tengo un novio o un amante o lo que sea que seas diez años más joven que yo. Hace que me sienta una vieja pervertida.

–Nueve –corrigió entre besos.

–Nueve ¿qué? –La estaba confundiendo con sus besos. Le daba vueltas la cabeza.

–Nueve años, no diez. No exageres.

–Muy bien, pues nueve. Sigo sin estar preparada para contarlo. Y no mereces vivir en secreto.

–Prefiero ser un secreto que nada.

–Soy tu agente.

–Quiero que seas mi mujer. –Y lo único que ella deseaba mientras Liam la besaba era convertir ese deseo en realidad. Pero en cuanto cediera de nuevo, todo se volvería locura y confusión como había ocurrido en París–. Y quiero ser tu artista chiflado particular. –Sasha se rió.

–Bueno, eso lo eres en cualquier caso, aunque sea tu representante.

–Sasha, dame otra oportunidad... Por favor, por los dos. Te quiero de verdad.

–Yo también te quiero. Pero no deseo que acabemos los dos locos. Y sería inevitable. Lo sabes. Seguro que haría algo que te crisparía los nervios. Te insultaría sin querer. Y tú irrumpirías en alguna reunión en zapatillas y taparrabos.

–¿Taparrabos? –Liam retrocedió para verla mejor–. ¿Un taparrabos? No tengo.

–Pues cómprate uno –le aconsejó Sasha, sonriendo–. Todo artista chiflado debe tenerlo. Podrías ponértelo para acompañarme a las fiestas.

–¿Y una toga? Podría presentarme en una reunión o en alguna fiesta de etiqueta vestido con sábanas. –Sonrió.

–Demasiado fácil –repuso Sasha entre besos.

Mientras hablaba, Liam la llevaba en brazos hacia el dormitorio. La depositó sobre la cama donde habían hecho el amor la primera vez. Se detuvo y la miró, ella le miró desde el lecho.

–Si no quieres no pasará nada –le aseguró él en voz baja.

–Eso espero –contestó ella, divertida–. Por Dios, Liam... ¿Qué estamos haciendo? –Le amaba pero estaba asustada.

–Retomarlo donde lo dejamos, pero para mejor –afirmó, convencido.

–¿Cómo sabes que será mejor? Quizá sea peor.

–Lo sé porque te quiero más que hace dos meses. Lo sé porque quiero que funcione. Quiero demostrarte que lo nuestro es posible y que te equivocabas al afirmar lo contrario. Quiero que estés equivocada.

–Y yo –susurró, y extendió los brazos hacia él.

Entonces Liam le desabrochó el albornoz y ella le quitó la ropa. Sasha quería creer que era posible. Quería que funcionara. Quería ser todo lo que Liam deseara y quería que él hiciera realidad sus sueños. Y mientras hacían el amor encontraron todas las cosas que habían añorado y anhelado durante dos meses.

Después Sasha le miró con una sonrisa y esta vez no pudo evitar reír.

–No puedo creer que esté haciendo esto otra vez. Menudo par de lunáticos, Liam. –A su pesar, se la veía satisfecha.

–Lunática lo serás tú. –Él sonrió–. Yo sólo soy un artista chiflado –repuso orgulloso y con la sensación de estar de vuelta en casa.

10

A la mañana siguiente volvieron a hacer el amor antes de que Liam se marchara. Se ducharon juntos y se rieron de todo lo que estaban repitiendo. Ahora la relación tenía cierto sentido del humor, cierta sensación de asombro, relajación y buena voluntad que no tenía antes de la ruptura de París. Sasha deseaba con toda su alma que funcionara. Pero todavía temía que no pudiera ser, debido a las diferencias en el estilo de vida y la edad. Todo dependía de lo tolerantes que fueran el uno con el otro. Ahí radicaba para ella la clave del éxito: la capacidad de ambos de permitir al otro ser tal cual era. No tenía ni idea de si serían capaces de conseguirlo. Esta vez habría que ponerle habilidad, suerte y magia.

Liam la besó antes de salir. De pie en el umbral, vestida con un albornoz, Sasha lo contempló alejarse por el pasillo. Le aterraba que la relación resultara imposible, pero no podía resistírsele. Liam se giró y sonrió, y cuando sus miradas se cruzaron, Sasha se derritió por dentro. Le quería más que antes, esta vez le quería por lo que era.

Todavía sonreía de oreja a oreja cuando al cabo de hora y media se reunió con Xavier en el vestíbulo para desayunar. Liam le había prometido ir a verla a París ese fin de semana. Además, Sasha había tenido una idea. Tenía planeado viajar a Italia en mayo para ver a algunos artistas nuevos. Quería que Liam la acompañara y pensaba comentárselo el fin de semana.

—Pareces el gato que se comió al pajarito —comentó Xavier con una sonrisa—. ¿Qué pasa, mamá? —Xavier pensaba en la cita que su madre había tenido la noche de su llegada a Londres y quiso saber más—. ¿Alguien especial?

–No. Agradable, pero aburrido.

Le gustaba Phillip Henshaw, aunque no hubiera química entre ellos. Pero ahora que Liam había vuelto, el financiero había desaparecido al instante de su mente y Sasha ni siquiera sabía por qué. Sabía que lo que hacía con Liam era de locos, pero con todo sentía la necesidad de intentarlo de nuevo. Se recordó a sí misma que repetir la misma cosa una y otra vez a la espera de que los resultados fueran diferentes equivalía a la definición misma de locura. Pero no había modo alguno de resistirse a Liam; además, tampoco quería. Se alegraba de que hubiera regresado a su vida. Apenas podía esperar a que llegara el fin de semana. Habían hablado de la posibilidad de que Sasha fuera a verlo los fines de semana a Londres, pero le asustaba encontrarse con Xavier. No estaba preparada para contárselo a sus hijos. Primero había que ver si la relación funcionaba. Ambos apostaban por que así fuera.

El chófer la llevó al aeropuerto y llegó a París toda sonrisas. Bernard y Eugénie se fijaron en cuanto entró en la galería.

–Caramba, qué buen humor –comentó Bernard, bastante parco.

Sasha se alegró de ver a *Calcetines* al volver a casa. Ahora que Liam había regresado se alegraba de ver a todo el mundo. Su vida era muy distinta y mucho mejor con Liam.

Tuvo una semana ajetreada en la galería pero cuando Liam llegó el viernes por la noche, le estaba esperando. Sasha había preparado un *cassoulet* porque le había dicho que le encantaba; también había pasta, ensalada e incluso había comprado la deliciosa repostería de Fauchon. Cenaron en el comedor, pusieron música y encendieron las velas. Parecía una luna de miel. Y el sábado lo invitó a acompañarla tres semanas a Italia en mayo. Liam estaba extasiado. Todo salió a pedir de boca.

Durante el resto del mes de abril, Liam bajó en coche a París todos los fines de semana. Uno lo pasaron en Deauville. Se hospedaron en un viejo hotel, pasearon por la playa y jugaron. Milagrosamente nadie cercano a Sasha parecía enterado de lo que ocurría. Liam llegaba a última hora del viernes, intentaba pasar desapercibido y los sábados y los domingos salían a pasear o a dar una vuelta en coche por el campo. Fueron a misa en el Sacré Cœur, visitaron Notre Dame y pasearon por los Jardines de Luxemburgo. Nunca se toparon con nadie conocido y Sasha declinaba todas las invitaciones que recibía para el fin de semana. No porque le estuviera escondiendo, sino porque quería saborear hasta el último minuto que podían pasar juntos. En un par de ocasiones cenaron con los amigos artistas de Liam, que casi se desmayaron al descubrir quién era Sasha. Doblaba en edad a la mayoría de ellos, cosa que la incomodaba, pero sabía que debía tolerar su compañía por Liam. Les contaron que eran simples amigos. Sabía que éste necesitaba ver a sus amistades. Ella veía a las suyas y a la clientela durante la semana, mientras él trabajaba en Londres. Los dos sabían que resultaría demasiado complicado que Liam pasara la semana en París porque, estando la casa y la galería en el mismo edificio, sería imposible guardar el secreto. Esta vez habían acordado mantener la relación en privado hasta que se sintieran algo más seguros.

Partieron hacia Italia el primero de mayo. Empezaron el viaje en Venecia sólo por diversión; pasaron cuatro días de luna de miel de ensueño en el Danieli. Liam había volado directamente desde Londres y Sasha desde París. Cumplieron con las obligaciones del turista y navegaron en góndola por debajo del Puente de los Suspiros, que según el gondolero los uniría para siempre. Cenaron a lo grande, compraron, visitaron iglesias y museos y se sentaron en los cafés. Compartieron lo que eran sus días más felices.

Después alquilaron un coche y siguieron ruta hacia Florencia, donde Sasha debía encontrarse con cuatro artistas. En Florencia hicieron lo mismo que habían hecho en Venecia y entre una cosa y otra almorzaron y cenaron con los artistas. A Sasha le gustaron mucho dos de ellos y decidió que su obra encajaba en la galería. Dudaba acerca de un tercero y dijo que tenía que pensarlo. Su obra se componía de extrañas esculturas, quizá demasiado grandes para el espacio del que ella disponía. Y el cuarto artista era un encanto pero su obra le desagradó de inmediato. Sasha le explicó gentilmente que no le haría justicia, que su galería no era digna de tamaña obra. Le gustaba rechazar a la gente con delicadeza. No valía la pena herir los sentimientos ajenos ni machacar a nadie con negativas crueles. Liam observó y escuchó, y decidió que le gustaba el modo en que Sasha llevaba esos asuntos. Era una buena persona y una gran mujer y le gustaba compartir con ella su trabajo.

Fueron a Bolonia y a Arezzo, pasaron una semana en Umbría viajando por el campo y hospedándose en pequeñas pensiones. Estuvieron unos días en Roma. Visitaron a un artista en la costa adriática, cerca de Bari, y dedicaron las últimas jornadas del viaje a Nápoles, donde visitaron a una artista sobre la que Sasha había advertido que estaba como una chota pero a la vez era encantadora; la mujer, que tenía seis hijos, les cocinó una cena fabulosa y Sasha quedó prendada de su obra, igual que Liam. Pintaba unos cuadros enormes con colores vibrantes que costaría horrores transportar. Pero cuando llegó la hora de marcharse, todos habían hecho buenas migas, incluido un amable señor chino que llevaba veinte años siendo el amante de la artista y que era además el padre de sus seis hijos. Eran unos niños preciosos. El viaje resultó maravilloso, para los dos.

Pasaron la última semana en Capri, en un hotelito romántico. A los dos les entristecía la perspectiva de regresar a la vida real, cada uno a su mundo. Sasha adoraba despertarse junto a él por las mañanas, dormirse entre sus brazos por las noches, descubrir cosas juntos, conocer a gente y a veces limitarse a pasear comentando retazos de su historia o riendo. Los dos habían tenido infancias difíciles, algo solitarias. Liam porque había sido un inadaptado con talento artístico en una familia extremadamente conservadora y sin imaginación, y Sasha porque su padre se había mostrado casi siempre frío y exigente a pesar de lo mucho que la quería. Sólo al convertirse en adulta empezó a respetar a su hija y sus opiniones. La familia de Liam nunca había llegado a ese punto y él seguía pagando un alto precio por el ridículo y el rechazo al que le había sometido. Ambos habían padecido la desgracia de no poder crecer con sus madres. Liam recordaba a la suya como una mujer cálida y maravillosa que lo adoraba y para quien jamás hacía nada mal. Todavía buscaba el amor incondicional que sólo ella le había dado; a veces Sasha tenía la impresión de que esperaba de ella que ejerciera de madre. Esa clase de amor incondicional era demasiado pedir de cualquiera que hubiera pasado a formar parte de su vida mucho después. El amor entre adultos y amantes siempre era condicional y a menudo no respondía a las expectativas, en particular cuando no satisfacía las necesidades de ambas partes. Sasha también recordaba de ese modo a su madre y a veces se preguntaba si la gente siempre creía que los que habían muerto los habían amado incondicionalmente. Quizá no fuera cierto o quizá hubieran dejado de amarlos así con el tiempo. Pero los recuerdos de su madre eran tan dulces y tiernos como los de Liam. En ocasiones, Sasha se preguntaba cómo sería si su madre siguiera con vida; sería muy anciana, tendría ochenta y ocho años. Sasha había cumplido cuarenta y nueve durante el viaje. Liam la despertó cantándole el *Cumpleaños feliz;* Sasha todavía gemía de placer al recordarlo. Le regaló una sencilla pulsera de oro que había comprado en Florencia. En cuanto se la puso en la muñeca no volvió a quitársela, y sabía que jamás lo haría.

La diferencia de edad todavía la preocupaba. No había modo de evitarlo. Tenían más cosas en común de lo que Sasha había imaginado, la pérdida de sus madres, la pasión por el arte, las cosas con las que disfrutaban cuando tenían tiempo y tranquilidad. Galerías, museos, iglesias, tiendas. Fuera del frenesí cotidiano eran personas de trato fácil, les encantaba viajar juntos y sentían gran curiosidad por la vida en general. Les atraían personas distintas. Sasha prefería a los ancianos venerables, tal vez por su padre y por la gente mayor con la que había tratado toda la vida. Le impresionaban la educación y la reputación, además del talento. Liam sentía una atracción inmediata hacia todo lo que fuera diferente, raro, nuevo y joven. Sasha apreciaba la innovación y la excentricidad en el arte, pero en las personas no le gustaba. Cuando se sentaban en una cafetería se dedicaba a observar a la gente mayor. Liam siempre gravitaba hacia la juventud y le bastaban unos minutos para conocer a cuanto joven hubiera en el local. Se sentía a gusto con gente de veinte y treinta años, pero Sasha prefería a la gente de su misma edad o mayor, lo cual creaba un abismo de varias décadas entre las personas a las que a uno y a otro les apetecía conocer. Los dos tendrían que aprender a respetar y tolerar esa diferencia, algo que no siempre resultaba fácil. Sasha se aburría cuando salían con estudiantes viajeros y jóvenes artistas. No tenía nada que decirles y no le interesaban sus ideas juveniles. Liam en cambio creía que tenía mucho que aprender de los jóvenes y se identificaba con ellos hasta extremos poco corrientes en un hombre de su edad. Cuando lo observaba rodeado de jóvenes, le parecía uno más de ellos. También Liam parecía pensarlo. Además decía que cuando hablaba con la gente que a Sasha le interesaba se dormía de aburrimiento. Estaba claro que habían topado con un escollo. Pero cuando viajaban solos, lejos de la vida familiar de cada uno, se sentían más predispuestos a investigar y explorar nuevos mundos.

–¿Qué haces con una mujer tan vieja como yo? –le preguntó un día Sasha al salir de una bella iglesia del siglo xiv y detenerse a comprar un helado junto al camino. Liam parecía un niño grande con el helado goteando por todos lados mientras que Sasha cogía el suyo con un pañuelo de encaje que había comprado en Hermès. Se sentía como su madre o algo peor, su abuela, incluso–. Un día te hartarás de estar con una mujer mayor.

Era uno de los mayores temores de Sasha, porque se había fijado en que Liam miraba a las jóvenes. Pero hasta el momento y, por lo que ella sabía, no había pasado de ahí. Sencillamente le gustaba mirar. Sasha lo vigilaba de cerca y sentía más celos de lo que estaba dispuesta a admitir. Por muy en forma que estuviera y muy atractiva que fuera nadie podía negar que los cuerpos jóvenes resultaban más apetecibles.

–A veces me gusta mirar a las jóvenes, de hecho, a todas las mujeres –admitió él de buena gana–, pero me encanta hablar contigo y estar contigo. No he conocido a ninguna mujer que me excite más que tú. Me da igual los años que tengas.

Sasha le sonrió mientras tiraba los restos de helado. Él seguía lamiendo el palo, luego se limpió las manos en los vaqueros para acabar de ensuciarse. Sasha lo observaba con una mueca compungida. Era ese estilo infantil de Liam lo que la hacía sentirse vieja, no la edad.

–Te quiero, Sash. Eres una mujer muy bella. Y, sí, no tienes veintidós años. Pero ¿a quién le importa? Las chicas de veintidós años no se enteran de nada, no me interesan, no me comprenden. Tú, sí.

Sasha no le confesó que a veces tampoco ella estaba segura de comprenderlo, pero entendía lo que Liam quería decir y lo que esperaba de ella: tolerancia, cuidados y comprensión por encima de todo. A veces se sentía muy necesitado y egocéntrico, como los niños, y le gustaba el modo en que Sasha lo cuidaba. Había ocasiones en que era mejor tratarlo como a un niño. Otras veces Liam exigía respeto y se expresaba con suma sensatez. Unas veces se trataban de igual a igual y otras no. Lo cierto es que no eran iguales. Sasha era mayor, gozaba de más éxito y poder en el mundo del arte que él, era una figura respetada e importante y tenía más dinero. Pero Liam tenía talento y era listo. Sabía defenderse, incluso en el mundo de Sasha. Aunque de momento no se habían aventurado a entrar juntos en él. De todos modos, cuando lo hicieran, seguirían considerándolos un artista joven y una de las marchantes más respetadas del mundo. Los separaba una gran diferencia. La gente le prestaba más atención a Sasha y ella sabía que eso podría molestar a Liam. A él le gustaba ser el centro de atención, cosa que siempre conseguía con las jovencitas. Pero la gente de la edad de Sasha esperaba más de él que cuadros interesantes, buena facha y una melena rubia. Esperaban que se comportara como una persona seria, y a veces no lo era. Pero con él Sasha tampoco se comportaba siempre con seriedad y ése era uno de los detalles que le gustaba de su compañía. Disfrutaba jugando con él. A veces se reían tanto cuando contaban alguna anécdota que lloraban de risa. Nadie la había hecho reír como Liam. Ni le había hecho el amor como él. La combinación de sus personalidades comportaba múltiples ventajas y algunos riesgos.

Estando en Roma visitaron a un marchante con el que Sasha tenía negocios, un hombre de casi setenta años cuyo criterio respetaba profundamente. Cuando fueron a verlo, Liam había decidido que aquél sería un día de asueto. Así que todo el rato que pasaron en el despacho actuó como un colegial aburrido. Se sentó enfurruñado, balanceando el pie y dando pataditas a la mesa hasta que Sasha le pidió con toda tranquilidad que parara. A Liam le ofendió tanto la reprimenda que salió del despacho hecho una furia. El marchante enarcó una ceja y no dijo nada. En consecuencia, Sasha se vio forzada a rechazar su invitación a almorzar.

Después tuvieron una discusión terrible por lo mal que se había comportado. Pero fue el único incidente desagradable del viaje. Por la noche, Liam se disculpó después de hacer el amor. Estaba cansado y aburrido y no le había gustado el modo en que el hombre la miraba, se había puesto celoso. Semejante confesión enterneció a Sasha pero llegó demasiado tarde para convencer al marchante italiano de que el hombre que la había acompañado era un adulto civilizado e inteligente. Y una vez más, no auguraba nada bueno. Ella acudía a muchas reuniones como ésa y a veces Liam no estaba a la altura. De hecho, rara vez lo estaba. Cuando se aburría o se sentía excluido o insignificante, solía comportarse como una criatura. En ocasiones costaba creer que tuviera cuarenta años. A veces se comportaba como un chaval de veinte, y además lo parecía, lo cual formaba parte de su atractivo pero también significaba un gran inconveniente para Sasha. Todavía tenían muchos asuntos que resolver. Pero en conjunto, el viaje a Italia fue todo un éxito.

Sasha telefoneó a sus hijos varias veces durante el viaje. Los dos conocían el itinerario de la madre, como siempre, pero rara vez la llamaban. Casi siempre era Sasha la que tenía que telefonear porque era más difícil de localizar y a menudo apagaba el móvil. Liam y ella se registraban en los hoteles bajo los nombres de Liam Allison y Sasha Boardman, que según Liam sonaba a bufete de abogados o gestores: Allison & Boardman. De vez en cuando, en algún hotel lo entendían mal y los registraban como una única persona: Allison Boardman, pero les daba igual. Tatianna se lo comentó divertida a su madre cuando la llamó a Florencia y le contó entre risas que había preguntado por Sasha Boardman y le habían contestado que tenían a una Allison Boardman; obviamente era la persona que buscaba pero con el nombre equivocado. Para Tatianna aquel nombre no significaba nada. De haberle pasado a Xavier habría sospechado. Pero la joven no relacionó a su madre con Liam, sólo sabía que era su marchante. Así que nunca se le ocurrió que ambos estaban juntos. Sasha se rió con ella de lo tontos que eran los recepcionistas de hotel, incluso en los mejores.

Entonces Sasha no estaba al corriente, pero a Bernard le había ocurrido lo mismo al llamarla desde la galería de París. Bernard corrigió el error del nombre de pila, pero el recepcionista insistió antes de cambiarlo por señor Allison y señora Boardman con la consiguiente sorpresa del encargado, que de todas maneras no le comentó nada a Sasha hasta la vuelta.

Fue el primer día que Sasha pasaba en París intentando apañárselas con la montaña de correspondencia, archivos y diapositivas de artistas aspirantes que había ido acumulándose en la mesa durante sus tres semanas de ausencia. Un trabajo abrumador, pero era el precio que tenía que pagar por el viaje.

Bernard se pasó un minuto por el despacho y se sentó frente a ella con expresión prudente, preguntándose si sería el momento adecuado para sacar el tema o si debía olvidarlo. Pero Bernard se preocupaba por Sasha como un hermano mayor. Había aprendido el oficio con el padre de ésta, como ella, y trabajaba en la galería desde hacía más de veinte años. Empezó antes de que Sasha se mudara a Nueva York y abriera otra galería. Era diez años mayor que ella pero, en cierto modo, Sasha siempre había tenido la sensación de que habían crecido juntos en el mundo del arte.

Así que permaneció un largo minuto sentado del otro lado de la mesa mientras Sasha ojeaba algunas diapositivas. Ella le había hablado de los artistas que había visitado, en particular de la artista de Nápoles que tanto le había gustado. Sasha estaba prendada de la artista y de su obra.

–¿Me equivoco al pensar que te hiciste acompañar por un experto en arte? –preguntó Bernard antes de añadir rápidamente–: No tienes obligación de contestar, Sasha. No es de mi incumbencia. –Sasha dejó de trabajar y le miró con aire pensativo, después asintió.

–¿Cómo lo sabes?

–El hotel de Roma te tenía registrada como Allison Boardman y cuando les corregí me explicaron que se trataba del señor Allison y la señora Boardman.

–Lo mismo más o menos le pasó a Tatianna cuando me llamó a Florencia. Afortunadamente a ella no le contaron la parte final, la de señor y señora.

–¿Va todo bien?

Se le veía preocupado. Siempre se preocupaba por Sasha. Desde la muerte de Arthur, no había nadie que cuidara de ella. Sasha se ocupaba de todo, incluso de Bernard. Era una jefa y una amiga magnífica, como lo había sido también su padre. Bernard era muy leal con ambos y no confiaba en nadie más que en ellos, aparte de en su mujer.

–Creo que sí –respondió con calma Sasha, y le sonrió–. No es lo que esperaba de mi vida. Y es un poco raro, quizá. –Seguía incomodándola la diferencia de edad y se preguntaba si alguna vez se le pasaría.

–Algo sospeché cuando se quedó diez días en tu casa. Demasiada hospitalidad, incluso para un buen artista. ¿Empezó entonces? –Además de preocupación, también sentía curiosidad. –No, vino por eso. Empezó en Londres en enero, cuando fui a ver sus cuadros con Xavier. El mismo día, de hecho. Desde entonces ha empezado y ha terminado varias veces. No tengo muy claro qué hacer, la verdad. Somos muy diferentes y tiene nueve años menos que yo, lo cual es un poco extraño. Y… ¿Qué quieres que te diga?… Es un artista, ya sabes cómo son. –Los dos lo sabían. Bernard se rió.

–Como Picasso. –Bernard le sonrió–. Y la gente lo aguantaba. Liam es buen chico. –Le gustaba Liam y respetaba su trabajo aunque prefiriera pintores más tradicionales.

–Ése es el problema –se sinceró Sasha, aliviada de poder hablarlo con alguien. Bernard era un hombre sensato y además un amigo–. Es demasiado joven para su edad. A veces parece un chico y otras un hombre. –Parecía resignada.

Ambos sabían que con la vida tan complicada que llevaba, Sasha necesitaba a un hombre en lugar de a un niño, a un compañero.

–Todos somos niños a veces. Mi mujer me trata como si tuviera doce años y tengo cincuenta y nueve. La verdad, si quieres que sea sincero, me gusta. Hace que me sienta a gusto, seguro y querido.

Sasha lo miró con expresión pensativa.

–Creo que a Liam le pasa lo mismo. Su madre murió cuando tenía siete años. A mí me gusta cuidar de los hombres de mi vida, de todo el mundo, en realidad, pero no quiero ser su madre todo el tiempo y tal vez tendría que serlo. Además, tampoco quiero parecer su madre y a veces me da miedo que así sea.

–No lo pareces. Nueve años no son tanta diferencia, Sasha.

Bernard no se oponía a la relación, aunque tampoco era su papel. Sencillamente se preocupaba por Sasha y quería que fuera feliz. Sabía lo sola que estaba desde la muerte de Arthur y eso le partía el alma. Ninguno de ellos podía ayudarla. Tal vez Liam lo haría.

–Ya. Pero con Liam parece una diferencia enorme. Sale por ahí con artistas de veinte y treinta años y cuando voy con ellos me siento centenaria.

–Tenéis un problema –admitió Bernard, y suspiró–. No tienes que tomar decisiones drásticas. Al menos eso espero.

No quería que saliera huyendo y se casara en un arranque, aunque sabía que Sasha no haría algo así. Era sabia, sensata y muy cauta a pesar de que, desde luego, la aventura con Liam no era propia de ella y le mostraba una faceta de Sasha de cuya existencia jamás había sospechado.

–No te preocupes. No pienso precipitarme. En realidad no tengo nada planeado, sólo quiero disfrutar del tiempo que estemos juntos mientras dure.

Todavía creía que la relación no duraría mucho y no albergaba grandes esperanzas de futuro. Para Bernard fue un alivio oírla hablar así. Le parecía bien que tuviera un lío con Liam. Pero que pasara el resto de su vida con él era harina de otro costal.

–¿Los chicos lo saben?

–No, no lo saben. Tatianna me mataría y no sé cómo se lo tomaría Xavier. Es muy amigo de Liam. Es difícil saberlo. No tengo ninguna prisa por contárselo y, si no es necesario, no lo haré. Quién sabe dónde acabará esto. Tenemos una relación muy errática. Dejamos de vernos entre febrero y abril. Volvimos justo antes de salir para Italia y el viaje ha sido una delicia. Ya veremos qué pasa. –Aparentaba tomárselo con mucha filosofía, sin angustiarse.

–Mantenme informado –pidió Bernard al levantarse. Se alegraba de haber preguntado. Le parecía que aquella situación se llevaba con sensatez y discreción. Ero todo lo que necesitaba saber. Además Sasha parecía feliz con Liam–. Si puedo ayudar en algo…

De momento a Sasha le bastaba con eso.

–Ya me has ayudado. Guárdame el secreto. No quiero contárselo a nadie, al menos hasta ver si la cosa funciona.

Bernard aceptó. Le había ayudado hablar con él. A Sasha le preocupaba que a la gente de su entorno le horrorizara la relación y la desaprobara. Bernard no parecía en absoluto alterado y eso la ayudó a tranquilizarse. De momento no tenía intención de contárselo a Eugénie ni a ningún otro empleado de la oficina. Aunque ésta atendía las llamadas cuando Liam telefoneaba a la galería, cosa que rara vez ocurría. Casi siempre la llamaba al móvil. Y tampoco pensaba contárselo a sus hijos. Así lo había acordado con Liam y a ambos les parecía una sabia decisión. Contárselo complicaría mucho las cosas y ya tenían bastante con lo que lidiar tal como estaban. De momento todo iba bien. Esta vez.

Liam pasó los dos fines de semana siguientes en París. Hizo un tiempo estupendo y lo pasaron de maravilla juntos porque los dos estaban de buen humor. Cuando él visitaba París y no estaba con sus amigos, pasaban casi todo el tiempo juntos. Había muchas cosas que querían hacer y disponían de poco tiempo. No querían compartirlo con nadie, ni con los amigos de Liam ni con los de ella. Durante la semana, Liam trabajaba duro para preparar la exposición de diciembre en Nueva York. Sasha ansiaba que el mundo viera la obra de Liam. Él apenas podía esperar y el trabajo en el estudio avanzaba a buen ritmo.

Un día, paseando por el Bois de Boulogne con *Calcetines*, Sasha le preguntó por sus hijos, que seguían en Vermont. Le preguntaba a menudo y siempre le animaba a hablar de ellos. Sabía que los echaba mucho de menos. Llevaban un año sin verse. El divorcio seguía su curso y sería definitivo hacia Navidad. Beth le había dicho a Liam que se casaría en cuanto fuera efectivo. Liam aseguraba que ya lo había asumido y Sasha le creía. Los dos habían seguido adelante con sus vidas. Pero en opinión de Sasha los niños todavía necesitaban a su padre, tanto como él a ellos. Le parecía un exceso de docilidad que delegara toda su educación en Beth y no se inmiscuyera en nada.

–¿Por qué no vas a verlos en verano? –le animó mientras Liam le lanzaba un palo a *Calcetines* para que fuera a buscarlo. Éste le había enseñado algunos trucos más; era una perra encantadora. Sasha la quería con locura, sobre todo porque se la había regalado él–. Yo pasaré agosto con mis hijos. –En agosto todos tenían tiempo y Sasha disfrutaba compartiendo todo el que podía con ellos, en particular cuando salían de vacaciones, cosa que con la edad y el trabajo cada vez costaba más. Sabía que cualquier día encontrarían a alguien especial y ya no podrían hacerlo. Estaba disfrutando de sus últimas oportunidades y cada año que pasaba le parecía el último–. Tal vez podríamos ir a alguna parte después de que cada uno haya visto a la familia.

Sasha siempre estaba organizándole la vida, cosa que a veces le molestaba y a veces le divertía. Liam sabía que lo hacía por costumbre. Con todo el mundo. Era la típica madre y eso también le encantaba, en particular cuando cuidaba de él.

–Ni siquiera sé si quieren verme –respondió con sinceridad Liam.

A menudo le contaba que estaban enfadados con él porque llevaba mucho tiempo lejos de casa, justo lo que Sasha había temido que ocurriera. Liam los llamaba pocas veces y cuando lo hacía no tenían una conversación fluida. Sus hijos le culpaban por el fracaso del matrimonio. Aun sin entrar en detalles morbosos, Beth les había contado lo suficiente para disgustarlos, y todavía no le habían perdonado. Eso dificultaba llamarlos, y la distancia se había cobrado su precio. Sasha temía que hubiera esperado demasiado para ir a verlos y que el daño fuera irreparable, al menos durante unos años. Se lo había advertido a Liam. Había pasado un año, todavía estaba a tiempo. Sus hijos eran pequeños. El mayor tenía dieciocho años y en septiembre ingresaría en la universidad, el mediano tenía doce años y la niña acababa de cumplir seis. Eran lo bastante jóvenes para que Liam pudiera recuperar la relación, aunque sólo si se esforzaba. Sasha sabía que los quería. Cuando hablaba de ellos los ojos se le llenaban de lágrimas y no dejaba de repetir que los añoraba. Pero empezaba a creer que eran más hijos de Beth que suyos. Beth los veía a diario. Él no.

–¿Por qué no se lo preguntas? –propuso Sasha–. ¿Crees que Beth dejaría que te los llevaras por ahí?

Pensó en ofrecerle la casa de Southampton, pero no quería inmiscuirse y no sabía si Tatianna pensaba aprovecharla. Sospechaba que sí. Sus dos hijos adoraban aquella casa y los recuerdos de infancia que contenía. También ella tenía recuerdos dulces del lugar. De los niños, de Arthur.

–No estoy seguro de cómo se tomaría que me llevara a los niños. Últimamente no está muy satisfecha conmigo.

Sasha sabía por lo que Liam le había contado que apenas le había enviado algo de dinero durante el último año. Beth recibía ayuda de su futuro marido y eso avergonzaba a Liam y complicaba todavía más las cosas. Sasha le había entregado un adelanto, pero Liam tenía que vivir y comprar lienzos y pinturas. No podía permitirse enviar mucho dinero a sus hijos. Tanto Sasha como él confiaban en que la situación mejorara tras la exposición. Pero entretanto su economía seguía siendo precaria. Y, como resultado, también la de Beth. Llevaba veinte años aguantando lo mismo y ya estaba harta. Liam no la culpaba. Le iría mucho mejor con su nuevo marido. Se alegraba por ella. Y él también era feliz con Sasha. Lo único que faltaba en su vida eran los niños.

Sasha insistió en que los llamara por teléfono y Liam prometió hacerlo a lo largo de la semana. En cuanto los llamó, telefoneó a Sasha para informarla de la conversación con Beth. Parecía contento y agradeció a Sasha que le hubiera empujado a llamar.

–No acepta que me los lleve por ahí. De todos modos no podría permitírmelo. Pero dice que puedo visitarlos y quedármelos unos días si quiero. Los padres de Beth tienen una cabaña junto a un lago cerca de donde viven y me la prestan. A los niños les encanta. Les gusta mucho ir a pescar.

Parecía la solución perfecta para los dos. Beth quería que fuera ese mismo mes. Tenían otros planes para el resto del verano: pensaban visitar a los futuros suegros en California y aprovechar para viajar hasta el Gran Cañón.

–Suena fantástico –respondió Sasha, ilusionada–. Iba a comentártelo de todas maneras. Tengo que ir a Nueva York a finales de junio y pensaba quedarme unas semanas. Iba a pedirte que me acompañaras. Mientras seamos discretos, puedes instalarte en mi piso.

Tatianna andaba demasiado ocupada con su propia vida y apenas veía a su madre cuando estaba en la ciudad, nunca se presentaba en casa sin avisar y desde que tenía piso en Tribeca nunca se quedaba a dormir. No costaría ocultar la presencia de Liam.

—Ahora no debería tomarme tanto tiempo libre, tengo una exposición. Pero, la verdad, Sasha, me encantaría.

A ambos les gustó la idea. Desde el viaje a Italia en mayo se echaban de menos más que nunca. Sasha añoraba vivir con él. Y en Nueva York había mil cosas que hacer.

—¿Cuándo te vas?

—Dentro de unos diez días. Iba a proponértelo este fin de semana.

—Cuenta conmigo. Iré. —Estaba emocionado.

—Y si tienes tiempo podríamos quedarnos medio mes —propuso Sasha. A los dos les pareció fantástico. El viaje a Italia había sido todo un éxito y confiaban en que éste también lo sería, aunque con algunas diferencias porque Sasha tendría que trabajar—. Podemos pasar el Cuatro de Julio en Nueva York y luego regresar a Europa.

Sasha planeaba trabajar en la galería de París todo el mes de julio y salir de vacaciones con los chicos en agosto. Irían a Saint-Tropez. A sus hijos les encantaba, y ya había alquilado un barco para engatusarlos. Los dos pensaban invitar a algunos amigos, a ella no le importaba. Lo único que no le gustaba era tener que dejar a Liam tres semanas. Se había planteado proponerle pasar un fin de semana en el barco en calidad de «artista invitado» pero no estaba segura de llevar esa idea adelante. Tatianna era muy perspicaz y Xavier le conocía. En una muestra de astucia, pensó incluso pedirle a su hijo que lo invitara, pero no quiso tentar al destino. Existía la posibilidad, más que probable, de no ver a Liam durante tres semanas. Pero al menos tendrían el resto de junio para compartirlo en Nueva York.

Ambos estaban entusiasmados y hablaron de ello durante el fin de semana. Liam tenía montones de amigos de Nueva York, en Chelsea, Tribeca y el Soho. Y había lugares y eventos a los que Sasha quería llevarlo. Liam no había dado muestras de excentricidad desde que habían retomado la relación y Sasha confiaba en poder salir con él por ahí, sobre todo en Nueva York, donde la vida era mucho menos formal y estirada que en París. Liam encajaría a la perfección en Nueva York. Ambos esperaban el viaje con ilusión.

–Tal vez –deseó en voz alta Sasha, tumbados los dos en la cama el domingo por la mañana– podríamos pasar unos días en la casa de los Hamptons. Es bonita, antes me encantaba.

En los veinte meses transcurridos desde la muerte de Arthur el dolor le había impedido visitarla. Quizá ahora fuera distinto.

–Me gustan los Hamptons –respondió Liam de pasada, antes de seguir hablando sobre llevarse a sus hijos al lago.

A veces no escuchaba. A veces era sólo un crío. Y a veces necesitaba que todo girara en torno a él y sólo a él. Sasha sabía que no era nada personal ni un indicio de que no la quisiera. Ahora lo comprendía. Era sólo su forma de ser. De niño nadie le había escuchado. Y ahora tenía a Sasha pendiente de cada palabra. Liam lo adoraba.

–Ojalá pudieras venir a Vermont con nosotros –dijo Liam mientras daba una vuelta en la cama y se colocaba cara a cara con Sasha.

Acababan de hacer el amor y nunca había sido más dulce. El sexo parecía mejorar con el tiempo aunque a Sasha le costara creerlo, ya que había sido fabuloso desde el principio.

–Necesitas estar a solas con tus hijos, tenéis que coger confianza de nuevo –contestó Sasha con sensatez.

Liam sabía que tenía razón. Le asustaba un poco verlos. Sabía que los dos niños estaban enfadados con él porque llevaba mucho tiempo fuera. Charlotte estaba emocionada porque iba a ver a papá. Había hablado con ellos hacía unos días. Llevaba meses sin telefonear. A veces, simplemente se le iba de la cabeza. Beth siempre inventaba alguna excusa para justificar sus fallos como padre pero ya no estaba dispuesta a seguir haciéndolo. Además Liam salía perdiendo en comparación con su nuevo prometido, que sí estaba con los niños y se mostraba muy atento. De modo que Liam había sido castigado por su año de ausencia. Ahora tenía muchos temas que solucionar con sus hijos y lo sabía. Se moría de ganas de empezar. Y le emocionaba la idea de pasar el resto de junio con Sasha en Nueva York.

—¿Vendrás conmigo a algún partido de los Yankees, Sasha? —le preguntó, de espaldas sobre la cama mirando al techo con una sonrisa.

Parecía un niño impaciente por salir de acampada.

—Haré todo lo que quieras, dentro de lo razonable. Tengo que trabajar. Pero creo que podremos combinar las dos cosas, trabajo y placer. Quiero enseñarte el espacio donde expondrás.

—Hum… —Le sonrió—. Me haces sentir como un rey.

—Eso está bien.

Sasha le devolvió la sonrisa y se acurrucó a su lado. A veces la hacía sentir como una reina. Y a veces la hacía sentir como la reina madre.

11

Liam voló a París un viernes por la noche y el domingo por la mañana cogieron juntos un avión con destino a Nueva York. Sasha le había comprado el billete de avión, así que ocupaban butacas contiguas en primera clase. Liam parecía un niño en una fiesta de cumpleaños y aprovechaba todo lo que le ofrecían. Probó el caviar y el champán, comió su almuerzo y parte del de ella, reclinó el asiento para convertirlo en cama, se tapó con la manta y echó una cabezadita. Hasta se puso el pijama y, por un instante, al ponerse una bolsa de plástico en la cabeza a modo de gorro dio claras muestras de recaer en su antiguo comportamiento indisciplinado. Vio dos películas, comió un tentempié, usó todos los artículos de tocador e invitó a Sasha a unirse a la fiesta en el baño.

–Me parece que vamos a tener que sedarte durante el resto del vuelo. –Sasha le sonrió tras declinar la oferta de unirse al club–. Una vez se lo hicimos a Xavier porque de niño siempre se mareaba. Le sentó mal el medicamento y despegó como un pequeño avión descontrolado. Nunca había visto a un niño tan hiperactivo. Después de aquello dejamos que se pasara los viajes vomitando hasta que se acostumbró a volar.

Pero nunca había visto a nadie disfrutar tanto de un vuelo ni valorarlo tan sinceramente como Liam. No dejó de dar las gracias a Sasha desde que despegaron hasta que aterrizaron.

–Siempre me había parecido normal sentarse con las rodillas recogidas junto a las orejas y los codos de los vecinos clavados en el pecho. Esto está muchísimo mejor –sentenció, encantado mientras volvía a reclinar el asiento y estiraba las piernas.

Liam seguía de buen humor cuando cruzaron las aduanas de Nueva York; bromeaba con todo el mundo. Como de costumbre, había trabado amistad con los auxiliares de vuelo, la mayoría de los cuales conocían a Sasha de otros viajes. Llamó al oficial de aduanas por su nombre de pila y mantuvo una animada conversación sobre béisbol con el piloto mientras Sasha localizaba el coche con chófer. Decir que estaba exultante sería quedarse corto. En esencia Liam se sentía feliz, agradecido y emocionado de estar en Nueva York. Y pese a la hiperactividad de Liam, a Sasha le encantaba estar allí con él.

Cuando llegaron al piso de Sasha se tranquilizó. Le impresionó tanta elegancia. Le maravilló la calidad de las antigüedades y de los cuadros. Sasha tenía un Monet, dos Degas y un Renoir, además de varios dibujos de Da Vinci de incalculable valor y un sinfín de obras más que Liam todavía no había visto. En muchos sentidos el piso de Nueva York era mucho más formal que la casa de París, que había remodelado en un estilo más moderno y sencillo. Nueva York era la prueba de toda una vida dedicada a coleccionar artistas de primer orden, muchos de cuyos cuadros le había regalado su padre.

–Vaya, Sash… Esto es cosa seria…

Liam estaba boquiabierto, completamente sobrecogido, delante de un sombrío El Greco que a Sasha nunca le había gustado y que escondía en el vestíbulo. Al final consiguió arrastrar a Liam hasta el dormitorio. Sasha titubeó unos instantes, nunca había compartido aquella habitación con ningún hombre salvo Arthur. Pero ya era hora. Estaba preparada para abrir las puertas de su dormitorio y de su vida a Liam.

Le pidió que dejara el equipaje en el cuarto de invitados por si alguno de sus hijos se presentaba en casa y porque no quería que la mujer que limpiaba el piso a diario, como había hecho durante casi todo su matrimonio con Arthur, se llevara una impresión demasiado fuerte. A Liam no pareció molestarle. Dejó la bolsa en la habitación del fondo del pasillo y luego regresó al dormitorio de Sasha con un plato de helado. Se despatarró sobre la silla preferida de Arthur como si estuviera en su casa y fue cambiando de canal hasta dar con un partido de béisbol. Luego miró a Sasha con esa sonrisa infantil que le hacía temblar las rodillas y rompió a reír.

–Joder, qué pasada, Sash. Me parece que he muerto y estoy en el cielo.

También Liam se había criado en un ambiente adinerado, tal vez no tanto como ella, pero en cualquier caso en una familia prominente y rica. La única diferencia radicaba en que siempre lo habían tratado como a un descastado y un marginado porque era distinto, un artista. En la casa y en la vida de Sasha por fin se sentía bienvenido. Para él aquello lo cambiaba todo, y por tanto también para Sasha. Ambos estaban de buen humor y disfrutaban de la relación que compartían.

Ella propuso salir a cenar a un restaurante cercano. Había hablado con Tatianna antes de dejar París: tal como sospechaba, su hija estaba ocupada con sus amigos y tenía mil planes para esa semana, de modo que le había prometido pasar a verla por la galería cuando tuviera un rato libre, probablemente durante la hora del almuerzo. Esa noche cuando Sasha se metió en cama con Liam se sentía segura. La asistenta no llegaría hasta mediodía y para entonces ya se habrían marchado los dos; ella a la galería y él a ver a sus amigos del Soho. Su secreto estaba a salvo. Y si alguien lo descubría, la presencia de Liam era tan exótica como la de cualquier otro invitado.

Liam se ganó para siempre el corazón de Sasha cuando esa noche la rodeó con un brazo para acercarla más a él. Pese a que estaba excitado, había visto la cara de su amada al entrar por primera vez en el dormitorio. Intuía que para ella tenía que resultar difícil compartirlo con él, que sin duda le despertaba recuerdos del pasado.

–¿Estás bien? –le susurró, cerca de ella.

Sasha supo de inmediato que Liam comprendía su situación y asintió.

–Estoy bien, cariño… Gracias por preguntar.

–No querría hacer nada que te molestara. Si quieres duermo en la otra habitación.

Ella le miró con una sonrisa.

—Te echaría demasiado de menos. Aquí estás bien —aseguró, y le besó.

Fue un beso tierno que no indicaba que deseara nada más de él que la comprensión que acababa de ofrecerle. Liam la besó con idéntica ternura y se mantuvo cerca de ella. Esa noche sólo se abrazaron.

Al día siguiente Sasha lo llevó a la galería, que lo impresionó por el espacio en sí y por el modo en que se aprovechaba. También le gustaron las obras expuestas e intentó imaginar las suyas en las paredes. El lugar era perfecto y ahora por fin tenía una idea de cuántos cuadros necesitaría, cuántos horizontales y cuántos verticales. El mero hecho de estar en la galería le inspiraba. Sasha le presentó a los empleados. Marcie, su ayudante, casi se desmayó al verlo y miró a Sasha con los ojos en blanco en cuanto Liam se dio la vuelta.

—Dios mío, parece una estrella de cine —exclamó, sin aliento, mientras Sasha se reía.

Detestaba admitirlo, pero Marcie tenía razón. Sasha lo prefería cuando estaban los dos en casa con ropa vieja, despeinados y hechos un desastre. A veces le sobrecogía salir con él por ahí, le recordaba la edad que tenía.

—Es buen chico y un gran artista —respondió con indiferencia—. Me alegro de que hayamos coincidido en Nueva York. Creo que está de paso, va a Vermont a ver a sus hijos.

Marcie asintió, impresionada. No sólo era un monumento y un artista de talento, sino que además también era buen padre. A los cinco minutos de haberlo conocido, ya lo había idealizado. Sasha lo conocía mejor y no le deslumbraba tanto como a Marcie. Le quería pese a todos sus defectos, y tenía como el que más. Igual que ella.

Liam pasó la mañana con ella en la galería familiarizándose con el lugar y el personal. Miró en todos los estantes, subió a la planta superior a contemplar la obra clásica y luego salió para ir al Soho a ver a sus amigos. Le susurró a Sasha que se encontrarían más tarde en el piso y ella asintió.

Providencialmente, Tatianna entró a los cinco minutos de marcharse Liam. Iba de camino a recoger un encargo de un fotógrafo y se pasó a ver a su madre. Se la veía guapa y feliz, como siempre; ahora a Sasha le parecía extremadamente joven. Tatianna tenía la edad de las mujeres que Liam miraba y abordaba. Acababa de cumplir veinticuatro años. Viéndola desde esta nueva perspectiva, Sasha se sentía vieja. Sabía que tendría que aprender a superarlo si quería seguir con Liam. Antes nunca pensaba en la edad y en aquella época estaba obsesionada con ella. Todo el mundo le parecía joven. Y ella, vieja.

—Hola, mamá. ¿Cuánto te quedas? —le preguntó Tatianna al tiempo que picaba una chocolatina de una fuente y besaba a su madre.

—Un mes, creo. —Como siempre, estaba encantada de ver a su hija.

—Cuánto tiempo —se sorprendió Tatianna.

En los últimos meses su madre nunca se quedaba mucho tiempo en Nueva York. El piso que había compartido con Arthur la deprimía porque allí su ausencia se le hacía más evidente.

—Este mes inauguramos una exposición, tengo que organizarla, de modo que supongo que me quedaré un tiempo. ¿Qué tal te va todo?

—Genial. Acaban de subirme el sueldo. La directora me odia y yo quiero su puesto.

Tatianna estaba en la cima del mundo. Miró a su madre sonriendo, feliz de verla.

—Todo normal, entonces. —Sasha se rió.

—Bueno, hasta la vista. Tengo que irme. Llego tarde. Sólo he pasado a saludar.

Un taxi la esperaba fuera y se marchó tan rápido como había llegado, llevándose un puñado de chocolatinas con ella a modo de almuerzo. Su madre le dio un rápido beso y la observó alejarse.

Sasha estuvo todo el día ocupada en la galería con la nueva exposición. Se encargaba de organizar ella misma las exposiciones, le encantaba. Tuvo que obligarse a dejarlo porque había quedado a las seis con Liam en el apartamento. Cuando llegó, lo encontró comiendo helado y pizza en la cocina. La recibió con un beso en los labios.

–Hum… Delicioso. ¿Qué es? ¿Rocky Road?

–Fudge Brownie –la corrigió Liam–. Siempre se me olvida lo buenos que están los helados en Estados Unidos. En Inglaterra son un asco.

–En Francia es peor. –Sasha le sonrió–. Los helados italianos están bien…

Se sentó a la mesa de la cocina y le miró, le gustaba encontrárselo en casa tras una larga jornada de trabajo. Encajaba allí.

–Es para mariquitas –la corrigió–. Esto es helado de verdad. Come un poco de pizza, te llevo a dar una vuelta.

Sasha no quiso decirle que estaba cansada tras pasarse el día trabajando y a causa del *jet lag*. Se le veía animado y rebosante de vida. Liam lo había pasado en grande con sus amigos.

–¿Adónde me llevas? ¿Tengo que cambiarme?

Lo único que quería era darse un baño caliente y relajarse un poco antes de acostarse. Estaba agotada de cargar cuadros y decidir ubicaciones durante todo el día.

–Sí. Ponte unos vaqueros. –Liam aclaró el cuenco y lo metió en el lavavajillas. Cuando estaba con ella cuidaba esa clase de detalles. En cambio su casa estaba hecha un asco. Llevaba viviendo en el estudio desde que Beth y los niños se habían marchado y dormía en un saco de dormir sobre un colchón. Todo un lujo, para él–. Tengo dos entradas para el partido de los Yankees –anunció, victorioso–. Se las he comprado a un amigo. –Consultó la hora–. Salimos dentro de diez minutos. El partido empieza a las siete y media y tal vez pillemos algo de tráfico.

Hacía tiempo había vivido un año en Nueva York y siempre olvidaba cuánto le gustaba hasta que volvía a visitarla. Adoraba la energía y las emociones de la ciudad y, sobre todo, a los Yankees.

Sasha intentó fingir entusiasmo y fue a cambiarse de ropa. De vez en cuando se preguntaba qué estaba haciendo con un hombre de la edad de Liam que además actuaba como si tuviera la mitad de años. Él necesitaba a alguien como Tatianna y en cambio había acabado con ella. No se molestó en comer, pero se lavó la cara, se peinó y se puso unos vaqueros, una camiseta y sandalias. Cogió un chal de un estante y regresó a la cocina en menos de diez minutos. Liam estaba listo para salir, tocado con la gorra de los Yankees que se había traído de Londres.

−¿Lista? −Le dedicó una sonrisa reluciente.

De bajada charló con el ascensorista y le contó que iban al partido. Los Yankees jugaban contra los Red Sox de Boston. El partido prometía. Los Yankees tenían todas las de ganar y, según le dijo al ascensorista, iban a machacar a los Sox.

Cuando llegaron al estadio, Sasha ya se encontraba mejor. Parecía que el *jet lag* había aflojado un poco, Liam le compró un perrito caliente y una cerveza y la informó acerca de los dos equipos y de sus mejores jugadores. Era un fanático del béisbol, y a Sasha le pareció encantador. Quedaba a leguas de distancia de las fiestas acartonadas de París a las que ella no quería llevarlo. En realidad, le gustaba más esto. Para ella era nuevo. Nunca había ido a un partido de béisbol.

Mientras esperaban a que empezara el juego le contó a Liam que había visto a Tatianna un segundo. Él tenía muchas ganas de conocerla y Sasha sentía curiosidad por ver cómo se llevarían. Confiaba en que se cayeran bien. Era consciente de que a la larga el beneplácito de sus hijos sería crucial para la relación. Sabía que Xavier aceptaría a Liam porque ya eran amigos, aunque no sabía cómo se tomaría que se hubiera liado con su madre. Le preocupaba su hija. Los afectos y desafectos de ella eran impredecibles. Siempre era difícil gustarle y además tenía opiniones más críticas y contundentes que su hermano, que era una persona de trato más fácil.

Liam le fue explicando todo lo que ocurría en el partido. Los Yankees ganaron seis a cero. Estaba exultante y charló animadamente durante todo el trayecto de regreso en taxi. Se acostaron enseguida y tampoco esa noche hicieron el amor; Sasha durmió como un tronco. Liam se marchaba a Vermont a la mañana siguiente para ver a sus hijos y volvería al cabo de cuatro días; la telefonearía mientras estuviera fuera. Sasha lo acompañó a la estación Grand Central y después se dirigió a la galería. Se sentía como una tonta, pero empezó a echarle de menos en cuanto le dejó en la estación. Le había prometido estar de vuelta para el fin de semana. Sasha pensaba llevarlo a los Hamptons si estaba de humor. Había requerido ciertos reajustes acostumbrarse a tenerlo en la misma cama que había compartido con Arthur, pero Liam había demostrado una gran sensibilidad. Estaba segura de que en Southampton no sería menos. Sólo que no sabía cómo reaccionaría ella. El dormitorio de Southampton era el último sitio donde había visto a Arthur. Para ella se había convertido en un lugar sagrado y no estaba segura de que Liam tuviera derecho a estar allí. Todavía. Tal vez nunca. Sasha necesitaba hacerse a la idea y no tenía prisa por decidirse.

Pasó una semana más ajetreada de lo que esperaba, acudió a varios cócteles, almorzó con Alana, felizmente casada y gastándose hasta el último centavo de su nuevo marido, y quedó con Tatianna para cenar. Por lo demás, Liam la telefoneaba regularmente para mantenerla al corriente de cómo le iba con sus hijos. Al principio con el mayor había resultado bastante difícil. Tom culpaba a su padre del divorcio. Beth había terminado por relatarle los detalles escabrosos del incidente con Becky, tal como Liam le contó furibundo a Sasha. Ella le aconsejó que se tranquilizara e intentara resolver las cosas con su hijo. Al final de la semana la situación había mejorado. Padre e hijo habían pasado una noche entera de lloros y conversación y por la mañana se sentían mejor. El hijo de doce años, George, se había alegrado de verle; durante ese año había empezado a padecer un tic nervioso para el que tomaba una medicación que Liam consideraba innecesaria. Telefoneó a Beth para darle su opinión y ella amenazó con llevarse a los niños si Liam no le administraba la medicación a George, de modo que al final se la dio. Charlotte se mostró dulce y emocionada de ver a su papá; el único contratiempo fue que se cayó de la bicicleta y se torció la muñeca. Por lo demás, todo había salido bien. Un típico fin de semana con niños, aunque en este caso con niños que no habían visto a su padre desde hacía un año. Nada de lo que Liam le contó sorprendió a Sasha, en cambio algunas cosas lo asombraron a él. Liam había intentado negar las consecuencias de su ausencia. Ver a sus hijos de nuevo las había sacado a la luz.

Una noche telefoneó a Sasha y se quejó de lo difícil que era volver a entrar en sus vidas y retomar la relación donde la habían dejado. Todo había cambiado, los niños eran diferentes. Pero seguían siendo sus hijos y Sasha le aconsejaba en cuanto podía cada vez que hablaban. Liam le agradecía su apoyo. Por fin, el viernes por la noche apareció en casa de Sasha con aspecto cansado pero contento. Acababa de bajar del tren. Parecía encantado de verla. Llevaba la gorra de béisbol del revés, los vaqueros rasgados por las rodillas y no se había afeitado en toda la semana. Salvo por la barba incipiente, parecía un niño recién llegado de unos campamentos.

Sasha le preparó un baño, le hizo algo de comer y le sirvió un cuenco de helado. Luego, Liam se acostó en la cama mirándola como si fuera un ángel recién bajado del cielo.

—Ha sido duro, Sash —admitió mientras se comía el helado.

—Sabía que lo sería —contestó ella, contenta de tenerlo de vuelta.

—Yo no. Supongo que quería creer que sería como en los viejos tiempos. Pero no. Es diferente. Han cambiado. Al principio parecíamos desconocidos. Estaban todos enfadados conmigo.

Lo único sorprendente era que Liam no lo hubiera previsto. Se había negado a aceptar la situación y había confiado en que el tiempo arreglaría las cosas. Pero por lo que contaba parecía que los cuatro días en familia habían abierto las puertas a la reconciliación y a mejorar la relación con sus hijos. Habían tenido un viaje agradable y los niños eran maravillosos.

–Tienes que ir a verlos más a menudo. No es justo que no lo hagas.

Si era necesario, Sasha pagaría los billetes. Sabía que era importante. Y creía que ahora que por fin había visto a sus hijos, Liam también lo comprendía. Los niños le querían y le necesitaban. Era su padre. Incluso a pesar de que su nuevo padrastro les diera una vida mejor, seguían queriendo y necesitando a Liam, y éste por fin se había dado cuenta. Le había costado separarse de ellos después de cuatro días.

Sasha le frotó la espalda y le dio un masaje, luego hicieron el amor. Era la primera vez que hacía el amor en aquella cama. Pero ya no era la cama de Arthur y Sasha. Ahora era de Sasha y Liam. Él se durmió casi en cuanto terminaron; parecía un niño bello y grande, y Sasha, tumbada a su lado, le acarició el pelo y lo besó a la luz de la luna.

12

Cuando Liam se despertó el sábado por la mañana después de haber estado en Vermont, Sasha le propuso ir a pasar el fin de semana en Southampton. Lo había meditado durante la semana pero no se lo había mencionado porque antes quería asegurarse de que estaría preparada. Pero mientras le hacía el desayuno decidió que era una buena idea; a Liam le pareció estupendo. Lucía un día soleado y caluroso y no se le ocurría nada mejor que ir a la playa.

Salieron del piso neoyorquino poco después de las once y a la una y media ya habían llegado. Sasha estuvo tranquila todo el trayecto. Conducía Liam. Se le veía relajado mientras charlaban, sobre todo de los niños y de los días que había pasado con ellos en Vermont. Aún le preocupaba un poco su hijo mayor, Tom, porque desde la última vez que se habían visto se había convertido en un joven bastante malhumorado. En otoño ingresaría en la Universidad de Pensilvania con una beca y su padrastro le ayudaría a pagar la residencia. Tom le recordó en varias ocasiones que el prometido de su madre le había ayudado más en seis meses que Liam en toda su vida. Éste le explicó que era un artista pobre, pero a Tom no le impresionó y le acusó de ser un padre pésimo y un tío raro. También le echó en cara haberse acostado con la hermana de su madre. Liam seguía enfadado con Beth por habérselo contado.

–No me parece justo –convino Sasha, con el ceño fruncido–. Tu ex mujer no debería habérselo contado.

Aunque le pareciera una estupidez lo que había hecho, no le parecía bien dar a los niños una imagen de su padre como aquélla: la gente comete errores y luego se arrepiente. Resultaba obvio que se arrepentía. Sasha consideraba que la traición de Liam debería haber quedado entre su ex mujer y él.

–Pues no se ha callado nada.

Beth le había contado a Tom todos los pecados de su padre, la noche de adulterio y los veinte años de irresponsabilidad financiera.

–¿Cómo has visto a Beth? –inquirió Sasha.

–No la he visto. Cuando pasé a recoger a los niños no estaba. Estaban con la abuela, que no me dirigió la palabra. Cuando los dejé, Becky estaba en casa con el novio nuevo de Beth. Espero que no le tienda la misma trampa que a mí. Aunque seguro que es mucho más listo que yo. –Suspiró y la miró–. Parece majo. Y a los chicos les gusta de verdad.

Por sus palabras se adivinaba que Liam se sentía excluido. Pero al menos había ido a ver a sus hijos y había restablecido la comunicación con ellos, incluso pese a las dificultades iniciales con Tom. Le contó a Sasha que por fin la noche anterior el mayor se había serenado y se había mostrado más cariñoso. Pero primero había necesitado dar rienda suelta a toda su rabia, y a fe que lo había conseguido. Sasha seguía pensando que Beth se había equivocado al contarles el error garrafal del padre. Con independencia de las consecuencias, el incidente debería haber quedado entre los adultos. En su opinión los hijos no tenían por qué conocer los pecados de los padres y así se lo expuso a Liam.

–Creo que todavía me guarda rencor por lo que le hice. Al menos lo parece. Becky y ella siempre se han tenido celos.

Liam no le dirigió la palabra a su ex cuñada al ir a dejar a los niños y ésta no le dijo nada.

Sasha y Liam llegaron a la casa de Southampton. Era una casona victoriana blanca y laberíntica que, cuando Arthur y Sasha la compraron veinte años atrás, les recordó a Nueva Inglaterra. Se parecía a las casas que habían visto en Martha's Vineyard y Nantucket y estaba rodeada por un amplio porche. A Sasha y a Arthur siempre les había gustado sentarse en él las noches cálidas y a veces incluso en pleno invierno, bien abrigados y bebiendo chocolate caliente. Sasha intentó apartar los recuerdos de su mente mientras le abría la puerta a Liam. Ella acostumbraba a entrar por la cocina, pero esta vez decidió emplear la entrada principal, para que fuera distinto.

—Es una casa muy bonita, Sasha —comentó Liam mirando alrededor.

La habían conservado sencilla y rústica, pero se veía acogedora y cómoda. No tenía nada pretencioso. No había obras de arte importantes a la vista, sólo objetos bonitos, grandes butacones de cuero y dos sofás de lona. Entonces Liam vio el cuadro de Andrew Wyeth encima de la repisa de la chimenea. Una pintura cruda, sombría y muy bella, una de sus obras más famosas. Tenía el mismo aspecto que la playa de fuera en un día de invierno. En el suelo se distinguían pequeños montoncitos de nieve y se adivinaba que soplaba una brisa tenaz. Indudablemente se trataba de la obra de un gran maestro.

—¡Vaya! —exclamó Liam contemplándolo sobrecogido. Había admirado a ese artista toda la vida—. Vendería mi alma por un Wyeth.

Silbó y sonrió. Sasha se rió.

—Regalo de bodas de mi padre.

Había montones de cosas similares por toda la casa, recuerdos, tesoros, cosas fabricadas por los niños, muebles de estilo colonial americano que habían comprado en sus viajes por Nueva Inglaterra durante los primeros años de matrimonio o mientras Tatianna estudiaba en la universidad e iban a verla. En el salón había una mesa de refectorio preciosa que Sasha había adquirido en Francia. Adondequiera que mirase, Liam veía objetos que instintivamente reconocía como de gran valor para Sasha. La casa significaba mucho para ella, de modo que no le costó comprender qué implicaba que lo llevara allí. Significaba más que instalarse en el piso de Nueva York. Mucho más. Aquella casa era mucho más personal, más importante para Sasha.

—Creo que si yo tuviera una casa como ésta me mudaría aquí —comentó Liam con admiración mientras se acomodaba en el sofá, se quitaba la gorra de béisbol y echaba un vistazo alrededor.

—Solíamos pasar aquí los veranos cuando los niños eran pequeños. Les sigue gustando, pero ninguno de los dos viene demasiado a menudo. Creo que a todos nos entristece. La casa era la gran pasión de Arthur, como lo fue mía.

—¿Y ahora? —preguntó con ternura.

Se alegraba de conocer otra faceta más de Sasha. Tenía tantas como un diamante y brillaba con idéntica intensidad, pero ahora sus ojos estaban tristes.

—Desde la muerte de Arthur sólo había estado aquí una vez. Pero no me quedé. No pude. Sin embargo esta mañana me he dado cuenta de que quería venir aquí contigo. —Liam se sintió conmovido y halagado; se levantó, se acercó a Sasha y la rodeó con un brazo. Su amada estaba abriéndole su mundo privado; era el mayor regalo que podía recibir de ella—. Supongo que debería cambiar algunos detalles y redecorarla. Todo está un poco viejo. —Tenía peor aspecto de lo que recordaba y de repente la había visto con los ojos de Liam.

—A mí me gusta así. Dan ganas de sentarte y quedarte aquí para siempre.

Sasha sonrió. Era lo que siempre le había parecido y, en cierto sentido, todavía pensaba lo mismo. Lo único que faltaba era Arthur, aunque ahora tenía a Liam.

—¿Tienes hambre? —preguntó mientras descorría las cortinas y subía las persianas.

El sol entró al instante en la habitación y pudieron ver el océano y la playa sin moverse de donde estaban. Sasha había traído una bolsa con comida de la ciudad para preparar el almuerzo y el desayuno. Para cenar lo llevaría a algún restaurante local.

—Estoy bien. Si quieres te preparo algo.

Liam llevó la bolsa a la cocina. Era una vieja y enorme cocina de campo con una gigantesca mesa de madera maciza en el centro y encimeras gastadas. La casa se veía muy usada y querida, tal como lo había sido.

Liam preparó unos sándwiches de pavo para los dos y abrió un par de refrescos que él bebió directamente de la lata y ella se sirvió en un vaso. En cuanto terminaron de comer propuso un paseo por la playa. Todavía no habían subido al dormitorio y Liam intuía que iba a resultar difícil para Sasha. La casa estaba llena de recuerdos y habitada por un fantasma muy querido, su marido. Liam quería moverse con pies de plomo y pensó que a Sasha le sentaría bien tomar el aire.

Pasearon por la playa durante casi una hora, casi todo el tiempo cogidos de la mano, en agradable silencio. De vez en cuando Liam se detenía a recoger alguna concha; al llegar al final se sentaron en la arena, y luego se tumbaron a contemplar el cielo. Era azul brillante y el sol resplandecía. La arena estaba caliente.

—De todas tus casas, es mi favorita —anunció Liam tumbado junto a ella y abrazándola—. Me encanta este sitio. —Se notaba que era cierto—. Ojalá mis hijos lleguen a verlo algún día. Adoran la playa. —Igual que él.

—Tal vez lo vean —respondió Sasha en voz baja, luego se incorporó y le dedicó una tierna sonrisa.

Ella siempre lo veía guapísimo, particularmente en la playa, con la melena rubia suelta y mecida por la brisa. La suya estaba recogida en una trenza, como solía hacer cuando estaba en Southampton.

—¿Se puede nadar? —preguntó Liam, interesado.

—En esta época del año el agua está bastante fría. Por lo general no me atrevo a probarla hasta el Cuatro de Julio, y todavía sigue fría. En realidad no se calienta hasta agosto.

Para entonces estaría en Saint-Tropez con sus hijos. Quería que Liam pasara con ellos al menos un fin de semana y ya se lo había propuesto, pero no habían hecho planes.

—¿Tienes algún traje de neopreno?

—Creo que Xavier se ha dejado uno.

—Puede que me bañe por la tarde. ¿Vendrás conmigo? —Sasha se rió por respuesta.

—No estoy tan loca. Pareces un turista —bromeó, y después regresaron a la casa.

Liam encontró el traje de neopreno en el garaje mientras Sasha deshacía el equipaje en el piso de arriba. Bajó pálida. Cada vez que veía el dormitorio con su enorme cama con dosel se acordaba de la última vez que había visto a Arthur, la mañana que ella salió para París y él le dijo que la quería. Era una cruz privada que debía cargar sola y no quería estropearle el fin de semana a Liam ni hacerle sentirse incómodo en la cama.

Cuando Sasha bajó, Liam ya llevaba puesto el traje. Se le veía altísimo, muy rubio y se había recogido su larga cabellera color trigo en una coleta.

—Me voy al agua. ¿Vienes a verme nadar? —Liam le recordó de nuevo a cuando Xavier era pequeño e, hiciera lo que hiciera, siempre le gritaba: «¡Mira, mamá!».

—Bueno.

Lo siguió hasta la playa y se sentó mientras él se metía en el mar. Al menos con el neopreno se podía soportar. Sasha sabía que era la única manera. Liam nadó unos minutos y luego salió del mar goteando agua helada del Atlántico.

—Mierda, está helada hasta con el neopreno. —Tiritaba pero sonreía.

—Te lo advertí. —Pero Liam parecía haber disfrutado.

Regresaron caminando a casa y Sasha le acompañó arriba. Había desempaquetado las cosas de Liam y las había colgado en el armario junto a las suyas. El año anterior había cerrado con llave el ropero de Arthur. Todo seguía allí. No había hecho limpieza y no tenía idea de cuándo la haría, si es que alguna vez lograba hacerlo. Liam era sólo un invitado. Bastaba echar un vistazo a la habitación para constatarlo. Había montones de cuadros de pájaros y peces y uno más grande de un barco sobre la cama. Sasha no había llevado allí ninguna de sus piezas contemporáneas. La mayoría las tenía en París. Ésa era otra vida. Hasta Liam, que no le había conocido, captaba la presencia de Arthur.

Primero él se dio una ducha caliente y luego se sentaron los dos juntos en el porche con una copa de vino. Sasha había reservado mesa en un pequeño restaurante especializado en pescado. Llegaron a las siete, pidieron langosta y bebieron más vino. Durante la comida charlaron y Sasha estuvo muy relajada.

A la vuelta volvieron a sentarse en el porche, conversaron en voz baja a la luz de la luna y a medianoche subieron al dormitorio. Liam adivinaba que se trataba de otro de esos lugares sagrados para Sasha y esa noche no le hizo el amor. Por la mañana ella no le contó que había soñado con Arthur. Fue un sueño apacible. Arthur se alejaba de ella a pie por la playa y Sasha no intentaba atraparlo. Cuando se volvió para sonreírle y despedirse parecía feliz; después desapareció.

Le preparó a Liam un copioso desayuno compuesto de huevos revueltos, gofres y café. En la cocina tenían una plancha de gofres grande y vieja. Liam preparó el café. Pasearon por la playa, se tumbaron en el porche y Liam echó la siesta en la hamaca. A última hora de la tarde, cuando comenzaba a bajar el sol, decidieron quedarse una noche más. Lo habían pasado a pedir de boca; era justo lo que necesitaban.

Esa noche prepararon juntos la cena, durmieron plácidamente abrazados y regresaron a la ciudad el lunes por la tarde. Sasha ni siquiera se molestó en pasar por la oficina. Luego cenaron con unos amigos de Liam en el Soho.

Quedaron en un restaurante italiano. Los amigos eran cuatro pintores y dos escultores. Charlaron sobre galerías y exposiciones y sobre las obras en las que trabajaban. Eran más jóvenes que Liam; la mayoría debía de rondar los treinta años. Liam la presentó como Sasha, sin más. Durante los postres una de ellos mencionó la galería Suvery. Era una chica bastante joven que pensaba dejar unas diapositivas en la galería al día siguiente; Sasha miró a Liam y éste le contestó con una sonrisa. No contó a sus amigos quién era Sasha. De regreso, en el taxi, ella le preguntó si la chica era buena.

–Lo será. Todavía no está lista para ti.

A Sasha le había divertido el anonimato. Y todavía más que nadie cayera en la cuenta de quién era. Tenía algo que le gustaba a pesar de la ligera sensación de fraude con que les había escuchado departir abiertamente sobre su galería y las de la competencia. En más de una ocasión habían mencionado su nombre como el de una figura legendaria.

—¿Qué haces mañana? —le preguntó bostezando a Liam mientras se metía en la cama con él, echando de menos la playa.

—Iré a ver a los Yankees —repuso éste con mirada feliz.

Llevaban una buena vida. Playa, amigos, artistas y partidos de béisbol para él y trabajo para ella. A los dos les parecía mágica y fácil, y Sasha se sentía muy agradecida. Sin proponérselo, la presencia de Liam había cambiado su vida, le había aportado algo que nunca antes había tenido. Al casarse y tener hijos joven había renunciado a una parte de su juventud. E incluso antes, se había centrado en estudiar y trabajar con su padre. Sasha jamás había llevado la vida despreocupada y poco convencional que Liam todavía disfrutaba a los cuarenta, cuando aún no se ha saboreado el triunfo ni las responsabilidades y cargas que conlleva. Trabajaban con ahínco pero prácticamente a cambio de nada. Pocos de ellos estaban casados y ninguno, excepto Liam y Sasha, tenían hijos. Parecían no tener responsabilidades de ninguna clase. Liam las tenía, pero las asumían otras personas, su ex mujer y el futuro marido de ésta. A Sasha le habría gustado conocer a los hijos de Liam. Quizá algún día. Entretanto, el padre seguía pareciéndole un crío.

Sasha tuvo una semana de mucho trajín en la galería preparando la inauguración de la semana siguiente. Organizaba en persona casi todas sus exposiciones y a veces hasta colgaba ella misma los cuadros, lo cual la mantenía ocupada hasta altas horas de la noche.

Cuando llegó el viernes estaba agotada y lista para otro fin de semana en la playa. Esta vez salieron el viernes, como solían hacer con Arthur. Llegaron a la casa a las nueve, se sentaron en el porche y se acostaron temprano. En esta ocasión hicieron el amor con delicadeza. Todo salió bien. Sasha empezaba a acostumbrarse a la presencia de Liam en su mundo más privado. Significaba un gran paso para ella y aún mayor para él.

El sábado mientras paseaban por la playa le contó que la habían invitado a una fiesta y le preguntó si le apetecería acompañarla. La organizaba una famosa actriz de Hollywood. El equipo de la película acababa de descubrir los Hamptons y además unas amistades de Sasha le habían presentado a la actriz un par de años atrás. Hacía un mes que había recibido la invitación y Marcie se lo había recordado el viernes, antes de irse. Parecía divertido. Se suponía que sería un picnic en la playa con almejas y música en directo. A Liam le sorprendió que lo incluyera. Jamás lo había invitado a ninguna fiesta y sabía que tenía sus reservas al respecto.

–¿Quieres que vaya contigo?

Se sentía halagado. Sasha nunca se había ofrecido a llevarlo a ningún evento social. Ése era el primero.

–Sí –se limitó a contestar Sasha, sin más explicación.

Liam no le preguntó nada más.

La fiesta comenzaba a las siete y ellos llegaron a las ocho. La invitación especificaba que se trataba de una reunión informal, pero Sasha sabía que algunas mujeres se arreglarían bastante. Ella eligió unos pantalones blancos, un suéter de seda del mismo color y un collar de perlas y se recogió el pelo en un moño suelto. Liam se puso vaqueros, camiseta y una americana que le había regalado Sasha sin decirle para qué, además de unos mocasines que habían encontrado en el ropero del cuarto de invitados.

–Y no tienes que ponerte calcetines –bromeó con él–. Aquí es moderno no llevarlos.

–Entonces me los pondré. Detestaría empezar a ser moderno a estas alturas. –Toda la vida le había gustado nadar a contracorriente.

Al final no lo hizo y los dos encajaron perfectamente en la fiesta. No llamaban la atención y Liam le confesó entre murmullos que resultaba bastante impresionante ver allí reunidos a una estrella de cine y a todos sus amigos famosos. Al menos había doce caras que cualquiera hubiera reconocido en cualquier lugar del mundo.

—Ojalá pudiera contarlo —murmuró Liam. Pero sólo podía contárselo a Sasha.

—Siempre me impresiona conocer a este tipo de gente —confesó ella.

Se quedaron hasta cerca de la una de la madrugada, bailaron al ritmo de la orquesta que había volado desde Los Ángeles y los dos regresaron a casa cansados y contentos. Liam se había comportado como un caballero toda la noche y Sasha se había sentido muy cómoda con él. En la fiesta había varias mujeres con acompañantes más jóvenes a quienes separaban muchos más años que a Liam y Sasha. En Hollywood estaba de moda que las mujeres mayores salieran con hombres más jóvenes. Sasha se lo comentó a Liam mientras se acostaban.

—Te he dicho que detesto seguir las tendencias —contestó él, despreocupado. Lo había pasado de miedo y se enorgullecía de salir con ella por ahí—. Además, nueve años no son tantos.

—Puede que para ti no —contestó ella con una risita mientras se arrimaba a Liam y él apagaba la luz—. No creo que mis hijos piensen lo mismo. —Los días malos, ni siquiera ella lo pensaba.

—¿Cuándo conoceré a Tatianna? —preguntó Liam, ya a oscuras.

—Supongo que en la inauguración de esta semana. No siempre viene, pero esta vez me ha prometido que asistirá.

—¿Crees que le gustaré?

—Quizá. Cuesta decirlo. Tatianna no es nada predecible. Tiene opiniones muy apasionadas. O le gustas o te odia. Será mucho mejor si no está enterada de nuestra relación.

De momento no tenía la menor intención de contárselo a sus hijos. No les incumbía. Liam y ella habían sacado a su relación a dar una vuelta de prueba. Todavía no se habían decidido a comprarla. Pero de momento la cosa pintaba bien. Hasta Sasha tenía que admitirlo pese a sus dudas iniciales. De momento, iba bien.

13

Liam esperaba con ansiedad la inauguración de la semana siguiente. Le daría una idea de cómo sería la suya al cabo de seis meses. Además, le gustaba el artista que exponía. Se trataba de un tipo de Minnesota al que Sasha había descubierto durante una feria de arte en Chicago el año anterior. Su obra era potente y conmovedora. La noche antes Sasha se quedó en la galería hasta las dos de la madrugada; colgaba cuadros, retrocedía un par de pasos para contemplarlos y los movía otra vez hasta obtener el resultado deseado. Era perfeccionista con todo.

Liam le hizo compañía hasta medianoche. Sasha estaba tan concentrada y absorta que apenas le hablaba y él terminó por irse. Dormía como un tronco cuando ella llegó a casa.

Sasha pasó todo el día siguiente en la galería. Se duchó y se cambió de ropa allí mismo; estaba recibiendo a los invitados cuando Liam se presentó en la fiesta, a las seis en punto. Estaba muy guapa vestida con un traje de lino blanco que contrastaba con su pelo negro azabache, los ojos oscuros y el bronceado veraniego. Sasha tenía los ojos de un profundo marrón oscuro que a veces parecía negro. Sonrió a Liam nada más verle entrar. Le presentó al artista y a varias personas más y luego lo dejó para seguir atendiendo a los invitados. Liam vestía pantalones negros, camisa blanca, mocasines sin calcetines y tampoco llevaba americana ni corbata. Pero su indumentaria resultaba apropiada y no destacaba entre el grupo de artistas urbanos. Los artistas vestían de todos los estilos, pero los clientes llevaban traje y corbata. También había varias modelos conocidas, un fotógrafo famoso, críticos de arte, gente de museos y otros que habían acudido en busca de diversión, champán y canapés gratis. Era una típica inauguración neoyorquina, pero algo superior a la media porque la Galería Suvery era la mejor en lo suyo.

Tatianna se presentó a las ocho, cuando la gente empezaba a disgregarse pero todavía quedaba mucha repartida por las distintas salas de exposición. Iba de camino a cenar y estaba allí porque le había prometido a su madre que pasaría. Las inauguraciones de su madre no representaban para ella ninguna novedad. Lucía un simple vestido veraniego de seda color turquesa y unas sandalias plateadas de tacón de aguja, estaba despampanante. Con su halo de cabellos rubios, casi blancos, y sus enormes ojos azules no se parecía en nada a su madre. Liam vio que se detenía y hablaba con Sasha y se preguntó quién sería, luego la vio besar a su madre mientras ambas mujeres se abrazaban con cariño. Dedujo que era la hija de Sasha, pero nada en su aspecto ni en su estilo sugería ni el más remoto parentesco. Tatianna era provocativa y sensual a pesar de su aire frío y distante. Sasha era más cordial, se la veía muy animada presentando a la gente, sonriendo y charlando. La esencia de Sasha era cálida y acogedora. A Liam le pareció que el corazón de Tatianna era frío. Su madre le había contado que era tímida. Tatianna se apartó un momento de todo el mundo e inspeccionó la reunión con la mirada. Bastaba verla para darse cuenta de que estaba acostumbrada a la admiración masculina. A los veinticuatro años y con su juventud y una belleza impresionante, estaba en la flor de la vida. Su madre era mucho más modesta y, pese a su belleza no menos despampanante, parte de su encanto radicaba en que no era consciente de ella y nunca lo había sido. Sasha tenía un carisma y un encanto extraordinarios. De lejos, Liam se quedó sobrecogido por el aspecto de Tatianna. No le quitó los ojos de encima mientras la gente se acercaba a charlar con ella; Tatianna, como si lo notara, giró la cabeza y sus miradas se cruzaron. Liam tuvo la impresión, incluso desde el otro extremo de la habitación, de que no le gustaba.

Esperó un poco para ir a hablar con ella, para no levantar sospechas. No quería mostrar nerviosismo ni que pareciera que la acosaba. Casi chocó con ella al pasar por su lado para servirse un canapé de una bandeja. Tatianna permanecía de pie con actitud distante rodeada por tres jóvenes mientras bebía una copa de champán a sorbitos. Liam decidió sumarse al grupo.

–Hola –saludó con simpatía–. Soy Liam Allison. Está bien la exposición ¿verdad?

Tatianna lo miró como si hubiera dicho alguna inconveniencia. Todo su lenguaje corporal le advertía que no penetrara en su espacio. Sasha era una persona mucho más atenta; recibía a la gente con los brazos abiertos. Era una madraza.

–Sí –contestó ella con indiferencia–. ¿Eres artista?

Tenía aspecto de serlo, como casi todos los allí reunidos, y Tatianna había conocido a muchos a lo largo de su vida. No se impresionaba fácilmente.

–Sí. Expondré aquí en diciembre.

–¿Qué clase de obra?

Liam le explicó sus teorías con la sospecha, tal vez acertada, de que ella no estaba escuchando una sola palabra. Tatianna ya había oído todo eso antes. Parecía carecer de la inocencia, la vitalidad y la ilusión por la vida de su madre. Liam prefería con mucho a Sasha. Con independencia de la relación que mantenían, Liam jamás habría perseguido a semejante chica. Era demasiado fría y distante para él. Y él era demasiado viejo y bohemio para ella. Los hombres con los que salía eran pijos tradicionales que trabajaban casi todos en Wall Street. Consideraba a los hombres del ambiente artístico, incluso a los que le presentaba su madre, unos memos egocéntricos. De modo que supuso lo mismo de Liam. Bastó que cruzaran unas pocas palabras para que los dos sintieran una aversión mutua e instantánea. Pero por Sasha, Liam intentó aliviar la tensión mencionándole que conocía a su hermano. Ella asintió, sin que al parecer le importara en absoluto. Entonces cayó en la cuenta de que el nombre de Liam le sonaba, pero Xavier siempre había tenido amigos muy maleducados y medio locos. No como los suyos.

A los pocos minutos, Sasha se unió a la pareja. Los había visto de lejos y estaba preocupada. Tatianna parecía enfadada, mala señal. Liam parecía sentir curiosidad por su hija y tenía miedo de que se delatara si Tatianna le hacía demasiadas preguntas o se mostraba demasiado amistoso. Aunque no parecía sospechar nada. Sencillamente no le apetecía conocerlo y no había ninguna razón que la obligara a ello.

–¿Os habéis presentado? –preguntó Sasha como por casualidad mientras rodeaba a su hija con un brazo y se mantenía apartada de Liam aparentando ser sólo marchante y madre, y desde luego, no su mujer.

–Sí, nos hemos presentado –contestó Liam con una calurosa sonrisa que Sasha devolvió con la mirada.

–Liam es uno de nuestros artistas y un amigo de Londres de Xavier. Por eso le conocí. Tu hermano lo descubrió. Expone con nosotros en diciembre. ¿Qué planes tienes esta noche? –le preguntó a su hija.

No podía negarse que estaba guapísima, pero Sasha detestaba que se adivinara su cuerpo bajo el vestido como era el caso esa noche. De todos modos no era distinta de otras jóvenes de la fiesta. Por lo visto a su edad todas vestían igual. A Sasha la ponía de los nervios, pero no dijo nada. Su hija era mayorcita para vestir y hacer lo que quisiera.

–Ceno con unos amigos en el Pastis –respondió Tatianna con vaguedad al tiempo que consultaba el reloj.

Tenía incrustado un pequeño diamante que su padre le había regalado en sus últimas navidades.

–Has sido muy amable al venir, tesoro –le agradeció Sasha con una amplia sonrisa.

Sabía que Tatianna sólo pisaba el Upper East Side por trabajo. Como la mayoría de la gente de su edad hacía vida social por el centro.

–Te dije que vendría.

Tatianna le sonrió. Saltaba a la vista que, pese a las diferencias, se llevaban muy bien. Tatianna profesaba un gran respeto a su madre aunque no le gustara conocer a los artistas que representaba. Le impresionaba lo que ésta hacía y se enorgullecía de cómo había expandido el imperio levantado por su abuelo. Tatianna todavía le recordaba. Cuando vivían en París le daba miedo. A Xavier le gustaba más.

—Nosotros cenaremos en La Goulue —comentó Sasha de pasada.

Era uno de sus lugares favoritos, de modo que Tatianna no se sorprendió. Quedaba cerca de la galería, la comida era buena y estaba lleno de vida y gente moderna. Sasha ya había llevado a Liam, a quien le había gustado mucho.

Tatianna se marchó al cabo de unos minutos y, acto seguido, Sasha se acercó a hablar con Liam.

—Y bien, ¿habéis congeniado?

Parecía un poco preocupada. Los había visto persiguiéndose en círculo hasta que la chica se había ido.

—Es guapa —contestó Liam. Nadie podría negarlo—. Aunque asusta un poco. Dudo que le haya caído bien.

—No te desanimes. Es su estilo. Los hombres se le acercan constantemente y se pasea por la vida con armadura.

Y enseñando los colmillos, pensó Liam, pero jamás se lo habría dicho a su madre. Sentía una aversión visceral por Tatianna. Le parecía una niña malcriada. Xavier era muy distinto. Pero ni siquiera la amistad con su hermano la había impresionado lo más mínimo. Liam estaba convencido de que nada lo habría conseguido.

Después de esa conversación salieron a cenar. Sasha había invitado a varias personas con las que pensaba que Liam lo pasaría bien, además de al artista que exponía. En total eran catorce. Les prepararon una mesa larga en La Goulue, donde los colmaron de atenciones. Sasha vigilaba a todos como una madre y cuidaba de que se atendiera hasta el último detalle y todo el mundo se divirtiera. Su estilo afectuoso definía lo que a Liam le gustaba de ella: se mostraba cordial, maternal y atenta con todos. A las chicas como su hija sólo les interesaba su propia persona. Sasha se esforzaba para que Liam se sintiera importante, cómodo y bienvenido, y él la quería por eso. Era lo que más necesitaba de ella.

Nada en el comportamiento de Sasha de esa noche indicó a nadie que hubiera algo entre los dos. A Sasha no se le escapó nada, ni una mirada ni un roce ni una palabra. Dejó muy claro que Liam le importaba como artista y nada más, y que ella ejercía de atenta marchante. Fue exactamente igual de amable con los demás que con él. Liam la felicitó por ello de regreso al piso, donde ya se sentía como en casa. Tatianna se habría enfurecido de haberle visto despatarrado en la butaca preferida de su padre fumándose un puro. Pero por fortuna, no podía verlo. Para Tatianna todo lo que había pertenecido a su padre era sagrado, incluida su madre. Había manifestado con frecuencia que se alegraba de que su madre no saliera con otros hombres y que esperaba que jamás lo hiciera. Su hermano era mucho más realista. Lo único que deseaba era que ella fuera feliz, a cualquier precio.

–Eres increíble, Sasha –le dijo Liam, sonriéndole desde detrás del humo del puro. Le dejaba incluso fumar en el dormitorio y decía que le gustaba el olor, lo cual era cierto. Arthur también era aficionado a los buenos habanos–. La inauguración ha sido magnífica. Has conseguido que todos nos sintiéramos importantes, hasta yo. Hotchkiss lo ha pasado en grande. –Hotchkiss era el artista protagonista de la exposición–. El hombre estaba en el séptimo cielo. No ha parado de repetirme la suerte que tengo de que seas mi representante y eso que no sabe ni la mitad. –Liam se rió, Sasha también.

–Me alegro de que lo hayas pasado bien –dijo con sincero agrado.

Era una marchante práctica, sobre todo con él. Pero solía comprometerse mucho, tanto con los artistas como con los clientes. Le encantaba lo que hacía y se le daba muy bien.

–Cualquiera lo habría pasado bien –le aseguró, admirándola mientras se ponía el camisón. Sasha se sentía cómoda con él, como si llevaran años de convivencia–. Tatianna da miedo –confesó y apagó el puro. Sasha se metió en cama y le miró.

–No seas tonto. Es sólo una cría. Ella es así: muy fría. Estaba muy unida a su padre y se comporta de un modo muy posesivo conmigo. Ya te dije que lo ve todo o blanco o negro. Pero parece peor de lo que es. Debe de haberte tomado por otro artista salido que se moría por sus huesos. Ojalá no se pusiera esos vestidos. No me extraña que los hombres la persigan.

–La verdad es que impresiona –concedió Liam, pero no la veía con la misma despreocupación que su madre. Estaba claro que Sasha la conocía mejor–. No se parece en nada a Xavier. Él podría hablar con un mendigo y hacer que se sintiera como un rey. Con Tatianna me he sentido como el polvo que pisa al caminar. –Exageraba un poco, pero no demasiado, y Sasha lo lamentó.

–Está un poco mimada porque recibe muchas atenciones. Hoy estaba muy guapa.

–Es guapa.

Pero su estilo gélido eliminaba cualquier posible interés por parte de Liam. Sasha era una tea luminosa encendida para él. Tatianna era un iceberg, o al menos a él se lo parecía.

–Se parece mucho a mi padre. Mi padre también daba miedo, aunque creo que te habría gustado.

De igual modo sabía que su padre jamás se habría interesado por la obra de Liam. Jamás había prestado atención a los artistas noveles, ni al principio ni al final, aunque apreciaba los beneficios que la pasión de Sasha les había reportado. Pero nunca había entendido ni valorado esas obras.

–¿Qué vamos a hacer mañana? –preguntó Liam al acostarse.

Su mirada y su cuerpo insinuaban ciertos propósitos a los que Sasha no se oponía. Habían hecho suya la cama.

–He pensado que podríamos ir a los Hamptons –propuso Sasha al tiempo que él la cogía entre sus brazos.

–Me parece bien. –La besó en la oscuridad.

—A mí también —susurró ella devolviéndole el beso antes de olvidarse de todo lo que no fuera Liam.

Al día siguiente, Sasha fue a la galería, leyó satisfecha las críticas de la inauguración y después de cenar salieron para Southampton. Pararon a comprar comida por el camino y llegaron a las diez. Se sentaron en el porche y charlaron un rato de nada en particular mientras Liam comía helado. Se acostaron temprano, hicieron de nuevo el amor y a la mañana siguiente salieron a pasear por la playa nada más levantarse. Empezaban a acostumbrarse a una vida fácil y cómoda. Por la tarde, sentados en la playa, Liam le habló de trasladar el estudio a París, en otoño, quizá. Sería más sencillo que viajar desde Londres cada fin de semana, lo que resultaba demasiado caro y cansado. Y quería estar cerca de ella entre semana.

Ambos sabían que antes o después la gente descubriría su relación. Bernard ya lo había adivinado. Pero Liam no estaba intentando imponerse en la vida de Sasha. Aceptaba que llevaban estilos de vida diferentes, pero le gustaba lo que habían compartido hasta la fecha. Tenía claro que la relación era posible, para ambos. A él le parecía fantástica y poco a poco Sasha empezaba a convencerse de lo mismo. Pese a los temores del principio, no era imposible.

Esa noche fueron a Southampton a ver una película y después se arroparon juntos en la cama. Estaban riendo y charlando bajo las sábanas cuando oyeron un ruido abajo; creyeron que se había colado un intruso.

—¿Puedes hacer saltar la alarma desde aquí? —le susurró Liam.

Sasha negó con la cabeza.

—Hay un botón en alguna parte, pero ahora no sé dónde —le respondió en un murmullo.

Volvieron a oír a alguien moviéndose por la casa; después oyeron unos pasos que subían la escalera. Liam inspeccionó el dormitorio iluminado por la luna, agarró un atizador de la chimenea y abrió la puerta de la habitación de golpe justo cuando los pasos sonaban del otro lado. Al tiempo que abría la puerta encendió la luz y se plantó en el umbral del dormitorio desnudo de arriba abajo y con el atizador en la mano. A menos de un palmo se encontró a Tatianna mirándolo con expresión estupefacta. Detrás de ella, en el rellano, había un joven. Al ver a Liam, Tatianna soltó un grito, igual que éste. La escena rozaba lo grotesco. El joven dio un paso en dirección a Liam al tiempo que Sasha saltaba de la cama y corría junto a su amante. También estaba desnuda y se quedó de piedra al ver a su hija. Tatianna no le había avisado de que iría a la casa el fin de semana. Creía que su madre ya no ponía los pies en Southampton. Sasha no había mencionado sus visitas recientes y no quería explicar la presencia de Liam en su vida.

–Dios mío, mamá, ¿qué haces aquí? –Tatianna rompió a llorar y el joven que la acompañaba se alejó discretamente escaleras abajo. Había entendido inmediatamente lo ocurrido y había decidido desaparecer de escena, una decisión sabia–. ¿Estás loca? –Y se volvió hacia Liam entre sollozos–: ¿Qué coño estás haciendo en la cama de mi padre? ¿En qué pensabais los dos? ¿Es que no tienes ningún respeto por mi padre? –le gritó a su madre–. ¿Cómo te has atrevido a traerlo aquí? ¿Cómo has podido? ¿Es esto a lo que te dedicas en París? ¿A ir por ahí tirándote a artistas jóvenes?

Sin pensarlo, por primera vez en la vida y temblando de pies a cabeza, Sasha abofeteó a su hija y Tatianna le devolvió el bofetón mientras Liam soltaba el atizador con un gemido. También él tiritaba, así que corrió al dormitorio a ponerse algo encima. Lo único que encontró en mitad del caos fueron los calzoncillos, que aunque no significaban un gran avance al menos impedirían que siguiera con las vergüenzas al aire. No había tenido tiempo de vestirse cuando creyó estar protegiendo a Sasha de un ladrón. Habría preferido enfrentarse a un hombre armado que a Tatianna.

–Por favor, un poco de calma… Las dos… –suplicó en vano a las dos mujeres llorosas. Tatianna seguía chillándole a su madre en un estado próximo a la histeria–. ¡Basta! Vamos abajo a hablar –propuso en el tono más sereno que pudo.

Ninguna de las dos le escuchó y Tatianna volvió a tomarla con él.

–¡Fuera de la casa de mis padres, hijo de puta! ¡Aquí no pintas nada!

Al ver la cara de ira de la joven, Liam enmudeció. Nunca había pasado por una situación parecida. Gracias a Dios Beth no lo había pillado con Becky, porque habría sido mucho peor, aunque Liam no alcanzaba a imaginar nada peor que lo que le estaba ocurriendo: ser atacado por la hija enfurecida de Sasha y ver la mirada de horror de ésta. Era espantoso.

–No le hables así –gritó Sasha a su hija–. Es mi invitado.

–No es tu invitado. Es tu amante. Me dais asco. –Escupió las palabras a su madre, dio media vuelta y corrió escaleras abajo; a los pocos segundos se oyó un portazo y el motor del coche alejándose.

Si Tatianna había ido a casa pensando en un fin de semana romántico se había encontrado con algo bien distinto, igual que Liam y Sasha. Ésta se sentó en la escalera, se tapó la cara con las manos y lloró mientras Liam intentaba consolarla. No era el modo en que quería que Tatianna se enterara de su relación. Estaba destrozada; lloró durante horas.

–Nunca volverá a respetarme, Liam. Piensa que he deshonrado la memoria de su padre y supongo que tiene razón –dijo, completamente deprimida y muy afectada–. Me ha llamado puta y guarra. Dios mío… Esto no puede haber pasado.

Tampoco Liam podía creer lo ocurrido pero, salvo consolarla e intentar ayudarla, poco más podía hacer. En su opinión, Tatianna se había comportado como un monstruo, por muy sorprendida o alterada que pudiera estar. Le había dicho a su madre cosas que nunca podrían olvidar ni retirar, ni siquiera en el supuesto de que Sasha decidiera perdonarla, cosa que, conociéndola, sin duda haría.

–No es asunto suyo –le dijo a Sasha con firmeza en cuanto consiguió devolverla a la cama, al cabo de varias horas. No estaba seguro de si debía estar en aquella cama con ella, pero Sasha le necesitaba y por tanto decidió quedarse–. No has hecho nada malo. Eres una mujer adulta, tu marido murió hace casi dos años. Tienes derecho a vivir. Estabas en la intimidad de tu hogar con un hombre que te ama. No tienes nada de que disculparte –insistió, y la besó con ternura–. Tatianna te debe una disculpa, Sasha. Te ha dicho cosas inexcusables.

Incluso aunque Sasha la perdonara, él no tenía ninguna intención de hacerlo. Le había llamado pedazo de mierda y gigoló de tres al cuarto, lo cual le había dolido en lo más hondo. También a él le habría gustado abofetearla pero, claro, se había contenido. Al menos por Sasha. No tenía sentido añadir más leña a un fuego que ya ardía descontrolado. Pero ambos se resentían del ataque verbal de Tatianna, de su indignación al descubrir a su madre con Liam en el que había sido el lecho conyugal de sus padres.

–También es su casa –musitó Sasha con tristeza–. Tenía todo el derecho a estar aquí. Pero yo no quería que se enterara tan pronto de lo nuestro, y menos de esta manera.

Se sentía como una prostituta descubierta en mitad de un servicio. Su hija había hecho que se sintiera despreciable. Al final los dos se durmieron al alba, después de hablar durante horas. Sasha se quedó dormida entre llantos en los brazos de Liam; se despertaron al oír el teléfono, a las nueve y media. Era Xavier, que llamaba desde Londres. Su hermana lo había telefoneado la noche anterior para ponerlo al día. La versión de Tatianna no era agradable. Según ella, Liam andaba paseándose desnudo por la casa cuando ella entró y dedujo que se había tirado a su madre. Al principio, Xavier se había quedado de piedra, en particular por la escena que su hermana le había descrito. Pero una vez calmado y tras meditar varias horas lo ocurrido, no se oponía frontalmente a la relación. De hecho, no se oponía en absoluto. Liam le caía bien. Simplemente lamentaba que la relación hubiera salido a la luz de aquella manera. En Londres eran las dos y media de la tarde cuando telefoneó a su madre. Sasha se echó a llorar en cuanto reconoció la voz de su hijo al teléfono. La devoraban los remordimientos.

–Cariño, lo siento mucho... No podía... Pensé que... No es lo que Tati se piensa... Dios... ¿Qué voy a hacer?

Estaba convencida de que la relación con su hija había terminado para siempre y nunca en la vida había sentido tanta vergüenza. Ningún romance compensaba destrozar una familia. Amaba a Liam, o creía que lo amaba, pero sus hijos iban primero. Le aterrorizaba que Xavier también se enfadara.

–Primero, tienes que calmarte –dijo éste, todo sensatez.

Le había respondido lo mismo a Tatianna cuando le telefoneó a las seis de la mañana hora de Londres gritando y chillando como una histérica y diciendo que su madre era una puta. Xavier la había mandado callar y Tatianna había obedecido. Después hablaron durante horas. Xavier le aseguró que Liam era un buen tipo, era amigo suyo y él mismo los había presentado, aunque no imaginaba que pudiera ocurrir algo así. De hecho, ni se le había pasado por la cabeza. Pero creía que su madre tenía derecho a ser feliz con quien eligiera. A ellos no les incumbía. Tal como le hizo notar a Tatianna, dado que nadie parecía estar al corriente, resultaba obvio que su madre lo había llevado con suma discreción. Ni siquiera él lo había adivinado viéndolos juntos. Y, desde luego, Sasha no era ninguna puta. Era una mujer sola con un amante algunos años más joven que ella, cosa que tampoco era asunto de ellos.

«¿Cómo ha podido hacerlo en la cama de papá? ¡Qué asco!», había aullado Tatianna.

Adoraba a su padre y todavía no había asumido su pérdida. Ahora, para agudizar aún más su dolor, alguien había reemplazado a su padre y dormía en su cama.

–Tati, la cama también es de mamá. ¿Adónde querías que fuese? Suerte tenemos de que nos deja usar su casa. No tiene ninguna obligación. Papá se la dejó a ella.

–Podría ir a un hotel.

–Qué sórdido. Está en su derecho, Tat. Además, te prometo que él es un tío muy majo. Le conozco bien.

–Seguro. Es un artista muerto de hambre que va detrás de su dinero. De nuestro dinero –le recordó a su hermano esperando enfrentarlo a su amigo. No funcionó. Xavier conocía bien a Liam.

—No lo creo —repuso, pensativo—. La verdad que no. Creo que mamá le gusta. —Al menos eso esperaba.

Era lo que él quería comprobar cuando telefoneó a su madre.

—¿Va en serio, mamá? —le preguntó con sinceridad.

Sasha dudó. No sabía qué decir ni cómo calificar la relación. Se querían, pero el resto aún no lo sabían. Era lo que estaban intentando descubrir.

—No lo sé —contestó a su hijo con idéntica sinceridad.

Siempre era sincera con sus hijos. No les había mentido sobre Liam. Sencillamente no les había contado nada. Había cometido pecado de omisión, no de acto, aunque sabía que eso era hilar demasiado fino.

—¿Desde cuándo estáis juntos? —quiso saber entonces Xavier con la esperanza de que no se tratara de un rollo de una noche o de un impulso irresistible, lo que le convertiría en un mentiroso a ojos de Tatianna puesto que le había asegurado a su hermana que su madre no hacía las cosas a la ligera y probablemente se trataba de una relación importante.

Esa opinión había hecho llorar todavía más a Tatianna. No quería que su madre se casara con un artista ridículo y joven. Qué embarazoso. No podría soportarlo. Por muy infantil que fuera, quería que su madre llorara a su padre para siempre.

—Desde hace seis meses. Con interrupciones, desde enero —contestó, triste.

Liam estaba escuchando tumbado en la cama a su lado y decidió dejarla hablar a solas con su hijo. Se levantó y bajó a preparar café.

—¿Piensas casarte?

—Por Dios… Yo qué sé… No dejo de repetirle que lo nuestro es imposible. Creo que Tatianna lo demostró anoche. Y no estoy dispuesta a hacer nada que me separe de vosotros. Liam y yo no sabemos adónde nos lleva todo esto. Si es que va a alguna parte. Podría ser que no.

–No te separará de nosotros, mamá. Nada podría separarnos. Te queremos. Tatianna lo superará. Ha sido la sorpresa. Queremos que seas feliz –hablaba en nombre de los dos pero Sasha sabía que no era así. Al menos por el momento.

Entonces gimió al recordar la escena de la noche pasada, con Liam y ella desnudos y todo el mundo gritándose. Tatianna se la había descrito a su hermano con bastante precisión.

–Fue bastante desagradable. Creíamos que habían entrado a robar. Liam salió al pasillo con un atizador y sin ropa.

–Eso me ha dicho –convino Xavier con generosidad. Era dos años mayor que su hermana y eso se notaba. Además era amigo de Liam; para él no era un desconocido. Al principio, la aventura de su madre también le había sorprendido, pero al menos sabía que Liam era buena persona. Su hermana no sabía nada de él–. Ha sido una suerte que no atizara a Tatianna a oscuras.

–Encendió la luz. Así que cuando Tatianna nos vio fue todavía peor.

Esta vez Xavier se rió.

–Bueno, mamá, os han descubierto. Pero si tú eres feliz, lo demás no importa. Ya hablaré con Tatianna. Le diré que se tome un Valium y se meta en la cama.

–¿Toma Valium? –Sasha se llevó una gran sorpresa. Que ella supiera sus hijos no se drogaban.

–No. Pero seguro que conoce a alguien que lo toma. Anoche me pareció que le iría bien. Cuando me llamó estaba muy trastornada. –Y, como se había tomado un trago fuerte, algo borracha. Tatianna estaba fatal, así que su hermano le aconsejó que se acostara un rato y lo llamara más tarde–. ¿Puedo hablar con Liam?

Sasha fue a buscarlo a la cocina. Liam le pasó una taza de café y ella a él el teléfono. Xavier se rió al oír la voz familiar de Liam.

–¿Así que ahora tendré que llamarte papá?

–Es mucho mejor que lo que me ha llamado tu hermana. Lo siento, tío. De verdad. No quería provocar este lío. No le haría algo así a tu madre por nada del mundo, ni tampoco a ti.

228

–No te preocupes. Son cosas que pasan. –A continuación Xavier adoptó su papel de cabeza de familia en defensa de los intereses de su madre–. ¿La quieres? –preguntó con solemnidad.

Xavier confiaba en que así fuera porque Liam era buen tipo y quería creer que se estaba comportando de manera honorable y no movido por un simple capricho. No quería que se aprovecharan de su madre, y menos un amigo.

–Sí, la quiero –contestó Liam alto y claro, mirando a Sasha, que se había derrumbado sobre una silla junto a la mesa de la cocina y tenía muy mal aspecto.

Se sentía humillada.

–¿Es demasiado pronto para preguntarte por tus intenciones?

–Probablemente. Todavía estamos en ello. Es un poco pronto. Me ha costado mucho convencer a tu madre de que esto era buena idea. No creo que lo de anoche ayude mucho. Ni siquiera he tenido tiempo de divorciarme. Si alguna vez llegáramos a ese punto ¿darías tu bendición?

Xavier lo pensó un largo momento. También para él todo venía de nuevo.

–Supongo. Si pensáis que podéis ser felices… No es lo que esperaba pero la vida da tantas vueltas… Tal vez podría funcionar. Dejaré que lo descubráis. Mientras, me ocuparé de mi hermana.

–Te lo agradezco muchísimo –dijo Liam con voz trémula.

Lo que apreciaba era la bendición de su amigo más que la ayuda con la hermana airada, aunque también era de agradecer, y para Sasha, que seguía consternada, significaría mucho. Liam le devolvió el teléfono y salió al porche para contemplar la playa. El día estaba nublado y a Liam le pareció muy adecuado.

Xavier intentó tranquilizar a su madre. Ésta seguía llorando y le daba pena. No era difícil adivinar lo mal que lo había pasado.

–Mamá, intenta tranquilizarte. Yo hablaré con Tat. Trata de pasar el fin de semana. Tat lo superará. Igual que tú. Es un buen tipo. Dice que te quiere. Es todo lo que necesitas saber.

–Yo también le quiero –dijo Sasha, sorbiéndose la nariz–, pero no estoy dispuesta a perder a mis hijos por él.

–Y no los perderás. Tat gritará y pataleará una temporada. Se comportará como una diva. Es así. Pero tienes derecho a hacer lo que quieras. Cuenta conmigo. Y si sigues adelante y la cosa funciona, Tat también te apoyará. Si no funciona, quedará como una experiencia más y algún día todos nos reiremos al recordarla.

Pero por el momento nadie reía. Xavier estaba demostrando una madurez y una generosidad extraordinarias, muy superiores a las de su hermana.

Sasha le dio mil veces las gracias, charlaron unos minutos más y luego Xavier colgó y su madre salió al porche en busca de Liam. Estaba sentado mirando el mar y pensando. Se volvió cuando ella se sentó a su lado en la mecedora.

–Lo siento, Sasha. No quería provocar semejante follón. –Parecía lamentar de corazón lo ocurrido.

–Tú no has hecho nada. Ha pasado y punto. Antes o después tenían que enterarse.

Otros se enterarían también. Sólo que, evidentemente, no había salido a la luz del modo que a Sasha le habría gustado. Ni a Liam.

Pasaron el resto del fin de semana en paz y regresaron a la ciudad el domingo por la noche. Sasha intentó llamar al móvil de Tatianna varias veces, pero siempre saltaba el buzón de voz. En el piso saltaba el contestador. Sasha le dejó varios mensajes cariñosos. Liam detestaba oír cómo se arrastraba de aquel modo pero sabía lo mucho que Sasha quería a su hija. En opinión de Liam lo que Tatianna necesitaba era una buena azotaina, pero no le dijo nada a su madre. No era asunto suyo.

Xavier también le dejó varios mensajes a su hermana y al final Tatianna le devolvió la llamada. Pero se mostró intransigente cuando Xavier intentó razonar con ella y se enfadó con él por apoyar a Liam.

–Estás loco ¿o qué? Por amor de Dios, si tiene veinte años menos que ella. ¿Mamá ha perdido la cabeza?

–No está loca, Tat. Está sola. Y Liam sólo tiene ocho o nueve años menos que ella –repuso el hermano en voz queda, tratando en vano de razonar con ella.

–Parece un crío.

–En cierto sentido lo es. Actúa como un crío, pero no lo es. Es un adulto. Dice que la quiere. Y yo creo que mamá le quiere también. Nos guste o no, mamá tiene derecho a estar con quien desee. Y mejor él que algún imbécil estirado al que detestáramos de verdad o alguien que anduviera detrás del dinero.

–Como alguien lo descubra o salga por ahí con él va a hacer el ridículo, igual que nosotros.

–Yo he hecho cosas peores, créeme. Y tú también.

Conocía todos los secretos de su hermana y Tatianna también ocultaba historias que no le habría gustado ver salir a la luz. Y desde luego Sasha no llevaba la relación con Liam en público. Al contrario, la mantenía en secreto escondiéndola en los Hamptons. Pero aunque la gente la descubriera, Liam no tenía nada de lo que avergonzarse.

–¡Es nuestra madre! –bramó Tatianna.

No cedía una décima. Y cuando Tatianna se plantaba, no la movía nadie. Al menos por una temporada.

–Exacto. Dale un respiro, Tat. Compórtate. Lo necesita. Lo ha pasado fatal desde que murió papá. Quiero que sea feliz.

–No con él.

Tatianna les había declarado la guerra a los dos y no quería cambiar la situación. Pretendía que Liam desapareciera de la vida de su madre costara lo que costase. Estaba decidida a salvar a su madre de sí misma aunque sólo fuera por la memoria de su padre.

Discutieron la cuestión durante casi una hora y Tatianna no cedió. Advirtió a su hermano que no descansaría hasta que Liam saliera de su vida. Lo dijo de tal modo que Xavier le creyó. A él le parecía una lástima. Lo único que podía hacer era confiar en que Liam fuera más resistente y tenaz que su hermana. Cuando a Tatianna se le metía algo en la cabeza no paraba hasta conseguirlo. Y ése sería el caso.

14

Sasha parecía terriblemente deprimida cuando llegó a la galería el lunes.

Karen, la encargada, lo notó enseguida y Marcie, al ir a entregarle más críticas de la inauguración de la semana anterior, le preguntó con delicadeza si todo iba bien.

—¿Estás bien? —le preguntó, solícita, mientras Sasha la miraba con lágrimas en los ojos.

Tatianna no había devuelto una sola llamada y esa mañana tampoco había ido a trabajar. No quería acosarla, pero su hija no cogía el teléfono.

—He tenido un problema con Tatianna este fin de semana —le explicó a su ayudante sin dar más detalles.

No hubiese sabido por dónde empezar a relatar la escena de Liam desnudo en la puerta del dormitorio con un atizador mientras Tatianna los insultaba a gritos. Sólo de pensarlo se encogía y se echaba a llorar. Había sido demasiado horrible.

—¿Está bien?

Aunque nunca había tenido hijos ni se había casado, Marcie era toda una madraza, justo una de las cualidades que Sasha apreciaba de ella. No sólo era buena en lo que hacía, sino cariñosa, amable y maravillosa.

—No lo sé. No quiere hablar conmigo. Tuvimos una pelea terrible. Peor de lo que sabría explicarte.

Marcie sabía que las peleas con su madre no habían sido pocas cuando Tatianna era más joven, pero en los últimos años se llevaban mejor. Hasta entonces.

—Se le pasará —la tranquilizó Marcie.

La cuestión ahora era si Sasha lo superaría.

–No estoy segura. –Sasha se sonó y se secó los ojos con uno de sus pañuelos de encaje. Había heredado la costumbre de su madre de llevar siempre un pañuelo encima. Era uno de los recuerdos más bonitos que guardaba de ella. Sasha siempre llevaba un pañuelo en el bolso–. Fue horrible –reiteró mientras Marcie chasqueaba la lengua y al poco regresaba con una taza de té, un vaso de agua y algunas galletas. Sasha la miró con una sonrisa–. Gracias, Marcie. –La ayudante titubeó antes de marcharse y ofrecerle su ayuda a Sasha. No quería parecer indiscreta–. Ojalá pudieras ayudarme, pero no puedes –contestó Sasha y lloró con más fuerza.

Marcie no pudo soportarlo más y abrazó a su jefa y amiga.

–Sea lo que sea, pasará, te lo prometo –le aseguró, al borde de las lágrimas.

–No, no pasará. –Sasha se sonó de nuevo mientras las lágrimas continuaban cayendo por sus mejillas–. Es Liam –confesó por fin ante la mirada perpleja de Marcie.

–¿Liam? –¿Qué tenía que ver él en todo eso? Marcie no lograba imaginarlo–. ¿Tatianna le conoce? –¿Cómo se había metido Liam en medio? No entendía nada de nada.

–Más de lo que le gustaría. Liam estaba conmigo en Southampton.

Marcie seguía sin entender nada, pero miró a Sasha con comprensión mientras ésta intentaba explicárselo lo mejor que podía.

–¿Y se pelearon?

–Tatianna le llamó, bueno nos llamó a los dos lo que no está escrito: puta, guarra, gigoló, cabrón. Eso, para empezar.

–¡Dios mío! ¿Qué pasó?

Marcie no salía de su asombro.

Sasha la miró fijamente, sin prisas. Confiaba en ella. La conocía desde hacía años y la quería. No había querido compartir con nadie su secreto, pero ahora necesitaba sacarlo fuera.

–Nos pilló juntos en Southampton. No tenía ni idea de que Tatianna iría a la casa de la playa. Estábamos en la cama cuando llegó. Creímos que habían entrado a robar. Liam salió del dormitorio como Dios lo trajo al mundo y armado con un atizador y casi le da en toda la cabeza. Después, estalló la tormenta.

—¿Liam? ¿Qué hacía Liam en tu dormitorio?

Marcie era la inocencia personificada y Sasha se rió pese a las lágrimas.

—Por amor de Dios, Marcie, ¿tú qué crees que estaba haciendo en mi dormitorio? Te aseguro que Tatianna lo adivinó enseguida. Sobre todo porque lo vio desnudo y ella venía acompañada de un ligue con el que obviamente planeaba hacer lo mismo que estábamos haciendo nosotros y que llevamos seis meses haciendo con alguna que otra interrupción. Hemos dejado de vernos un par de veces. Seguro que esto no nos ayudará.

—¿Liam y tú? —Parecía que Sasha la hubiera golpeado en la cabeza con el atizador—. ¿Liam y tú?

—¿Tan mal te parece?

Sasha estaba desesperada. Acababa de pasar los tres días más humillantes de su vida. Y ahora Marcie parecía tan afectada que Sasha se arrepentía de habérselo contado.

—¿Mal? ¿Bromeas? Ya me gustaría a mí agenciarme a un hombre como ése, no lo soltaría. Es guapísimo, encantador y tiene talento. ¿Qué más quieres? ¿Qué es lo que quiere Tatianna? Quizá esté celosa.

—No está celosa. Le odia. No le gustan los artistas, ha conocido a demasiados a lo largo de los años y cree que son todos raros. La mayoría de las veces acierta. A menudo también Liam es raro. Pero estoy enamorada de él y él de mí. Ahora Tatianna querría matarlo y es probable que no vuelva a dirigirme la palabra nunca más.

—Pues claro que te hablará. ¿Cómo no me he dado cuenta de nada? —se preguntó Marcie, sintiéndose una tonta—. ¿Es que estoy sorda y ciega?

—Hemos intentado mantenerlo en secreto hasta ver qué ocurría. La verdad es que desde abril nos ha ido bastante bien, pero han pasado tres meses.

–¿De qué tienes miedo? –preguntó Marcie con delicadeza. Sasha había compartido con ella cuestiones personales en otras ocasiones y Marcie siempre la había aconsejado sabiamente.

–¿Estás de broma? Es un crío. Parezco su madre y no quiero ser madre de nadie más que de mis hijos.

–En primer lugar no pareces su madre, ni siquiera pareces lo bastante mayor para ser madre de Xavier y Tatianna, y en segundo lugar todos los hombres son como críos y todas las mujeres del mundo terminamos haciéndoles de madre. Si no lo haces, salen corriendo detrás de otra dispuesta a ejercer de mamá.

–O de otra cría. No quiero enamorarme de un hombre que dentro de una década se escapará con una de veinte años.

–¿Liam es de ésos? –Marcie parecía preocupada.

–¿Quién sabe? Yo creo que no. Estuvo casado veinte años antes de cargarse su matrimonio por una estupidez. Pero también es un irresponsable de narices… Como diría él, es un artista chiflado. –Aunque últimamente no tanto–. Jamás pensé que me enamoraría de un hombre nueve años más joven que yo y que además es uno de mis artistas. Es cosa de justicia poética o ironía divina o una broma. Con Arthur llevaba la vida más respetable del mundo y ahora me he enamorado de un niño grande que ha puesto toda mi vida patas arriba. Y Tatianna no me hablará nunca más.

–Si no te habla, le daré una buena zurra por ti. Ya se le pasará. Debe de haber sido por la impresión del momento. Igual que a todos nosotros.

Sasha sonrió compungida. La escena había sido indescriptible.

–Estábamos los dos desnudos, Liam blandía el atizador mientras Tatianna nos insultaba a gritos y su ligue ponía cara de querer esconderse bajo la alfombra. ¿Quién podría culparlo por querer desaparecer? Yo le di una bofetada a Tatianna y ella me la devolvió. Jamás le había puesto la mano encima y no volveré a hacerlo. Aquella escena parecía sacada de una mala película. Yo con mi amante joven en la cama del padre de mi hija, según sus propias palabras, y los dos desnudos. Por Dios, Marcie, no podría haber sido peor.

–No, mucho peor no –concedió con una sonrisa la ayudante–. Pero míralo así. Liam podría ser viejo, gordo, calvo, feo y estar para el arrastre; piensa en la pinta que habría tenido entonces desnudo con el atizador. Si quieres saber mi opinión, me parece una suerte que fuera él. Mira, has estado soltera diez minutos. Yo llevo soltera toda la vida y es probable que siga así, no porque me entusiasme, sino porque no he encontrado a nadie. El mundo está lleno de divorciados amargados que pagan una pensión de la que culpan a todas las mujeres, o de viudos inútiles que creen que su difunta mujer era perfecta y han olvidado cuánto la odiaban cuando estaba viva y nunca, ni en un millón de años, podrías estar a la altura de ella; también hay fóbicos, borrachos, drogadictos, tíos mezquinos, maltratadores, tíos que odian a las mujeres, tíos que en el fondo son gais y otros que lo son abiertamente y quieren ponerse tus vestidos, tíos aburridos que no valen la pena, tíos que huelen mal, que tienen mala pinta o que son malos y viejos a los que no se les levanta ni con Viagra. Hace diez años que no me cruzo con alguien de quien podría enamorarme y hace tres que no practico el sexo. Hace mucho tiempo que renuncié a la idea de acostarme con tíos de los que esté enamorada o que me quieran. Porque si me mantuviese fiel a mis principios, que tanto me importaban, nunca más me acostaría con un hombre, aunque de todas maneras, podría no volver a hacerlo jamás. Está bastante claro. Así que ¿tú te preocupas porque un hombre nueve años más joven que tú, guapísimo, con talento y amable se ha enamorado de ti? Dile a Tatianna que cierre el pico y lo asuma. Si no se lo dices tú, ya lo haré yo.

Había sido todo un discurso y Sasha sabía que además le había salido del corazón. Marcie era una mujer maravillosa, no guapa, pero sí agradable a la vista, bien vestida y quizá con unos kilitos de más, pero nada insoportable. Era inteligente, culta y se ganaba bien la vida, además de ser una de las mejores personas que Sasha había conocido. También sabía que hacía años que en la vida de Marcie no había un hombre. No había nada malo en ella, simplemente no encontraba a ninguno. Y ninguno se había molestado en encontrarla a ella. Había muchas mujeres como Marcie, ambas lo sabían, de todas las profesiones, en todos los estratos sociales y de todas las edades. Por lo visto la gente ya no se encontraba, razón por la que las páginas de citas por internet habían ganado tantos adeptos. Sasha había animado a Marcie a acudir a esas páginas muchas veces, pero a su ayudante le daban miedo. Y Sasha no estaba segura de que no tuviera razones para ello. Citarse con desconocidos parecía peligroso. Lo que Marcie le decía era sensato y bienintencionado. Marcie la consideraba la mujer más afortunada del mundo porque tenía a Liam y a él el hombre más afortunado porque la tenía a ella. Si a Tatianna no le gustaba, peor para ella. Marcie sacaba humo mientras escuchaba las cosas que Tatianna le había dicho a su madre.

–¿De verdad no te parece mal que tenga nueve años más que él? –preguntó con cautela Sasha, todavía avergonzada.

Se sentía agradecida por el apoyo de Marcie.

–Por Dios, no tiene veintidós. Es legal, está crecidito. Tiene hijos. Aparentáis la misma edad. Además, hoy hay mucha gente en la misma situación. Parece que, pasada cierta edad, suele ocurrir. Has tenido un matrimonio respetable y has criado a tus hijos. Ahora no buscas las mismas cosas que hace veinticinco años. Sólo necesitas a alguien con quien pasarlo bien, que te trate como es debido y con quien tengas algo en común, lo que sea. Y desde luego vosotros dos tenéis cosas en común. No tenéis por qué estar juntos todo el tiempo, ni siquiera tenéis que vivir juntos si no os apetece. O sí, si queréis. Puedes seguir teniendo tu vida y tus amigos y aprovechar los momentos que compartáis. A mí me suena estupendo. Oye, si tú no lo quieres, me lo quedo yo. Sólo tiene tres años menos que yo. Sufriré con gusto la humillación de salir con él. De hecho, me parece excitante.

Sasha había dejado de llorar. Ahora sonreía. Marcie la había convencido de que todo iba bien y así seguiría. Le había hecho ver la suerte que tenía de estar con Liam y lo poco que en realidad escandalizaría a la gente. Todo lo que Marcie decía tenía sentido. A la mierda con los nueve años de diferencia. Y si era un artista chiflado, Sasha sabría llevarlo. Además últimamente Liam estaba portándose bien.

–¿Qué voy a hacer con Tatianna? –preguntó Sasha recuperando la seriedad.

–Nada. Deja que todo se enfríe. Está claro que siente que has traicionado a su padre. Ya sabes cuánto le quería. Creía que era capaz de andar sobre las aguas. Arthur era maravilloso pero tienes que asumir que, por triste que resulte, se ha ido y no volverá. Además, tengo la impresión de que le aliviaría saber que vuelves a ser feliz, si es que lo eres. No creo que él quisiera que te quedaras sola. Tatianna sólo tiene que madurar y superar el impacto. Déjale espacio por un tiempo y lo conseguirá. No puede luchar eternamente.

Pero Sasha conocía la tozudez de su hija y su lealtad ciega, inquebrantable e ilimitada hacia su padre. Ya había sido así de adolescente. Y ahora que éste había muerto, le quería todavía más. Era su modo de aferrarse a él. Pero dejarla un poco a su aire no era mala idea.

–Le he dejado un millón de mensajes. Ni me coge las llamadas ni me las devuelve.

–Pues déjala en paz. Puede que le dé vergüenza lo que dijo. Desde luego debería avergonzarse. ¿Cómo ha sobrevivido Liam a la experiencia?

–Con elegancia. Se mostró muy comprensivo. Tatianna telefoneó a Xavier y éste nos llamó a nosotros. Fue muy tierno. Xavier aprecia a Liam, son amigos; por eso le conocí. Ha intentado tranquilizar a Tatianna. Xavier, no Liam. Liam le tiene un miedo atroz a mi hija, lo que será una complicación más. Tiene que haber sido una experiencia bastante traumática para él.

–No se lo pongas difícil y todo irá bien.

Al cabo de media hora, terminada ya la conversación, Liam fue al despacho de Sasha; al pasar por delante de la mesa de

Marcie, la ayudante le miró y sonrió. Quería que al menos en la galería se sintiera bienvenido. El hombre había tenido un fin de semana difícil.

–Hola, Liam –saludó Marcie.

Éste le devolvió la sonrisa con expresión agradecida.

–Hola, Marcie –contestó antes de entrar en el despacho de Sasha y cerrar la puerta algo preocupado–. ¿Qué tal el día? –le preguntó al besarla.

–Bien.

No le contó la charla con Marcie. Era cosa de mujeres, pero la había tranquilizado mucho.

–¿Alguna noticia de Tatianna? –Lo había tenido preocupado todo el día mientras estaba con sus amigos en Tribeca.

–No. Creo que le daré un poco de tiempo para que se calme.

–Buena idea. –Le impresionaba la sensatez de Sasha. Se la veía mucho más serena que por la mañana–. Tengo entradas para el béisbol para esta noche. ¿Qué te parece? –Quería que se sintiera bien y no se le ocurría nada mejor para distraerla.

–Maravilloso.

Sasha le miró y sonrió. Habría preferido el cine o una cena tranquila en cualquier lado, o incluso una cena bulliciosa en La Goulue, pero sabía cuánto le gustaba el béisbol y le alegraba hacer algo por él. Después de haber hablado con Marcie se sentía más agradecida que nunca de tenerle en su vida.

Sabía por otras mujeres que a los cuarenta y nueve años no tenía mucho dónde elegir. Las opciones que Marcie le había descrito, mejor dicho, la ausencia de ellas, parecían una exageración pero eran reales. Liam era una aguja en un pajar y ella iba a aferrarse a él, le gustara o no a su hija.

15

Liam y Sasha pasaron el fin de semana del Cuatro de Julio en Southampton. Hizo sol y un calor abrasador todos los días. Cocinaron, salieron a cenar, se tumbaron en la playa, nadaron y la noche del Cuatro los invitaron a una fiesta. Se trataba de una barbacoa organizada por unos conocidos de Sasha; a ambos les pareció una idea divertida. Ella aceptó la invitación y a las seis de la tarde, en vaqueros, camiseta y sandalias, acudieron a la barbacoa. Sasha había comprado dos pañuelos rojos, blancos y azules que ambos llevaban anudados al cuello. Liam sonrió al mirarla en el momento de salir. Nunca había sido tan feliz.

«Y ahora parecemos gemelos», comentó. Era curioso. Liam era rubio y ella morena, él era alto y ella menuda y además empezaba a olvidar la diferencia de edad. Marcie y Xavier habían sido de gran ayuda al ofrecerle apoyo y aprobación. No había recibido noticias de Tatianna desde el horrible encuentro en Southampton de la semana anterior. Sasha seguía esperando que amainara el temporal.

En la fiesta había unas doscientas personas, largas mesas llenas de comida, una barbacoa gigante, un grupo de bailarinas de country y una carpa con distintos juegos. Todo el mundo lo pasaba en grande y ellos también.

Estaban sentados juntos en un tronco comiendo hamburguesas y perritos calientes cuando Sasha se dio cuenta de que Liam estaba algo bebido. No exageradamente, pero lo bastante para descontrolarse. A media cena dijo que tenía calor, se quitó la camisa y la echó a la hoguera mientras le dedicaba una sonrisa a Sasha. El chico incontrolable que llevaba dentro empezaba a emerger y, a medida que avanzaba la noche, fue empeorando. Mucho. Sasha intentó llevárselo a casa pero él insistió en quedarse porque lo estaba pasando bien. Para entonces estaba demasiado borracho para percatarse de que ella no se divertía en absoluto. Liam había empezado con un ponche de ron, se había pasado a la cerveza y luego al vino con la cena. Después alguien le propuso que probara un mojito y Sasha vio, horrorizada, cómo se bebía tres seguidos sin pararse ni a respirar. Liam estaba para el arrastre. Peor aún, Sasha estaba sobria. Nunca había estado tan sobria y su sobriedad se acentuaba por minutos, cosa que Liam tampoco notó. Estaba divirtiéndose demasiado.

Entonces regresaron las bailarinas, Liam se adentró en la pista de baile, agarró a una, la más joven y guapa, claro, y pasó a ejecutar con ella un baile muy sensual mientras la chica le seguía la corriente y le desabrochaba los pantalones. No fueron más allá, pero a Sasha le bastó. Veía las risas y las miradas de desaprobación a su alrededor. Al regresar junto a Sasha después del baile, Liam se subió la cremallera, le plantó un beso en los morros delante de todo el mundo y le agarró el culo con ambas manos, lo cual no dejaba muchas dudas sobre la naturaleza de su relación. Sasha lo había presentado como uno de sus artistas de Londres.

—¿Qué ocurre, nena? —le preguntó Liam arrastrando las palabras y con aspecto adormilado.

Sasha estaba a punto de matarlo, lo único que quería era marcharse de allí. No se le había escapado que la chica con la que había bailado Liam aparentaba ser una adolescente; probablemente no tendría más de veinte años, es decir, era más joven que su hija.

—Quiero irme a casa, Liam —contestó en voz baja.

No quería perder los nervios con él pero tampoco quería quedarse en la fiesta. Éste estaba descontrolado y la situación empeoraba por minutos. Entonces Liam pidió un destornillador y cuando el camarero se lo trajo, Sasha se lo quitó.

—¿Qué haces? —preguntó Liam, intentando recuperar la copa.

Pero el camarero intuyó lo que ocurría y desapareció con el cóctel en la bandeja.

–Ya has bebido bastante. Creo que es hora de marcharse.

–No me digas qué debo hacer –contestó Liam, tambaleándose delante de ella. A punto estuvo de desplomarse en los brazos de Sasha, luego intentó ponerse cariñoso. Ella lo detuvo con la mirada, pero no había modo de sacarlo de allí. Lo estaba pasando en grande–. No soy tu niño –le recordó, y la cogió por los hombros.

–Pues no actúes como un crío –le aconsejó ella sin alzar la voz.

Liam estaba comportándose como un joven rebelde o, cuando menos, como un borracho.

–No puedes controlarme –insistió él.

Sasha asintió mientras la gente los observaba y luego apartaba la mirada. Sasha oyó que alguien comentaba la terrible resaca que le esperaba a Liam al día siguiente mientras su interlocutor se reía. Los conocía a ambos. Eran amigos de Arthur, lo cual no mejoraba las cosas.

–Liam, estoy cansada, quiero irme a casa –le rogó.

–Pues echa una cabezadita. Espérame en el coche. Yo tengo ganas de fiesta. Lo estoy pasando de maravilla. –Volvió a tambalearse y, ante el espanto de Sasha, se confundió entre el gentío.

Lo encontró a horcajadas sobre un caballo. El cuidador le suplicaba inútilmente que se marchara porque estaba asustando al animal. El caballo había dejado de avanzar mientras la gente de alrededor observaba la escena. Al final entre tres camareros y el anfitrión consiguieron alejar a Liam de allí. Se había dedicado a espolear al caballo al grito de «¡Yiiijaa!». Sasha quería matarlo.

El anfitrión la ayudó a meterlo en el coche. Liam se desmayó en el asiento de delante, de modo que Sasha tuvo que conducir hasta casa. Como no consiguió despertarlo, lo dejó durmiendo en el vehículo. A las siete de la mañana siguiente notó que se metía en la cama con ella. Cuando Sasha se despertó, sobre las nueve, Liam no estaba en este mundo. No bajó hasta mediodía, protegido con gafas de sol y quejándose de cómo brillaba el sol. Sasha no dijo nada y siguió sentada a la mesa de la cocina leyendo la prensa mientras él se servía la imprescindible taza de café. A los pocos minutos se sentó junto a ella y por fin Sasha le miró y le dio los buenos días. En tono gélido.

–Menudo fiestón el de anoche –comentó Liam tratando de aparentar naturalidad mientras ella no le quitaba ojo de encima–. Deduzco de la resaca de hoy que ayer se me fue la mano con el alcohol. –Se rió. Sasha no.

–Desde luego.

–¿Tanto? –preguntó con cautela.

Apenas recordaba nada de la noche anterior. Sasha sí.

–Demasiado. –Y le relató sus proezas. Entre ellas mencionó que le había cogido el trasero y fastidiado así su coartada entre amigos y conocidos–. Aunque mi preferido, por supuesto, es el incidente con el caballo. Estabas encantador asustando al caballo y a los niños y jugando a los vaqueros mientras gritabas «¡Yiiijaaa!». Creo que te oyó todo el mundo, de aquí hasta Chicago.

Ni Sasha ni Liam lo encontraron divertido. A él no le gustaba que le trataran como a un crío y menos que le reprendiera Sasha. Era adulto y podía comportarse como tal cuando quería, al menos eso aseguraba. Le dijo a Sasha que llevaba mucho tiempo comportándose como era debido y que necesitaba desahogarse.

–Te avisé, Sasha. No me controles. Mi familia ya lo intentó y no pienso permitir que ahora lo hagas tú. Todo el mundo necesita soltarse el pelo de vez en cuando. Y ¿qué? –Estaba a la defensiva y se sentía para el arrastre.

–Que me dejaste en ridículo. –Liam había empezado a forzar de nuevo la máquina a pesar de lo bien que había ido todo. Sasha deseaba quedarse con él y salir al mundo de su brazo, incluso le dejaría entrar en su mundo privado, pero no si se comportaba de aquel modo y reclamaba libertad absoluta por el mero hecho de ser artista. Si no quería que le recriminaran, tenía que aprender a controlarse–. No pienso salir por ahí contigo si te comportas así –le explicó con tristeza, preocupada sobre todo porque Liam no daba muestras de arrepentimiento.

–Pues no lo hagas –repuso él en tono beligerante–. Hablas como mi padre y no pienso aguantar esas tonterías. No puedes castigarme y dejarme en casa porque he bebido un poco en una fiesta.

–Te tomaste un montón de copas y dejaste bastante claro a todo el que se molestó en mirar que estamos liados.

–Estoy harto de mantenerlo en secreto.

Desde que estaban en Nueva York la relación cada vez era menos secreta. Bernard lo sabía desde hacía tiempo, Marcie se había enterado, Xavier estaba al corriente. Y a saber quién más lo sospechaba. Siempre y cuando Liam se comportara correctamente Sasha, con el tiempo, estaba dispuesta a salir del armario pero no si actuaba de aquella forma.

–Compórtate como un adulto y no tendrá que ser un secreto.

–Si me quisieras no lo llevarías en secreto.

Hablaba como un niño dolido, que era como se sentía. Quería la aprobación de Sasha y que se sintiera orgullosa de él, no avergonzada.

–Y te quiero, pero no pienso convertirme en la comidilla de la ciudad. Ya me cuesta bastante asumir la diferencia de edad. Necesito tiempo para acostumbrarme. Y parece que tú necesitas tiempo para crecer.

–Por Dios, Sasha, nueve años no son nada. Déjalo ya. Soy adulto. Soy artista y un espíritu libre. No vas a domesticarme como a un oso de circo para impresionar a las amistades y tranquilizar a tu hija. Debes quererme como soy.

–¿Se trata de eso? ¿De Tatianna? Liam, Tatianna necesita tiempo para aceptarlo. Se ha llevado una gran impresión. Cree que he traicionado a su padre. Ella le adoraba. Ha recibido un golpe terrible. Y que tú te comportes como un salvaje en las fiestas no nos ayudará a convencer a nadie de que la relación es viable, a mí menos que a nadie.

Liam no abrió la boca, salió de la cocina dando un portazo. Sasha vio por las ventanas del comedor que paseaba por la playa. Los dos estaban alterados. La noche había sido horrible. Lo peor era que regresaban a Europa al día siguiente, ella a París y él a Londres. No tenían tiempo para tender puentes y reparar los desperfectos ocasionados por la discusión del último día de convivencia.

Liam siguió enfurruñado durante el trayecto de vuelta a la ciudad, por la noche. Y cuando Sasha se ofreció a preparar la cena, contestó que no tenía hambre. Aunque con todo lo que había bebido la noche anterior debía de ser cierto. De todos modos Sasha cocinó un poco de pasta y cuando se sentaron juntos a la mesa Liam empezó a relajarse.

—Lamento haberme portado como un capullo anoche. Ha sido una estupidez. No sé, no estoy acostumbrado a tanta responsabilidad y restricciones. No quiero tener que comportarme de determinado modo para conseguir que tú y los demás me deis el visto bueno. Sólo quiero ser yo y que me quieras tal como soy. Joder, Sasha, a veces me apetece salir a tomar una cerveza con el portero. Parece un tío majo.

—Seguro que lo es. Siento que mi vida te parezca tan restrictiva.

Se la veía triste. Era lo que la preocupaba desde el principio, la fobia de Liam al «control». Cualquier expectativa o comportamiento civilizado le parecía un intento de que lo controlaran. Pero así era la vida de Sasha. Ella no podía hacer lo que le venía en gana. Y si Liam quería estar con ella, tampoco podía. Tal como Sasha temía, a Liam le estaba costando mucho adaptarse a vivir con ella. Quizá, al fin y al cabo, la relación no era posible.

—No sé qué decir, Liam. No quiero hacerte infeliz. Pero no puedo desmelenarme cada vez que te apetezca.

Por fortuna sólo había ocurrido una vez, pero ¡menudo espectáculo! Para los dos. Liam había intentado demostrar algo. O quizá sólo perder el control por todo lo alto.

—¿Qué ocurrirá a la vuelta? —preguntó él, inquieto.

No quería perderla por culpa de la noche anterior. Pero tampoco quería que le dijera cómo debía comportarse. Quería su amor y aceptación incondicionales y se lo dijo. Pero a veces, entre adultos, resultaba difícil, en particular cuando el coste era tan elevado. Y para Sasha lo era. La relación planteaba un serio dilema a los dos. Para demostrarle su amor, Sasha tenía que arriesgarse. Si al final la relación no resultaba, la gente no dejaría de reírse de ella. Lo cual la tenía muy preocupada. Quería mantener la discreción hasta que todo se aclarara. Las restricciones de Sasha estaban volviendo loco a Liam y dañaban su ya maltrecha autoestima. Si seguían juntos, Liam quería garantías de que sería libre para ser tal como era. Ella sólo le pedía que madurara. Precisamente lo único que Liam no quería hacer. Y bajo todo ello subyacía la preocupación de Sasha por la reacción de su hija. Nadie podía negar que Liam y Tatianna habían empezado con mal pie.

–Pasaré todo julio trabajando en París –respondió Sasha a su pregunta acerca de qué ocurriría cuando volvieran a Europa–. Puedes venir a verme si quieres. A primeros de agosto me marcharé de vacaciones con mis hijos.

–¿Y después?

Sasha le miró sin entenderle.

–¿Qué pasará cuando te marches con tus hijos?

–Ya te lo he dicho. Vamos a Saint-Tropez, he alquilado un barco. Estaremos tres semanas. Después podemos ir a alguna parte, si quieres. En septiembre tengo que volver una semana a Nueva York. Si te apetece puedes acompañarme. Pero supongo que deberías prepararte para la exposición.

Parecía su madre y su marchante, Liam a veces la ponía en esa situación y la obligaba a comportarse así en lugar de como la mujer a la que amaba y que le quería.

–¿Y cuando estés con ellos? ¿También seré bienvenido? –quiso saber, a la vez dolido y beligerante.

Habían hablado de que Liam pasara unos días con ellos en el barco, sobre todo porque Xavier también iba a estar, y Liam podía fingir que se trataba de una visita a un amigo, aunque ahora ya no tenía sentido. Ésa era la idea antes de que Tatianna los encontrara desnudos y llegara el fin del mundo. Ahora sus dos hijos sabían quién era Liam y qué papel desempeñaba en la vida de su madre.

—Liam, después de lo ocurrido con Tatianna, no puedes esperar venir con nosotros. Tiene que pasar un tiempo para que las aguas vuelvan a su cauce

Ni siquiera Sasha había hablado todavía con su hija. Tatianna seguía negándose a contestar al teléfono o a devolverle las llamadas. Al final, Sasha le había enviado una nota con la esperanza de hacer las paces. Aún no había recibido respuesta. Así pues, la guerra seguía abierta. Y Xavier tampoco tenía noticia de lo contrario. Sasha había hablado varias veces con él. Su hijo todavía pensaba que Tatianna se calmaría. Opinaba que su hermana se estaba comportando como una cría tozuda y la había llamado niña malcriada. De modo que ahora también estaba enfadada con él.

—Tal vez tendrías que plantarte y cantarle las cuarenta —propuso Liam, preocupado.

Estaba furioso con la hija de Sasha. Ésta lo entendía pero no quería arriesgarse a enquistar la pelea con su hija por él.

—Para explicarle cualquier cosa primero tengo que conseguir hablar con ella.

—¿Lo harás? ¿Estás dispuesta a plantarte por mí o vas a permitir que me desprecie mientras te humillas ante ella?

—Eso no es justo, Liam —contestó Sasha, sintiendo el aguijón de las lágrimas—. Es mi hija. No quiero perderla, ni siquiera por ti. Primero tengo que hacer las paces con ella. Y nosotros tenemos que ver cómo funciona lo nuestro. Si sale bien, ya me ocuparé de ella. Pero de momento no hay nada seguro.

Liam lo sabía, pero no quería admitirlo.

—¿Cuánto se supone que voy a estar a prueba? —preguntó. Se levantó y la miró desde arriba. Sasha alzó la vista.

—No estás a prueba. Ambos, juntos, intentamos averiguar si lo nuestro puede funcionar. Somos muy distintos. No somos una pareja corriente.

–Pues yo creía que sí –repuso él, y salió de la cocina.

Liam empaquetó sus cosas en el cuarto de invitados mientras Sasha hacía las maletas. Se preguntaba si Liam dormiría con ella esa noche y descubrió aliviada que sí. No hicieron el amor, sólo se abrazaron. Sasha se durmió, pero él estuvo despierto casi toda noche, mirando al techo con expresión dolorida. Le rompía el corazón que Sasha no se plantara por él ni le defendiera ante Tatianna. En abril le había prometido que mantendría el romance en secreto al menos por una temporada. Pero entonces no sabía cuánto le iba a costar. Pasó la noche en vela meditando sobre lo ocurrido y sufriendo.

16

Sasha y Liam volaron a Europa por separado; Sasha a París y Liam a Londres. Llegaron más o menos a la misma hora y ella lo telefoneó por la noche. Parecía distante. Charlaron un rato y Liam le prometió ir a París el fin de semana. Sasha se preguntó si cumpliría la promesa. Ya no parecía feliz. Tatianna había herido gravemente a Liam y a la relación. También a su madre. Pero Sasha no estaba dispuesta a declararle la guerra por Liam. Tatianna era hija suya y por nacimiento tenía derecho al amor incondicional que quería de Sasha. Liam, no.

Esa misma semana, Xavier y Liam cenaron juntos y hablaron de ello. Xavier había disfrutado de una infancia y una juventud mucho más fáciles que su amigo. Había tenido unos padres maravillosos que le querían. No era el caso de Liam, tal como demostraban sus cicatrices. Sasha estaba pagando ese dolor, igual que Liam cargaba con las consecuencias de lo que ella había sufrido de joven. Sasha volvía a cuestionarse si su amor tenía posibilidades. Quería que fuera posible, pero no si para ello debía aliarse con Liam en contra de su hija. Era un precio demasiado alto por amarle.

El viernes por la noche, Liam fue a París en coche y pasaron juntos un fin de semana tranquilo. Él se quedó a celebrar el Catorce de Julio y fueron al desfile de los Campos Elíseos. Le gustó, pero faltaban los Yankees. También echaba de menos a sus hijos. Había intentado volver a verlos antes de marcharse de Estados Unidos pero estaban de viaje con Beth, así que les prometió regresar en septiembre.

Julio siempre era un mes tranquilo en la galería y Sasha esperaba ilusionada las vacaciones con sus hijos. Hablaba con

Liam lo menos posible sobre el viaje para no hurgar en la herida. Por fin Tatianna volvía a hablar a su madre, aunque poco. Sasha había charlado con Xavier y ambos habían coincidido en que era preferible que Liam no se sumara a las vacaciones familiares. Lo más probable era que desquiciara a Tatianna y terminaran peleándose. Así se lo había expuesto Xavier a su amigo. La joven no entraba en razón y sólo el paso del tiempo mejoraría la situación. Estaba obsesionada con que la injerencia de Liam en la vida de Sasha constituía una falta de respeto hacia su padre.

El fin de semana anterior al viaje, mientras paseaban por el Bois de Boulogne con la perra, Liam se volvió a mirar a Sasha.

–¿Qué piensas hacer con el tema de las vacaciones? –La pregunta la pilló por sorpresa. Sasha creía que la cuestión estaba zanjada aunque a ninguno de los dos les gustara el sacrificio que tendrían que hacer. También ella deseaba su compañía, pero era de todo punto imposible. Sin embargo, parecía que Liam había esperado que Sasha o Tatianna cambiaran de opinión. El hecho de que no hubiera sido así significaba para él una nueva traición por parte de Sasha. Ni le defendía ni le apoyaba. A Sasha su posicionamiento le parecía infantil e irracional. Para Liam, Sasha había roto un trato.

–¿Qué quieres decir con qué pienso hacer? Creía que estábamos de acuerdo en que este año no puede ser.

Si continuaban juntos, Sasha confiaba en que habría otras vacaciones. Pero en ésas no podía ser. Necesitaba algo de tiempo para arreglar las cosas con su hija.

–No piensas plantarle cara ¿verdad?

Sasha suspiró y le miró. La expresión de Liam era impenetrable.

–De momento no. Más adelante, si es necesario. Espero no tener que hacerlo. Con el tiempo se hará a la idea. A veces incluso a los adultos les cuesta acostumbrarse a que sus padres salgan con otras personas.

Sasha atribuía la situación a dicha dificultad y no a la horrible escena vivida en la casa de Southampton. Sin duda, no había sido la mejor manera de presentar a Liam a su hija.

–Nunca me aceptará si no la obligas –insistió, tozudo.

–Me habla otra vez sólo desde la semana pasada. –Alguien iba a salir perdiendo. No quería que fueran ellos–. No puedo obligarla, Liam. Necesita tomarse su tiempo.

–Se comporta como una mocosa malcriada.

Era un comentario cierto pero cruel. Sasha también lo sabía. Pero Tatianna seguía siendo hija suya. Y Liam lo había dicho con un tono muy feo que la inquietó.

–Igualito que tú.

Liam se alejó para jugar con la perra. De camino a casa no abrió la boca. Se mostró caprichoso y enfadado, como un niño pequeño que está furioso con su madre. O un hombre traicionado por su amante.

Sasha estaba preparando la cena cuando Liam bajó a la cocina con la mochila en la mano.

–¿Qué haces? –preguntó ella con el miedo recorriéndole la espalda. Intuía la respuesta.

–Me voy. No pienso permitir que me trates como a un sucio secreto ni que tu hija siga humillándome.

–Liam, por favor… –rogó mientras el pánico se apoderaba de su voz–. Danos una oportunidad. Sabíamos desde el principio que llevaría su tiempo. Además no eres ningún secreto. –Por el contrario, el problema radicaba en que Tatianna lo sabía.

–No, soy una deshonra. Te avergüenzas de mí. –Ambos pensaron en la barbacoa del Cuatro de Julio.

–No me avergüenzo de ti. Te quiero. Pero me pides que elija entre mis hijos y tú. No es justo. No me pidas algo así –suplicó Sasha con lágrimas en los ojos.

Liam le pedía lo imposible para no condenar su relación al fracaso.

–A veces es necesario. Necesito que me quieras y me respetes. Y no lo haces.

–Y si tú me quisieras y me respetaras no me pedirías que eligiera entre mi hija y tú.

Liam la miró sin decir nada. Al final, volvió a dirigirle la palabra al tiempo que recogía la mochila.

–Se acabó, Sasha. Estoy harto. Hemos agotado las oportunidades. Tenías razón desde el principio. Es imposible. Supongo que siempre lo ha sido. Pensé que lo conseguiríamos. Pero yo me equivocaba y tú tenías razón.

Sasha no quería tener razón. Quería equivocarse. Quería equivocarse más que nunca. Esta vez tenía la impresión de que estaban muy unidos. Hasta que le había planteado aquella horrible disyuntiva.

Hizo el gesto de acercarse a él, pero Liam levantó la mano para impedírselo.

–¡No! Te quiero. Regreso a Londres. No me llames. Se acabó. –Y luego, la crueldad final–: Recuerdos a Tatianna. Dile que ha ganado.

Sin más, Liam se marchó de la casa. Esta vez cerró la puerta con cuidado. Sasha oyó la gran puerta exterior de bronce, mientras seguía de pie en la cocina mirando el lugar donde hacía unos instantes había estado Liam; las lágrimas mojaban su cara. Desde la muerte de Arthur nada ni nadie la había hecho sentirse tan mal.

Se sentó en el suelo de la cocina, junto a la perrita, y la acarició sin dejar de sollozar. *Calcetines* era todo lo que le quedaba de Liam. Él se había marchado, había regresado a su vida de antes y esta vez para siempre.

Sasha se quedó largo rato llorando en la cocina, a oscuras. No se molestó en encender la luz. Se limitó a permanecer sentada, sollozando, mientras susurraba una sola palabra a la oscuridad: «Imposible». En aquellos instantes, Liam se encontraba en la carretera en dirección a Londres y convencido de lo mismo.

17

Lo habría pasado bien en Saint-Tropez de no haber llegado con el corazón malherido. Xavier supo al instante, en cuanto la vio en el hotel Byblos donde se hospedaban, que había ocurrido algo terrible. No había visto a su madre tan mal desde hacía veintidós meses, cuando murió su padre. Xavier lo sospechó también al encontrarse con Liam en un pub la noche antes de salir de vacaciones, acompañado de una bella joven. Liam estaba totalmente borracho y besaba a la chica. A Xavier le dio un vuelco el corazón. Entonces supo que la relación entre Liam y su madre había terminado. Salvo por el desliz que le había conducido al divorcio, Liam era un hombre fiel. Si estaba con otra mujer es que había terminado con Sasha.

–¿Os habéis peleado? –preguntó Xavier a su madre con calma mientras tomaban un Pernod en la terraza.

–Quería que me enfrentara a Tatianna. Le dije que era demasiado precipitado. Liam quería venir de vacaciones. Quizá tenga razón él. Pero no estoy dispuesta a arriesgar la relación con tu hermana por él. Liam quería demasiado y demasiado pronto. No he podido dárselo. Tatianna no está preparada. Creo que tiene algo que ver con la relación de Liam con su familia. Toda la vida le han dicho que no es lo bastante bueno y lo han discriminado. Liam pensaba que yo estaba haciéndole lo mismo. Pero no es verdad. Sólo quería algo de tiempo para que Tati se calmara después de lo de Southampton. Y estas vacaciones era demasiado pronto.

Liam a veces se comportaba como un crío, los dos lo sabían. En cierto modo, era un crío. Un crío brillante y lleno de talento que sobreactuaba cuando se sentía rechazado. Lo peor de todo era que Sasha sabía que le amaba. Pero su hija le importaba más que nada.

–Qué tonto –comentó Xavier, preocupado. Con veintiséis años era mucho más maduro que Liam–. Le dije lo mismo que tú. Sólo tenía que tranquilizarse y dejar que pasara el tiempo.

–Supongo que no ha podido.

Los ecos del pasado todavía retumbaban con demasiada fuerza, tal vez resonarían para siempre. A partir de cierta edad la gente que se quiere tiene que cargar con el equipaje que cada uno arrastra porque, si no, la relación no sale adelante. Con Liam no había funcionado.

Entonces Xavier, sin pensar, miró a su madre.

–Le vi en Londres la noche antes de marcharme. Estaba en el pub, borracho como una cuba. No pareció el momento adecuado para preguntarle nada, pero supuse que había pasado algo.

El modo en que lo dijo reveló más de lo que quería. Sasha miró a su hijo a los ojos preguntándole todo lo que necesitaba saber.

–¿Estaba solo? –Apenas logró pronunciar esas pocas palabras. Un gran peso le oprimía el pecho y fue como si pasaran siglos antes de que Xavier negara con la cabeza.

–Estaba con una chica. Supongo que la conoció en el bar. No significa nada, mamá. Estaba borracho. Estoy seguro de que ni siquiera la conocía.

No le contó que Liam la estaba besando y que la chica aparentaba unos veintidós años. Pero bastó lo que le había contado para que Sasha sintiera una puñalada en pleno corazón. Habían acabado de verdad. Después de aquello, el resto del viaje se redujo a una pura agonía. Lo habría sido de todos modos. No era culpa de Xavier. Liam se había marchado. Era lo único en lo que Sasha pensaba.

Pasaron un par de semanas en Saint-Tropez visitando amigos, yendo a la playa y cenando en restaurantes. Almorzaron en el Club 55. Tomaron unas copas en el Gorilla Bar y, en cuanto llegó Tatianna, madre e hija salieron de compras. Sasha agonizaba de la mañana a la noche, pero su hija no pareció darse cuenta. Nadie mencionó a Liam. Y Xavier no se atrevió a sacar el tema. Veía en la mirada de su madre lo mal que lo estaba pasando aunque la mayor parte del tiempo intentara ocultarlo y mostrarse de buen ánimo. Cuando por las noches se metía en su habitación, Sasha lloraba hasta caer rendida. Le echaba muchísimo de menos. Sabía que no podía hacer nada para recuperarlo. Así que sólo le quedaba aceptar la situación. No podía telefonearlo e invitarlo a Saint-Tropez. Tatianna se habría marchado. Sasha no quería arriesgarse.

En varias ocasiones sus amigos los invitaron a salir; Sasha aceptaba cuando además eran clientes o tenían hijos de la misma edad que los suyos. Pero le resultaba muy doloroso sentarse a charlar con la gente. Jamás en la vida se había sentido de aquel modo. Tras la muerte de Arthur permaneció unos meses recluida. Pero ahora estaba fuera del mundo mientras fingía estar bien; era insoportable. Nada de lo que hacía la aliviaba. Día y noche sufría por Liam, porque sabía que no lo tendría. Sasha no le llamó; él tampoco. Noche tras noche le imaginaba persiguiendo jovencitas por los bares. Sentía que iba a enloquecer de dolor cuando por fin embarcaron en el velero alquilado. La alivió levar anclas y alejarse de Saint-Tropez, adentrarse en el mar.

Xavier y Tatianna habían invitado a unos amigos a propuesta de su madre. Lo pasaron bien juntos. Sasha no tenía que estar por nadie. Podía tumbarse en cubierta con los ojos cerrados, cerca de proa, pensar en Liam y sufrir. Se quedaba a bordo cuando los jóvenes bajaban a la costa por la noche. Decía que no quería estropearles la diversión. La verdad era que no se sentía con fuerzas para hablar con nadie. Necesitaba su tiempo de duelo.

En Portofino, Sasha realizó una breve visita a tierra. Cenaron en el Splendido, la única ocasión en que se avino a desembarcar con los demás. Pero pese a intentarlo con todas sus fuerzas, su aspecto fue terrible toda la noche.

Tatianna, después de que su madre regresara al barco con la excusa de que le dolía la cabeza, le preguntó a su hermano qué le pasaba.

—¿Está enferma? —preguntó Tatianna, ignorante del daño que había causado o actuando como si nada hubiera ocurrido.

Xavier no tenía claro cuál de las dos opciones era.

—No, está triste. No la había visto así desde que murió papá. —Como su hermana no contestó, Xavier le lanzó una mirada acusadora—. Se lo has hecho pasar muy mal, Tat. No lo merecía. Ha roto con Liam antes de venir a Saint-Tropez.

Xavier lo lamentaba por los dos, ya que creía que se querían de verdad a pesar de la diferencia de edad. También Liam parecía desquiciado la noche que lo vio. Sólo que lo manifestaba de manera distinta a Sasha. Liam lo sacaba fuera y ella guardaba la pena en su interior. Tatianna no dio muestras de remordimientos.

—Mejor así. Era un asqueroso.

Su hermano sintió ganas de abofetearla.

—¿Por qué dices eso? ¿Prefieres ver a mamá triste? —Estaba furioso con Tatianna—. Te dije que ese tío es muy majo y que la quiere. Y salta a la vista que mamá a él también. ¿Qué vas a hacer ahora? ¿Sentarte a hacerle compañía a mamá? Claro que no. Tú tienes tu propia vida. Igual que yo. Y ahora ella está sola. —Estaba consternado por su madre.

—Ella quiere a papá —se obcecó Tatianna.

—Le quería. Ahora quiere a Liam.

—Estaba haciendo el ridículo, seguro que hasta él se reía de ella. Además, no podía hacerle esto a papá.

—A papá no le estaba haciendo nada. Papá está muerto, Tat. No va a volver. Mamá tiene derecho a tener una vida con o sin tu consentimiento. Han roto porque mamá no quería que te enfadaras si lo invitaba a venir. Le debes una disculpa. Tal vez todavía no sea demasiado tarde para que lo arreglen. Se quieren. Están en su derecho. Eres tú quien no tiene derecho a inmiscuirse.

—No quiero que lo arreglen —confesó Tatianna, desolada.

–¿Cómo puedes ser tan egoísta después de todo lo que mamá hace por nosotros?

La actitud de Tatianna y su falta de compasión por su madre, que estaba dejándose la vida por Liam, le daban ganas de estrangularla. Cada vez estaba más convencido de que su madre amaba a Liam de todo corazón.

–Puede que le haya hecho un favor.

–Alguien tendría que darte un bofetón. Liam tiene razón, eres una niñata malcriada.

–¿Eso dice? –El comentario la enfureció de nuevo–. ¡El que estaba con la polla al aire a punto de abrirme la cabeza con un atizador justo después de follarse a mamá! –exclamó indignada, a su parecer, con toda justicia.

A su hermano le parecía que estaba comportándose como una estúpida y así se lo dijo. Sólo sirvió para alterarla más.

–Me das asco. Tal vez Liam tendría que haberte atizado. Te lo mereces –contestó Xavier, enfadado.

Tatianna se marchó echando chispas. Al día siguiente, Sasha se dio cuenta de que sus hijos no se hablaban. No tenía ni idea de por qué. No se le ocurrió que podrían haber discutido por Liam y ella. Después de la pelea, Xavier se mostró todavía más cariñoso con su madre y Tatianna la trató con más delicadeza. Le aliviaba saber que Liam había desaparecido de escena, lo consideraba una bendición. No le dijo una sola palabra de él a su madre y ésta decidió no sacar el tema para no volver a enojarla. Ahora carecía de sentido. Liam ya no estaba. Y dolía demasiado hablar de él.

Pese al dolor de Sasha lo pasaron bien en el barco y todos lo sintieron cuando volvieron a atracar en Mónaco. Celebraron una última cena a bordo. Después los jóvenes fueron al casino y Sasha se acostó temprano. A la mañana siguiente todos volvieron a casa. Tatianna regresó a Nueva York; Xavier a Londres, tras prometerle a su madre que iría pronto a verla a París, y Sasha cogió un vuelo hacia París en cuanto los jóvenes se fueron. Para ella habían sido tres semanas muy largas. Lo había pasado bien con sus hijos, pero necesitaba volver a casa y meterse en la cama con *Calcetines*. La casa de París le pareció increíblemente silenciosa y solitaria.

Ahora no tenía más ilusión que el trabajo, que también la había ayudado a salir adelante tras la muerte de Arthur. Pero esta vez le costó más. Al faltarle Arthur no había tenido más remedio que aceptar su muerte y acostumbrarse a la nueva situación por muy dura que fuera. No había otra opción. Ahora le costaba más porque sabía que Liam estaba sano y salvo, trabajando en el estudio y probablemente persiguiendo a jovencitas. Siempre quedaba la remota posibilidad de que la telefoneara o regresara, pero Sasha sabía que no lo haría. Era demasiado tozudo y se sentía traicionado porque ella se había negado a enfrentarse con su hija. Aquella negación había reabierto demasiadas viejas heridas provocadas por el abandono y la traición y Sasha era consciente de que Liam no lo superaría. Le conocía bien y sabía que estaba en lo cierto.

El día que regresó al trabajo le pidió a Bernard que atendiera él mismo las llamadas de Liam. No pensaba hablar con él por teléfono. Sabía que en el algún momento tendría que llamar a la galería a propósito de la exposición y no se veía con fuerzas para oír su voz. Dolía demasiado.

—¿Pasa algo? —preguntó Bernard, preocupado.

Sasha no tenía buen aspecto a pesar de las largas vacaciones. Bajo el bronceado se adivinaban las ojeras y la tensión. A Bernard también le pareció que estaba más delgada, y en efecto, así era.

—No —empezó a decir Sasha, pero decidió ser sincera—. Se acabó —confesó con mirada sombría.

—Vaya. —Bernard no supo qué otra cosa decir. Saltaba a la vista qué triste estaba. Tan triste como feliz había sido tan sólo unos meses atrás—. ¿Se mantiene la exposición de Nueva York?

—Por su puesto. Somos sus marchantes —repuso Sasha en tono profesional.

Entró en el despacho sin añadir nada más y cerró la puerta. Aquel tema estaba tan cerrado como la puerta.

También Eugénie se fijó en lo callada que estaba su jefa. Marcie se preocupó cuando Sasha viajó a Nueva York en septiembre para organizar una exposición. Sasha se armó de valor para no llorar al explicarle que su relación con Liam había terminado. Hacía ya dos meses. Tenía la impresión de haber estado arrastrándose sobre alambre de espinas desde julio. Ahora que se le había ido el moreno todavía parecía más agotada. Marcie la vio fatal, exactamente como se sentía. Todo le recordaba a Liam, todo le parecía vacío sin él. La cama de París era demasiado grande. La de Nueva York era una agonía. El portero le preguntó cómo se encontraba. Con el cuidado que habían puesto en no contárselo a nadie y ahora todo el mundo le preguntaba por él. A todo el mundo le gustaba. Y peor aún, a ella también. Sólo Tatianna le detestaba. Ni siquiera se daba por enterada de que Liam había desaparecido de la vida de su madre. En cambio, Xavier la llamaba a menudo; Sasha siempre disfrutaba hablando con su hijo.

Xavier había visto a Liam varias veces pero no se lo había contado a su madre. No mencionaba a su amigo. Cada vez que lo había visto estaba con una mujer distinta. Por lo visto se dedicaba a recuperar el tiempo perdido y hablaba mucho de su divorcio. Nunca mencionaba a Sasha, por lo que Xavier sospechaba que todavía seguía enamorado. Resultaba demasiado extraño que no la mentara jamás.

En octubre, Xavier pasó una semana en París con su madre. Hizo buen tiempo y cenaron en Le Voltaire, lugar que ambos adoraban. Para entonces Sasha tenía mejor aspecto. Acababa de regresar de Amsterdam y había contratado a dos nuevos artistas. No le dijo nada a su hijo, pero estaba armándose de valor para viajar a Nueva York y ocuparse de la exposición de Liam. Faltaban seis semanas. Tenía seis semanas para reunir el coraje para verle y controlar las emociones, independientemente de cuáles pudieran ser. Había decidido encarar la situación con profesionalidad. Al fin y al cabo era su representante. Xavier había visto las obras más recientes de Liam y las consideraba muy buenas. También Bernard había volado a

Londres para verlas. Le habían gustado mucho y creía que a Sasha también le gustarían.

La inauguración se celebraría a primeros de diciembre. Sasha y sus hijos habían quedado en reunirse en Nueva York el día de Acción de Gracias aprovechando que el lunes siguiente tenía que estar en la galería. Se encargaría de revisar la exposición durante el fin de semana. Acción de Gracias en París no tenía sentido. Todos lo pasarían mejor si lo celebraban en Nueva York.

Xavier quedó con Liam justo antes de salir hacia Estados Unidos. Se pasó por el estudio, donde se encontró con una joven. No tenía ni idea de si era la nueva novia de Liam. Aparentaba unos veinte años y Xavier rogó que no se la llevara a Nueva York con él. Su madre no podría resistirlo, así que confiaba en que Liam tuviera el buen gusto de no hacerle algo así, por mucho que ambos estuvieran en su derecho de seguir adelante con la vida como mejor considerasen. Xavier sabía cuánto le dolería a su madre ver a Liam con otra mujer. Ella no salía con nadie. Xavier se lo había preguntado durante la cena en Le Voltaire y Sasha se había limitado a negarlo en silencio con los ojos anegados en lágrimas. Xavier no volvió a tocar el tema. Tenía la espantosa sensación de que Sasha había tirado la toalla. A él le parecía una pérdida terrible porque su madre sólo tenía cuarenta y nueve años, pero ella se había encerrado en sí misma para todo lo que no fuera trabajo. Sólo la galería parecía distraerla, y aún gracias.

Liam se despidió de su amigo con un feliz «¡Nos vemos en Nueva York!». La exposición le hacía mucha ilusión. Nunca mencionaba a Sasha.

Sasha y sus hijos celebraron Acción de Gracias en el piso. Después Xavier y ella fueron al cine mientras que Tatianna salió con sus amigos. Era el tercer día de Acción de Gracias sin Arthur y el menos doloroso hasta la fecha. El resto del fin de semana Sasha estuvo ocupada montando la exposición de Liam.

A medida que desembalaban las obras emergían cuadros maravillosos. Sasha retrocedía, los observaba y se enorgullecía de Liam. Había hecho un trabajo fantástico para la exposición. Todas las piezas habían llegado en perfectas condiciones y Sasha las apoyaba en las paredes de la galería mientras decidía dónde colgarlas. Allí seguía a última hora del domingo, tratando de elegir entre dos obras espectaculares para colgar una de ellas a la entrada y que la gente la viera nada más llegar. No le oyó entrar. La puerta de la galería estaba abierta. Xavier se había pasado un momento y Sasha había olvidado cerrar con llave cuando su hijo se había marchado, demasiado atareada colgando los cuadros. Mientras contemplaba las dos pinturas más grandes oyó una voz familiar detrás de ella que le aceleró el corazón. Era Liam, recién bajado del avión, en vaqueros, jersey de cuello alto negro y sus habituales gorra de béisbol y botas y cazadora de motorista. La larga cola rubia descendía recta por su espalda. Se parecía más que nunca a James Dean. Y ya no le pertenecía, se recordó Sasha al tiempo que se giraba para recibirle con una voz falsamente serena y mirarle a los ojos. Liam no pudo verlo, pero le costó horrores.

–Has hecho un gran trabajo –le felicitó Sasha en voz queda. Ahora era sólo su representante, se dijo para sí. Sostuvo su mirada desde lejos. Liam no se acercó a besarla en la mejilla. Se quedó en la otra punta de la galería mirándola, igual que ella le miraba a él. Eran otros tiempos. Se le veía serio, triste y cansado, pero más guapo que nunca–. Has trabajado muchísimo. –Sasha estaba impresionada.

–He estado muy ocupado.

–Ya me lo parecía. –Enseguida se arrepintió del comentario. Ya no le atañía lo que Liam hiciera con su tiempo libre. Así que, algo nerviosa, cambió de tema–. ¿Cuál te gustaría para la entrada? Llevo aquí una hora y no me decido.

–Ése –eligió sin dudar Liam, señalando el más grande y brillante de los dos–. ¿No te parece?

Todavía valoraba la opinión artística de Sasha. Tenía un ojo infalible. Liam respetaba su trabajo y su buen hacer.

–Sí. Tienes razón. Y yo aquí dudando. Sí, tienes razón.

Trasladó el cuadro donde quería colgarlo y Liam se acercó a ayudar. Era demasiado grande para ella sola, pero a Sasha le daba igual. Estaba acostumbrada a trabajar hasta tarde colgando los cuadros sola, peleándose con el lienzo, la escalera, la cinta métrica, el nivel, los clavos y el martillo. Liam sonrió al verla clavar el clavo en la pared y recoger el cuadro que él le tendía. Tan tozuda y decidida como siempre. Nada había cambiado. Todavía sonreía cuando Sasha bajó para valorar el trabajo.

–¡Estupendo! ¡Ha quedado perfecto!

Liam asintió evaluando con ojos críticos de artista el resultado, que también le satisfacía:

–Sí, perfecto.

A continuación echó un vistazo alrededor y quedó encantado de lo bien que Sasha había organizado la exposición. Sabía de antemano que le gustaría. Mientras, ella le observaba totalmente consciente de que hacía cuatro meses y algunos días que no le veía. Intentó no pensar en ello al pasar por su lado para guardar las herramientas. Sólo sentir su presencia en la misma habitación se le hacía difícil. Todavía le recorría la misma corriente eléctrica de antes, pero ahora intentaba obviarla por el bien de ambos. Liam no parecía sentir nada por ella y, aunque la entristecía, intentaba convencerse de que así era mejor para todos. Era la única opción posible.

Cuando Liam terminó de ver todos los cuadros y cómo los había colgado, Sasha apagó las luces de la galería y salieron a la calle. Nevaba. Ella llevaba todo el día en la galería trabajando en la exposición y se llevó una sorpresa.

–¿Dónde te hospedas? –le preguntó a Liam con indiferencia mientras activaba la alarma y cerraba la puerta con llave.

Liam la siguió sin poder evitar fijarse en lo delgada y cansada que la veía. Ella, por su parte, se sentía como una vieja de cien años sólo de pensar en la edad de las mujeres con las que Liam debía de estar saliendo. Él la vio guapa pero agotada; confiaba en que no estuviera enferma.

–Con unos amigos en Tribeca –respondió con vaguedad calculada. No quería ponerse demasiado personal–. La semana que viene, después de la inauguración, iré a Vermont a ver a los niños. Beth se casa en Nochevieja.

No sabía por qué se lo contaba a Sasha, pero se alegraba de volver a verla. Aunque resultaba raro, para ambos. Era raro para dos personas que se habían querido tanto no ser ni siquiera amigos. Sólo artista y marchante. Sasha no tenía ni idea de si volverían a verse tras la exposición.

–¿Cómo están? –se interesó mientras esperaban un par de taxis.

La nieve que iba acumulándose en el suelo alcanzaba ya varios centímetros de grosor y no había ningún taxi a la vista. Por fin, apareció uno.

–Los niños están bien. –Liam pensaba cederle el taxi.

Iban en direcciones opuestas y no podían compartirlo. De todas maneras Sasha no quería subir al taxi con él. Tanta proximidad sería incómoda. Pero entonces pensó que tal vez Liam tendría que esperar otra hora antes de que pasara otro. El que tenían había tardado casi veinte minutos.

–¿Quieres que te acerque con el taxi? Puedes estar esperando horas a otro –se ofreció.

Nevaba cada vez más. De no haber sido por el frío y la humedad, habría sido agradable contemplar la nieve. Liam dudó un momento antes de aceptar. La propuesta tenía sentido. Así que subieron al coche.

Sasha le dio la dirección al taxista y los dos permanecieron en silencio.

–Espero que no caiga una tormenta de nieve, la gente lo tendría complicado para acudir a la inauguración –musitó Sasha mirando al exterior.

–A mí Nueva York me gusta así –contestó él con una sonrisa mientras admiraba la nieve que se arremolinaba alrededor del vehículo. Más que nunca, parecía un niño, algo habitual en él–. ¿Qué tal Acción de Gracias?

–Bien. Las vacaciones ya no son lo que eran. Pero ha ido mejor que el año pasado y el anterior –contestó, en alusión a Arthur. En muchos sentidos había sido peor por culpa de Liam.

Para entonces habían llegado ya al edificio de Sasha; el portero le abrió la puerta, Sasha bajó del taxi y le agradeció a Liam el trayecto–. Hasta mañana. Después de esto serás una estrella –pronosticó con una sonrisa antes de añadir–: Ya lo eres. Suerte mañana.

–Gracias, Sasha. –Se sentía agradecido aunque la relación no hubiera funcionado.

Justo mientras el taxi se alejaba Sasha se topó con su hija, que pasaba a recoger un vestido que su madre le había prometido prestarle para la fiesta de esa semana. Sasha vio cómo echaba un vistazo al taxi y reconocía a su ocupante. Mientras subían en el ascensor Tatianna no dijo nada, pero en cuanto entró en el piso con su madre no pudo contenerse.

–¿Quién era ése? –preguntó en un tono tan repulsivo que dio dentera a su madre.

Sasha se propuso mantener la calma y no caer en la provocación de Tatianna. No habían vuelto a discutir desde julio, hacía cinco meses.

–Ya sabes quién era –respondió con serenidad–. Mañana inaugura la exposición.

–¿Has vuelto con él?

Tatianna miró a su madre con expresión reprobatoria, advirtiéndola de que en caso afirmativo la consideraría una perdedora, lo cual alteró todavía más a Sasha. Su hija ya había hecho bastante daño. No iba a permitirle que lo empeorara.

–No.

Deseaba poder decir que sí. Pero ya era demasiado tarde.

–Seguro que sale con chicas que tienen la mitad de años que tú –remató Tatianna, mezquina.

Su madre no aguantó más.

–Ya basta –le exigió con firmeza en un tono que sorprendió a Tatianna–. Lo que haga Liam no nos incumbe a ninguna de las dos.

–Sigues enamorada de él ¿verdad? –la acusó.

Sasha no se amedrentó.

–Sí.

–Eres patética.

–Lo único patético que veo es que seas tan mezquina como para decir lo que acabas de decirme, para seguir adelante con tu venganza e intentar justificarla con la memoria de tu padre. Esto no tiene nada que ver con él ni contigo, y llegado este punto, ni siquiera conmigo. Liam es un buen hombre, Tatianna. La cosa no funcionó entre nosotros y no sabes cuánto lo lamento. Pero si buscas hurgar en la herida, mejor será que lo dejes ahora mismo. Mi vida ya es bastante dura, solitaria y triste sin que vengas tú a empeorarla.

Cuando Tatianna miró a su madre, sorprendida por la intensidad de su reacción, vio sus ojos bañados en lágrimas. Xavier le había contado que su madre estaba enamorada de Liam pero no había querido creerlo. Pensaba que se trataba de algo meramente sexual. Ahora comprendía que había mucho más; además, no esperaba que su madre se lo dejara tan claro.

–Lo siento, mamá –se excusó en voz baja–. No me había dado cuenta de que te importara tanto.

De repente comprendía lo que le había hecho a su madre. Por primera vez, se sintió culpable.

–Pues sí, me importa mucho, aunque para lo que me sirve ya… –admitió con sinceridad Sasha mientras se secaba las lágrimas y se quitaba el abrigo.

Por primera vez desde aquella aciaga noche en los Hamptons, Tatianna lo sentía por su madre. Nunca había pensado en lo sola que estaba. Lo único en lo que podía pensar era en lo mucho que añoraba a su padre, no en la soledad y tristeza de su madre.

–Sólo quería que estuvieras con alguien más parecido a papá –explicó en voz suave y arrepintiéndose de los comentarios anteriores. Entonces, por primera vez, admitió la verdad mientras las lágrimas llenaban sus ojos–. No es verdad –se corrigió–. No quería que estuvieras con nadie, sólo con papá.

–Lo sé –contestó su madre llorosa al tiempo que la abrazaba–. Yo también le añoro, cielo, cuando murió pensé que me iba con él. No esperaba enamorarme de Liam, pero ocurrió. Yo no quería, pero pasó. –Cerró los ojos mientras las dos seguían abrazadas–. Ahora ya no importa. Se acabó –sentenció con lágrimas en las mejillas.

–Quizá vuelva –la alentó Tatianna, arrepentida de verdad. Le había costado mucho, muchísimo tiempo llegar a ese punto.

–No. Es imposible –replicó Sasha mientras su hija lloraba en sus brazos–. No ha sido culpa tuya, Tati. Si de verdad me hubiera querido seguiría aquí, conmigo. Se habría acabado de todas maneras. Era imposible. Tú tenías razón. –Sasha sonrió con tristeza–. Soy demasiado vieja para él. Necesito un adulto, aunque no sepa muy bien qué es eso.

–Papá era un adulto.

Tatianna estaba tan triste como su madre. Se sentía responsable de lo ocurrido.

–Sí, lo era. No hay muchos como él.

Sasha recordó la charla que Marcie le había dado en verano sobre los perdedores y los imbéciles disponibles. Estaba de acuerdo con Marcie. Ella misma había conocido a algunos en sus dos años de viudedad. Al menos Liam había sido sincero y honesto y la había querido, aunque en ocasiones se comportara como un crío y un inmaduro. Al menos era bueno y amable. Por lo que Sasha había visto, no podía decirse lo mismo de los demás. Sabía que probablemente había algún buen hombre en alguna parte, pero ya no tenía ni energía ni ganas para encontrarlo y confiar en él. Demasiado trabajo. Ahora no quería a nadie. Ya tenía dos hombres a los que llorar: Arthur y Liam.

Poco después, Tatianna le dio un beso de buenas noches y se marchó con el vestido que había ido a buscar y Sasha se quedó meditando sobre los sucesos de la noche. Tatianna había vuelto a meterse con ella a propósito de Liam, pero esta vez Sasha la había puesto en su sitio. Justo lo que éste había esperado de ella en julio y Sasha no había podido hacer. Había tenido la idea correcta en el momento equivocado. Se lo debía a Liam y al final se lo había dado, pero él se lo había pedido demasiado pronto. Por desgracia para ambos, ahora era demasiado tarde. De todos modos, Sasha se alegraba de haberse plantado. Tatianna necesitaba escuchar todo lo que le había dicho. Y Sasha necesitaba decirlo. A modo de último regalo para Liam y para ella misma, por fin había salido en su defensa. Ahora ya no importaba, el plazo había vencido hacía mucho, pero a ella le había hecho bien y había servido para demostrarle a Tatianna cuánto quería a Liam. Había sido su último regalo para él.

18

Por la mañana había parado de nevar y las calles estaban limpias. La noche era cristalina y gélida mientras Sasha se arreglaba para la inauguración de Liam. Como de costumbre, eligió ropa oscura y sencilla. En esta ocasión, un vestido negro de cóctel sin flecos ni volantes. Quería que destacaran los cuadros, no ella.

Marcie había convocado a Liam a las cinco y media para atender a un crítico de arte. Querían fotografiarlo junto a su obra. Los invitados debían acudir a las seis en punto.

Sasha dejó que Marcie se ocupara de Liam y el crítico; cuando salió del despacho, puntual para la inauguración, el crítico y el fotógrafo acababan de marcharse. Liam esperaba, nervioso, vestido con traje negro y camisa blanca, una corbata rojo oscuro, serios zapatos de cordones también negros y el pelo recogido en una coleta. Sasha no pudo evitar una sonrisa al ver sus calcetines negros. Tenía un aspecto impecable y, a su pesar, le dio un pequeño vuelco el corazón. Pero ningún sentimiento traslució en su expresión. Era una marchante de arte fría y profesional a la espera de guiarlo por su primera exposición importante.

—Estás fantástico, Liam. —Los ojos de él asimilaron la silueta vestida de seda negra.

—Tú también. —Le devolvió el cumplido. Un camarero le ofreció una copa de champán que él aceptó antes de mirar a Sasha con timidez—: No te preocupes, me comportaré.

—Nunca lo he dudado. —Le sonrió con recato.

—Espero que esta noche no haya caballos que montar —bromeó refiriéndose a la barbacoa en que se emborrachó y organizó un escándalo.

–No –contestó ella, guiñándole un ojo–. Había pensado que después de la inauguración podríamos montar en trineo.

Liam movió la cabeza y gimió al recordar el Cuatro de Julio anterior.

–Cuidado, no vaya a aparecer un caballo.

Sasha sonrió, calló y propuso un brindis.

–Por el éxito de tu primera exposición en Suvery.

–Gracias, Sasha. ¡Por mi marchante!

Con el primer brindis empezaron a llegar los invitados. Después se impuso un caos organizado. Cientos de personas deambulaban por la galería para ver los cuadros; charlaban, comentaban, reían, se encontraban y saludaban. Presentaciones, preguntas, listas de precios, críticos, curiosos y coleccionistas se mezclaban unos con otros para admirar el talento de Liam. Sasha no tuvo ocasión de volver a hablar con él en toda la noche. Le había encargado a Marcie que le presentara a la gente, lo tuviera contento y se asegurara de que se comportaba como es debido.

No hubo problemas, percances ni sorpresas. La única, aunque no para Sasha, fue que se vendieron todos los cuadros menos dos. Liam no podía creerlo; se quedó petrificado y lleno de emoción cuando ella le comunicó la buena nueva.

–Impresionante, Liam. Casi nunca pasa, sólo con las figuras de primerísimo orden. Significa que comprenden y aprecian tu trabajo. Deberías estar orgulloso –después añadió–: Estoy orgullosa de ti.

Sin mediar palabra, Liam la abrazó, y luego pareció avergonzarse. La situación le superaba.

–Así que ahora ya no eres sólo mi artista de talento, sino que pronto serás rico. Muy pronto. –Sasha ya había decidido subir los precios–. Creo que lo siguiente es exponer en París. El mercado no es dinámico, pero si ya has triunfado en Nueva York, suele ir bien. Tenemos que hablar antes de que te vayas.

Liam seguía sin creérselo y se dirigió hacia La Goulue con expresión traumatizada. Sasha lo envió por delante con Karen y Marcie mientras ella reunía al resto de comensales. Algunas de las personas que había invitado a la cena eran amigos; otras eran clientes que quería que conocieran al artista y que esa noche habían comprado alguna pieza. Había reservado una mesa para veinte que encabezarían Liam en un extremo y ella en el opuesto. Le había rodeado de amigos. Para Sasha resultaría extraño estar allí con él. Pero tenía que hacer su trabajo y hacerlo bien con independencia de lo que sintiera por Liam. Varios de los artistas que él le había pedido que invitara eran mujeres; Sasha ya conocía a muchas de ellas, de cuando sólo eran amigas de Liam. No tenía ni idea de con quién estaba ahora éste, y no quería saberlo. Las únicas personas de la edad de Sasha que habría en la mesa eran clientes. El resto de los invitados eran considerablemente más jóvenes que Liam. Algunas cosas no cambiaban. Y ahora ya no había razón para que lo hicieran. Liam había regresado a su mundo. Ya no tenía necesidad de adaptarse por Sasha, ni siquiera de comportarse. Pero esa noche se mostraba muy circunspecto, ya fuera por voluntad propia o por deferencia hacia ella. Era una noche importante y una gran victoria para Liam.

Sasha tuvo que anunciar una noticia durante la cena. Uno de los clientes sentados cerca de ella acababa de decidir comprar los dos cuadros que quedaban. Habían vendido todas las piezas de la exposición la noche misma de la inauguración. De pie en el extremo de la mesa, mientras compartía la noticia con todos, volvió a brindar por Liam. Esta vez, él se quedó sentado donde estaba y la miró.

A continuación, Liam dedicó un confuso brindis a Sasha y al cliente; no sabía qué decir, sólo quería dar las gracias a todos, en especial a Sasha, Karen, Marcie y a los clientes que habían comprado sus cuadros. Se le veía superado por la situación y Sasha se conmovió.

Ella le sonrió un par de veces desde un extremo de la mesa, pero sus miradas no escondían ninguna intención oculta. Sencillamente se alegraba del éxito de la exposición. Aquél había constituido el objetivo de su alianza desde el principio. El resto habían sido simples añadidos, no la motivación para contratarle. Habían conseguido justo lo que ella quería para él: el éxito.

La cena se alargó hasta pasada la medianoche y Sasha, tal como tenía por costumbre, se quedó hasta que se marchó el último invitado. Pagó la cuenta, dio las gracias al personal del restaurante y salió con Liam a la gélida y clara noche de diciembre. Hacía tanto frío que el aire se clavaba como agujas en los pulmones.

–No sé cómo darte las gracias –le dijo Liam, extasiado.

Sasha había encargado unos vinos excelentes, pero resultaba obvio que Liam no había bebido demasiado. Su comportamiento había sido ejemplar durante toda la noche, en todos los sentidos. Jamás se había comportado mejor y, de un modo extraño, parecía haber madurado.

–No tienes que darme las gracias, es mi trabajo. Presento artistas prometedores al mundo. –Esa noche Liam había entrado en el mundo–. Además, me quedo con la mitad del dinero. Soy yo quien debería darte las gracias.

–Gracias por creer en mí y darme una oportunidad. Espera a que se lo cuente a mis hijos –dijo sonriendo, y luego volvió a mirar a Sasha. Se la veía excepcionalmente pequeña calzada con sus botas planas de invierno, de pie junto a él–. ¿Puedo invitarte a una copa?

Ella empezó a rechazar la oferta pero al final asintió. Probablemente se trataba de su última oportunidad. No iba a pasar nada. Ya estaba superado.

Decidieron ir al bar del Carlyle y comentaron la inauguración en el taxi. Liam quería conocer hasta el último detalle y los comentarios de todos los asistentes. Sasha le contó cuanto sabía, todo lo que le habían dicho. Él se regodeó en cada frase.

Cuando llegaron al Carlyle él pidió un brandy y ella una taza de té. Sasha había bebido vino en la cena y lo último que quería era pasarse con el alcohol estando en compañía de Liam. No quería descontrolarse. Después de esa noche todo sería más fácil. Pero de momento era la primera vez que le veía tras su tórrida aventura. Todavía tenía que encontrar un modo nuevo de mirarle y tratar con él. Esa relación estrictamente profesional aún era muy nueva para ella.

Charlaron un rato de nada en particular y luego Sasha sorprendió a ambos contándole la conversación que había mantenido la noche anterior con Tatianna. No había tenido intención de compartirla con él pero, por la razón que fuera, lo había hecho casi sin darse cuenta.

–No sé por qué te lo he contado –confesó, incómoda–. Puede que quisiera que supieras que al final me he plantado por ti. Demasiado tarde para nosotros, pero no para ti. Lo más estúpido es que Tatianna se ha retractado enseguida. –Miró a Liam con expresión de disculpa–. En julio no estaba preparada. Quizá debería haberlo estado. Y sé que eso era lo que necesitabas de mí. Pero al menos lo he hecho ahora. –No intentaba impresionarle, sólo quería que supiera que al final había defendido su honor y el de ella.

–Está bien, Sasha. Lo entiendo. Estabas en una situación difícil. Ambos lo estábamos. Es curioso cómo van las cosas. A veces todo coincide, el pasado, el presente, el futuro. Gente nueva, gente de antes, fantasmas del pasado. Yo a veces confundo a otras personas con mi familia. Sencillamente me tocó varios puntos flacos. No es más que una cría y además es hija tuya. Debería haberlo comprendido. Ahora lo entiendo. Pero me ha costado mucho. He tardado demasiado en comprenderlo –contestó con tristeza.

–Gracias, eres muy amable –dijo Sasha con una sonrisa–. Sé que lo pasaste mal. Para mí también fue duro, pero tienes razón. Es mi hija. Y la verdad, en lo que a ti respecta, aunque es adulta no se ha comportado como tal. Quizá todos nos comportamos como niños alguna vez.

–Dímelo a mí –repuso él con una mueca compungida, y ambos rieron–. De hecho, me enorgullezco de ello. He convertido la inmadurez en una profesión.

–Vaya, ¿y este cambio? –preguntó Sasha, divertida.

Liam la divertía. Al mirarle, volvió a darse cuenta de cuántas cosas había echado de menos en los últimos meses y seguiría añorando para siempre.

–La edad, supongo. Voy a cumplir cuarenta y uno.

Sasha gimió.

–No te quejes, por favor. En mayo cumplo cincuenta. Mierda ¿cómo he envejecido tanto?

«¿Y cómo me he vuelto tan tonta?», quiso añadir. De pronto deseaba haberse encarado con Tatianna en julio pero no había sido el momento adecuado para ella, el destino no lo había querido así.

–No eres vieja, Sasha. Sigues siendo joven y guapa. No entiendo por qué todo el mundo lleva tan mal la edad. A mí me ocurre lo mismo. Sigo fingiendo que soy un chaval y no es el caso. Por mucho que deteste admitirlo sigo madurando. No sé por qué a todo el mundo le parece tan maravillosa la juventud. Si recuerdo bien, la mía fue un asco. No me enteraba de nada. Ahora todo va mejor.

–Ojalá pudiera decir lo mismo. –Se recostó en el banco a contemplarle. Era raro. Habían pasado de amantes a artista y marchante y ahora, al final, quizá terminaran siendo amigos. Con nadie más se sentía tan cómoda conversando. Tal vez a excepción de Xavier. Pero Xavier era su hijo. Había cosas que podía confesarle a Liam y que nunca contaría a su hijo–. A veces tengo la impresión de que cuanto más vieja me hago, menos cosas sé.

–Sabes muchas cosas. En muchos sentidos eres la persona más lista que conozco. Y la mejor marchante del mundo.

–Hacemos un buen equipo. –Se interrumpió, de pronto se había dado cuenta de lo que acababa de decir y sintió vergüenza. No quería que Liam pensara que iba detrás de él. No era cierto. Lo evitaba de manera consciente, lo cual no era fácil–. Artístico.

–Tampoco se nos daban tan mal otros menesteres. La mayor parte del tiempo. De vez en cuando sufríamos alguna avería.

Una descripción muy benévola, en opinión de Sasha. En los once meses que habían compartido se habían separado dos veces, durante un total de seis meses, lo cual significaba que la mayor parte del tiempo no habían sabido entenderse.

–Estás siendo muy generoso.

Sasha terminó el té. Llevaban dos horas sentados en el bar del Carlyle. Era hora de volver a casa. No podían alargarlo mucho más, el bar estaba cerrando.

El portero les paró un taxi y Liam la acompañó a casa. A Sasha le habría encantado invitarlo a subir, pero sabía que no debía hacerlo. Sólo habría servido para desearlo todavía más, y no tenía sentido. Esta vez su relación había terminado para siempre y ambos lo sabían. No podían engañarse. No los había vencido la edad, sino la vida, unos valores, un estilo de vida y Tatianna. El destino. No estaba escrito que pasara por mucho que se atrajeran mutuamente, como todavía ocurría.

Liam la miró un momento antes de que Sasha bajara del taxi.

–Gracias por una inauguración fantástica. –Titubeó y le tocó la mano–. El viernes me voy a Vermont. –No sabía cuánto tiempo permanecería ella en la ciudad–. ¿Me dejas que te invite a cenar mañana? Para agradecerte esta noche y por los viejos tiempos.

Sasha ni siquiera sabía si Liam tenía novia. Creyó que quería invitarla como amiga.

–No sé si es buena idea. Siempre acabamos metidos en algún lío.

Liam se rió.

–Confía en mí. Me comportaré. Te lo prometo.

–Es de mí de quien no me fío. –Estaba siendo franca con él; siempre lo había sido, desde el principio.

–Bonita imagen. «Joven artista denuncia a marchante por acoso sexual.» Yo sí me fío de ti y, si intentas algo, gritaré que me violas. ¿Lo intentamos?

Liam había conseguido eliminar la tensión y Sasha aceptó la invitación. Le encantaba estar con él y charlar.

–Intentaré controlarme –aseguró Sasha con una sonrisa pícara.

Liam se moría por despedirla con un beso, pero se contuvo. No quería estropearlo y saltaba a la vista que Sasha estaba asustada. Igual que él.

–Pasaré a recogerte por la galería a las seis. Quiero entrar a admirar mi obra, sobre todo ahora que está toda vendida.

Sasha se rió, bajó del taxi, se despidió y se encaminó hacia su edificio. Liam se despidió mientras el taxi se alejaba.

Sasha entró en el piso pensando en los momentos en que lo había compartido con Liam. El lugar parecía lleno de fantasmas. Arthur. Liam. Hasta sus hijos se habían marchado. La realidad de su vida se imponía: estaba sola. Probablemente para siempre. Pero, volvió a recordarse mientras se quitaba el abrigo, no podía permitirse volver a enamorarse de Liam, por muy tentador y encantador que le pareciera. Habían demostrado dos veces que la relación era imposible. No necesitaban una tercera.

19

Liam pasó a recogerla por la galería a las seis en punto tal como había prometido. Echó un vistazo a los cuadros. Resultaba extraño saber que no volvería a verlos. Era como entregar a tus hijos en adopción. Él les había dado la vida y ahora tenía que dejar que se marcharan. Mientras recorrían el centro en taxi le embargó la nostalgia. Liam había reservado mesa en Da Silvano. En julio habían ido con frecuencia. Se trataba de un restaurante italiano bastante conocido con camareros que cantaban cuando les apetecía y servían buena comida.

Hablaron de arte, como de costumbre, de conocidos, de los amigos y de sus hijos. A Tom le iba bien en la universidad y los demás tampoco tenían problemas. Al final, Liam terminó hablando de Beth. Admitió que saber que iba a volver a casarse le despertaba sentimientos extraños. Tendrían el divorcio para Navidad. Todavía no le había perdonado lo de Becky, y Liam sabía que nunca lo haría.

–Yo creía que al menos podríamos ser amigos. Pero por lo visto, ni eso. Como mínimo parece que tú y yo hemos sabido recuperar la amistad; ya es algo.

Pero los dos eran muy conscientes del trasfondo que los unía. La atracción que sentían era demasiado fuerte. A Sasha no dejó de preocuparla en toda la noche, mientras estaban sentados el uno frente al otro, comían pasta y bebían vino tinto barato.

Recordaron el viaje a Italia. Había sido mágico. Después, sin pensarlo, Liam le miró la muñeca y vio la pulsera que le había regalado. Todavía la llevaba. Sasha no se la había quitado, ni siquiera después de romper. Le incomodó que Liam se fijara.

–Una tontería. Para estas cosas soy una sentimental.

–Igual que yo –contestó Liam, pero no añadió más.

–En fin, ¿qué vas a hacer en Navidad, Liam?

–No lo sé. Regresaré a Londres después de ver a los niños. De momento sólo pasaré el fin de semana en Vermont. En un motel, la cabaña del bosque no tiene calefacción ni está acondicionada para el invierno.

Sasha asintió pensando en los hijos de Liam. No había llegado a conocerlos, pero le habría gustado. Quizá algún día. Tal vez Liam los llevara a la galería para enseñarles sus exposiciones. Aunque pasarían al menos un par de años antes de que montaran otra. La siguiente sería en París. Y después, de nuevo Nueva York, al año siguiente. Como marchante, tenía grandes planes para él. Como mujer, ninguno. Había aprendido de la experiencia.

–¿Y tú? ¿Pasarás la Navidad en París?

–No estoy segura. Este año Tatianna estará fuera con unos amigos. Xavier tiene una novia nueva a la que quiere dedicar algo de tiempo. Creo que me quedaré aquí unas semanas y regresaré a París por Navidad. Pensaba invitar a Xavier y a su novia. El tiempo pasa.

Sonrió intentando parecer valiente. Pero el corazón se le encogía al pensar en las Navidades sin Arthur y sin él.

Consiguieron compartir toda la cena sin herir los sentimientos del otro ni sacar a relucir recuerdos dolorosos. Los bordearon con cuidado, cual campo de minas; en conjunto la velada fue un éxito. Liam se ofreció a acompañarla en taxi hasta la parte alta pero a Sasha le pareció que era una tontería. Después tendría que regresar a Tribeca, cerca de donde se encontraban. Ella tenía que cruzar media ciudad hasta llegar a su casa.

Liam insistió en que no le importaba. Pero en cualquier caso Sasha salía perdiendo. Si Liam sólo intentaba ser amable, ella se sentiría rechazada. Y si volvía a desearla como mujer, sabía que ambos lo lamentarían. Había llegado el momento de pasar página.

Sasha lo abrazó y le besó en la mejilla, le agradeció la invitación a cenar y subió sola al taxi. Lloró todo el trayecto, sintiéndose una tonta. Se recordó que por muy atractivas que resultaran, ciertas cosas no estaban hechas para ella. Y Liam era una de ellas. Podía considerarse afortunada por haber disfrutado de él. Durante un tiempo se habían hecho felices mutuamente. Lo cierto era que sólo habían compartido cinco meses. Una nadería en el cómputo total de la vida; desde luego no aguantaba la comparación con los veinticinco años de convivencia con Arthur. La aventura amorosa con Liam había sido breve y dulce, excitante y apasionada, llena de fuegos artificiales. Sasha sabía que las relaciones duraderas exigían algo más simple, fácil, tranquilo y sólido. Y Liam no tenía nada de tranquilo y fácil. Tal vez, ni siquiera ella lo tuviera.

Al llegar a casa encendió la luz, se puso el camisón, se cepilló los dientes y se acostó. Acababa de apagar la luz cuando llamaron al timbre. El portero. No se le ocurrió qué podía querer, así que salió de la cama para contestar. Según el portero, tenía visita.

—No, no puede ser. No espero a nadie —contestó Sasha, distraída—. ¿Quién es?

El portero pasó el auricular al visitante.

—Soy yo. ¿Puedo subir? —Era Liam.

—¡No! —casi gritó Sasha—. No puedes subir. Ya me he acostado. ¿Qué estás haciendo aquí?

Menuda estupidez. Sasha estaba a punto de enfadarse con él. No quería que la tentara aunque en realidad lo deseara. Pero no iba a permitírselo. Otra vez no.

—Quiero hablar contigo —respondió Liam con serenidad, consciente de que el portero estaba escuchando. Era nuevo y no le conocía.

—Pues yo no quiero hablar contigo. Llámame por la mañana.

—Dice que suba —mintió Liam al portero, y colgó.

Se dirigió hacia el ascensor sin titubear, saltaba a la vista que conocía el camino. El portero no le detuvo mientras Liam se despedía. Al cabo de dos minutos llamó al timbre de Sasha. Ella lo oyó pero no contestó. No tenía valor para pedir al portero que subiera a echarlo de su casa, pero podría haberlo hecho y así se lo advirtió a Liam desde el otro lado de la puerta.

—¡Vete!

—No pienso irme.

—No voy a abrir.

—Vale. Podemos hablar así. Estoy seguro de que a los vecinos les parecerá una conversación fascinante —dijo, despreocupadamente mientras Sasha se apoyaba en la puerta, se cruzaba de brazos y cerraba los ojos.

—No me hagas esto, Liam. No tenemos nada que decirnos.

—Habla por ti. Yo tengo mucho que decir.

Entonces empezó a cantar. Sasha sabía que molestaría a los vecinos y que acabarían por quejarse. No le quedaba más remedio que abrir la puerta. La abrió y lo recibió con cara de pocos amigos.

—Si me tocas, llamo a la policía y te acuso de violación.

—Perfecto. Potenciaría mi reputación. Como me toques, les diré que me has violado.

—No te preocupes, no te tocaré.

Entró en el piso como si aún viviera allí y Sasha le siguió en camisón. Liam se dirigió directo hacia la cocina y abrió el congelador.

—Perfecto. Rocky Road.

Miró con deleite el envase que acababa de sacar del congelador, cogió un cuenco y se sirvió una generosa porción no sin antes ofrecerle a Sasha. Ella rechazó la oferta con la cabeza, parecía a punto de pegarle. Lo habría hecho de haber reunido el coraje necesario. Liam se sentó con total despreocupación. Había dejado el abrigo sobre una silla del recibidor; todavía llevaba el suéter y los pantalones negros de la cena. Y calcetines. Hacía frío. Hasta Liam llevaba calcetines en invierno. Pero sin dejar de ser Liam. Indomable e incontrolable. El artista chiflado favorito de Sasha.

–No comas eso. Debe de estar pasado. Lleva aquí desde que te fuiste.

–Da igual –contestó él, comiéndose el helado sin apartar la vista de Sasha.

–Bien, ¿qué querías decirme? –Seguía con su aspecto furibundo y Liam sonrió.

–Quería decirte que te quiero. Pensé que debías saberlo.

–Yo también te quiero. Pero eso no cambia nada. Nos volvemos locos mutuamente. Yo herí tus sentimientos. Tú me rompiste el corazón. Te fuiste. Es imposible. Lo sabemos. No hace falta que lo demostremos de nuevo. Ya lo hemos comprobado dos veces. Para mí, dos son más que suficientes.

Habían transcurrido cuatro meses y Sasha aún no lo había superado. Si Liam la volvía a dejar todavía le costaría más recuperarse. Perderlo dos veces había sido suficiente. No pensaba intentarlo de nuevo por muy irresistible que éste le pareciera. Esta vez Sasha atendería a lo que le dictaba la razón, no el corazón. Su corazón le había complicado la existencia con Liam. Siempre.

–A la tercera va la vencida –insistió Liam apurando el helado. Aclaró el cuenco y lo metió en el lavaplatos–. Mira qué bien enseñado estoy. ¿Por qué iba a desperdiciar todo esto en otra persona?

–Pura fachada. Eres uno de esos perros grandotes y desaliñados que mueven la cola, van a buscar la pelota y te la devuelven. Pero no estás bien enseñado y yo lo sé.

–Ni tú. Nos merecemos el uno al otro.

–Yo sí. Soy una persona extremadamente civilizada. En todos los sentidos.

Se enderezó cuan alta era para adoptar una postura desafiante pero fracasó estrepitosamente. Liam no estaba ni impresionado ni intimidado. Estaba enamorado, no asustado.

–Sí, eres muy civilizada. Lo admito. Pero también la mujer más terca que conozco.

–¿Has hecho una encuesta? –preguntó Sasha con expresión desconfiada–. Xavier te vio con un chica más joven que Tati.

–He conocido a montones de jovencitas desde que cometí la estupidez de dejarte. Me aburren. No sé qué me hiciste, pero ya no puedo vivir sin ti. Quiero volver contigo. Te quiero. Te prometo que esta vez me portaré bien.

–Como la última –le contestó ella mirándole con tristeza–. Estuviste fantástico. Contigo era feliz. Yo también te quiero. Pero no soporto tus tonterías de artista. Cada vez que espero que te comportes como una persona respetable crees que intento controlarte. Te ofendes, te sientes criticado y piensas que te aíslo como hacía tu padre. No es así, pero tampoco puedo hacer siempre lo que tú quieras. Cosa que tú te tomas como el bombardeo de Hiroshima. En cuanto te sientes insultado, desapareces.

–Me sentía excluido –explicó como si sirviera de algo.

Pero la conclusión era que él había puesto fin a la relación marchándose. Y cuatro meses después seguía siendo la misma. Era demasiado tarde, al menos eso quería Sasha que creyera.

–Ya sé cómo te sentías. Y lo he pasado fatal sin ti. Pero no quería perder a mi hija para siempre por defenderte. Era demasiado pronto.

–Eso lo entiendo ahora. Me ha costado un poco, pero por fin lo comprendo. –Liam estaba sentado a la mesa de la cocina como esperando a firmar un contrato.

–¿Qué quieres de mí, Liam? –preguntó por fin, asustada e insegura–. Vas a volverme loca.

–Los dos estamos locos. Los dos. Locamente enamorados el uno del otro. Puede que sea una enfermedad, no lo sé, tal vez deberíamos tratarnos. Lo único que sé es que cada vez que te veo me doy cuenta de que no puedo vivir sin ti. Y no me digas que tú no sientes lo mismo, porque sé que para ti es igual. Esta noche quería subirme al taxi contigo pero como no me has invitado he cogido otro y he venido a verte. Al menos podrías haberme invitado a una copa –se quejó como si se sintiera insultado, aunque no era cierto. Le estaba tomando el pelo y Sasha lo sabía–. Me he ofrecido a acompañarte a casa y lo decía en serio.

–Y luego ¿qué? ¿Cometemos otra tontería? ¿Qué ocurriría después? Pasamos un mes maravilloso, tal vez dos o tres, y luego desapareces en cuanto te sientes ofendido. Liam, no.

–Bueno, no pienso dejarte hasta que tú me dejes. Quiero pasar las Navidades contigo. En realidad, quiero pasar mi vida entera contigo. Te necesito. Eres la única mujer del mundo que me entiende, que se preocupa por mí y me cuida.

–No quiero hacerte de madre, Liam. Por muy vieja que sea.

–Todos los hombres buscan una madre. Está en nuestra naturaleza.

Alguien más se lo había dicho, pero Sasha no recordaba quién. Intentó recordarlo, aunque no importaba. Liam no decía más que tonterías, por muy bonitas y apetecibles que parecieran, o sensuales.

–Me gusta que seas mayor que yo. Tienes más sentido común que yo.

–Eso es porque te niegas a crecer.

–Puedes ser adulta por los dos. Te doy permiso.

Liam tenía aspecto de creer que había resuelto el problema. Pero al menos para Sasha, no era el caso.

–Tú también debes madurar.

–Lo odio –confesó, chasqueando los dedos–. ¿No podría jugar al artista chiflado hasta cumplir ochenta años? Para entonces, bastará con que le digas a la gente que estoy senil.

–Puedes ser un artista chiflado, pero no todo el tiempo.

Aunque no lo era a todas horas. Sólo en momentos concretos, como en la barbacoa, cuando se comportó de manera indignante. Nadie iba a olvidar aquel día; desde luego, Sasha todavía lo recordaba.

–Da igual lo que acordemos, Liam. Seguirá sin funcionar. Ya está. No funciona. Es imposible.

–Chorradas. Es posible. Sólo que tú no quieres que lo sea.

–¿Por qué no iba a querer que fuese posible? ¿Por qué no iba a querer estar contigo si te quiero? Y te quiero. Nunca he dejado de amarte. Fuiste tú quien se marchó. No yo. Fuiste tú quien lo convirtió en algo imposible. Me lo demostraste. Me convenciste. Entonces yo creía que podía ser posible, hasta que tuviste la rabieta con Tati, aunque admito que se portó muy mal contigo.

–Tati se comportó como una estúpida. Es una estúpida, de hecho. No sé, Sasha. ¿Qué quieres que te diga? Aparte de Beth, eres la única mujer a la que he querido. Tal vez aprenda despacio, quizá sea disléxico o algo peor. Sólo sé que ahora lo entiendo.

–Es demasiado tarde.

Sasha no lo quería, pero era demasiado tarde. Para ambos. No podían caer en lo mismo por mucho que les tentara probarlo de nuevo.

–No –insistió Liam.

–Sí. –Sasha era tan tozuda como él. En este caso, más aún.

–Voy a emborracharme si no paras de discutir conmigo. No me dejas otra opción.

Por un instante, Sasha le creyó.

–¿Quieres una copa?

–No, te quiero a ti.

Liam se arrodilló en el suelo de la cocina. Todavía no había conseguido salir de allí. Sasha se rió.

–Estás ridículo, para. Levántate, por Dios.

–No me levantaré hasta que digas que lo intentaremos otra vez. Joder, Sasha, ¿qué podemos perder?

–La cordura. Al menos, yo. La última vez casi me vuelvo loca.

–No volverá a pasar. Lo prometo.

–Pues harás algo peor. Lo sé.

–¿Y qué? Pelearemos un poco y lo arreglaremos. Es un proceso de aprendizaje. Aprendo lentamente, vale, pero, Dios mío, cómo te quiero.

–Eres imposible.

–Puede que yo sí. Pero esta relación no.

Liam se acercó e hizo lo que llevaba toda la noche, desde el día anterior incluso, deseando hacer sin atreverse. La besó y la abrazó. No paró hasta que a ambos les faltó el aliento.

–Te quiero –le repitió con voz quebrada.

–Yo también te quiero –susurró ella–. Liam, por favor…, no me hagas esto. –Era absolutamente incapaz de resistirse a él y lo sabía. Le deseaba demasiado.

–Por favor, Sash, una oportunidad… –respondió él también en un susurro.

Sasha lo miró larga e intensamente y, como si otra persona se moviera por ella, alguien totalmente fuera de su control, asintió y cerró los ojos.

De un único gesto Liam la alzó en sus brazos y la llevó al dormitorio, después la depositó en el lecho que habían compartido en verano. Sasha le contempló mientras se desnudaba y se preguntó por la locura que estaban cometiendo; pero era incapaz de resistirse.

–Creo que estoy poseída –concluyó mientras él se quitaba primero los zapatos y después los pantalones–. Necesito un exorcista.

–Yo te necesito a ti –contestó Liam dejando caer al suelo los pantalones y la camisa. Sasha estuvo a punto de desvanecerse al verlo, entonces Liam apagó la luz–. Eres lo único que necesito –aseguró metiéndose en la cama.

–Te quiero, Liam… Será mejor que esta vez lo hagamos bien –le advirtió mientras empezaban a hacer el amor.

–Lo haremos, Sasha, lo prometo.

Hicieron el amor como si fueran adictos el uno al otro. Lo que compartían estaba más allá de toda razón, promesa o palabra. Sólo sabían que ambos, tumbados juntos en la cama, creían de nuevo que era posible.

20

Sasha se despertó por la mañana junto a Liam y esta vez no pudo más que reír.

–Dime que estoy soñando. Debo de estar drogada. Estamos locos, mira que intentarlo otra vez…

–Sí –convino Liam, dándose la vuelta con una amplia sonrisa–, estamos locos y me encanta. Piensa lo aburrida que sería sino la vida.

–Sí, podría ser hasta normal. Vete tú a saber qué se siente. Yo ya no me acuerdo.

–Es aburrida –contestó Liam, sonriendo.

–No me digas eso, por Dios.

–¿Qué vamos a hacer hoy?

–Tú, no sé, don Artista Chiflado. Pero yo tengo que trabajar para vivir. Tengo hijos y artistas que mantener.

–A mí no. Lo he vendido todo –repuso él con alegría mientras se acercaba a besarla. Volvían a ser felices. La vida era una delicia–. Volveré después de Vermont. –Tenía pensado regresar a Londres desde Boston, pero en aquel momento, en un abrir y cerrar de ojos, había cambiado de planes–. Puedo volver contigo a París, si quieres. No quiero inmiscuirme en tus Navidades con Xavier. Podría pasar unos días en Londres.

–No. Quiero que vengas. Xavier estará encantado. –De todos modos Tatianna no pasaría la Navidad con ellos. Sin su padre le deprimía pasar las fiestas con su madre y su hermano. Xavier era más leal y nunca la habría dejado sola–. Liam –dijo Sasha, sentándose en la cama. Parecía que tenía algo serio que anunciar–. Esta vez no voy a perderte. No importa qué tenga que hacer. No quiero volver a fastidiarla. Y si sales corriendo, iré tras de ti. Quiero que lo sepas. O conseguimos que funcione o morimos en el intento. No podría perderte otra vez.

—A sus órdenes, señora. —Saludó y fue hacia la ducha. Era maravilloso volver a tenerle en casa, ver su bello y alto cuerpo desnudo y su larga melena rubia.

—¡En serio! —le gritó Sasha a la espalda—. Hoy mismo se lo cuento a Tatianna.

El comentario iba dirigido a ambos. Sabía que esta vez Tatianna no opondría resistencia. De todas maneras, era su vida, no la de su hija.

—Te quiero —le respondió él a voz en cuello. Para él el tema estaba zanjado.

Sasha preparó huevos con beicon y magdalenas para los dos. Al cabo de una hora, Liam estaba de vuelta en la cama leyendo el periódico y Sasha arreglándose para ir a trabajar. Daba la impresión de que él nunca se hubiera marchado.

—La asistenta llega a mediodía —le recordó Sasha sonriéndole con el maletín en la mano.

—Lo sé. Me acuerdo. Me habré levantado. Hoy se te ve muy madura —comentó, divertido.

—Lo soy.

—No tanto. No me mientas, Sasha. No eres más madura que yo. Si lo fueras no estaríamos metidos en esto.

Sasha se alegraba de ello. Mucho. Igual que él. De hecho, estaban en éxtasis. Sasha tenía la impresión de haber recuperado la vida cuando lo que había recuperado era a él. La verdad era que ella le ayudaba a madurar y él a mantenerse joven. En algún punto intermedio radicaba el reino de lo posible que habían buscado durante un año y que por fin parecían haber hallado. El secreto estaba en conservarlo. Sasha y Liam estaban preparados para afrontar el reto. Ambos sabían que no sería fácil pero valía la pena intentarlo.

—¿Almorzamos juntos? —propuso Liam.

Sasha asintió.

–Pasaré a recogerte a la una. Antes tengo que hacer algunos recados. Quiero comprar los regalos de Navidad de los niños. ¿Qué crees que querrán?

–Ni siquiera les conozco, Liam –contestó, riéndose de él.

Liam acababa de regresar y ya estaba en la cama como un rey.

–Eso cambiará pronto. La próxima vez que vengas a Nueva York iremos juntos a verlos.

–Trato hecho.

Ahora la relación no tenía secretos. Si iban a intentarlo, tenía que ser en serio, sin restricciones. Ambos estaban preparados. Les había costado un año lograrlo, pero podría haber sido peor. Los cuatro meses sin él le habían demostrado cuánto significaba para ella. Liam había descubierto lo mismo. Sasha le besó antes de irse y, al poco, Liam saltó de la cama. Quería comprarle un regalo de Navidad a Sasha. Lo haría por la tarde. Esta vez no bastaba con una pulsera de oro, quería algo mejor. Esa semana había ganado mucho dinero y no veía el momento de gastarse parte de él en Sasha.

Pasó a recogerla por la galería a la una en punto. Fueron a almorzar a Gino's y luego la acompañó al trabajo paseando antes de ir a ocuparse de sus recados. A última hora de la tarde volvió a la galería y estuvo entreteniéndose con Marcie mientras Sasha terminaba de atender a un cliente. Ella se lo presentó antes de que se fuera; le dijo al cliente que Liam era el artista joven con más futuro de la galería. Entonces besó a Liam en la mejilla para dejar claro que para ella era mucho más que eso. Ya no era un secreto. Cuando se marcharon de la galería Liam estaba exultante.

–Ha sido muy bonito lo que acabas de hacer.

–¿El qué? ¿Presentarte a un cliente?

Sabía a qué se refería y se alegraba de que le hubiera gustado. Ahora comprendía cuánto significaba para él sentirse aceptado y que, en diferentes ocasiones, alardeara de él. Liam lo necesitaba, y si eso era lo que hacía falta para que fuera feliz, Sasha lo haría con gusto. Más que con gusto. Porque también ella quería, porque le amaba inmensamente y sabía que él la amaba a ella.

A ambos les sorprendió la rapidez con la que la relación volvió a normalizarse, como si nunca se hubieran separado. Liam dejó el piso de sus amigos en Tribeca y se mudó con Sasha. Ella se lo contó a Tatianna y ésta telefoneó a su hermano. Esta vez no montó ningún numerito. Recelaba de Liam, pero aceptaba la decisión de su madre e incluso estaba dispuesta a darle una oportunidad a su novio. Por fin había comprendido lo mucho que lo quería su madre.

Todo había vuelto a su sitio, incluso parecía mejor que antes. Era como si al volver a juntarse después de cada separación el nexo que los unía se reforzara todavía más y se sintieran más unidos que nunca. Esta vez Sasha se sentía casi como si estuvieran casados; también Liam lo comentó. Ella se preguntó si algún día se casarían de verdad, pero carecía de importancia. Lo único importante era que estaban otra vez juntos. Su relación nunca había parecido más posible que en ese momento y Sasha estaba plenamente convencida de que esta vez vencerían, lo conseguirían. Eso mismo le había dicho por la mañana a Marcie, que se alegró mucho por ella.

Durante los dos días siguientes salieron a almorzar y a cenar, y fueron de compras; Liam vagaba por la galería cuando ella estaba ocupada y acabaron retomando su ritmo habitual de hacer el amor por la noche y por la mañana y, de vez en cuando, alguna otra vez. Liam salía para Vermont a la mañana siguiente, los regalos de sus hijos ya estaban envueltos. Además había escondido el regalo de Sasha en un cajón del dormitorio de Xavier. Le había comprado una fina esclava de diamantes, similar a la de oro de la otra vez, pero brillante y más «madura». Ahora podía permitírselo. En mayo no había sido posible. La exposición lo había cambiado todo. Por fin ganaba dinero y estaba ansioso por regresar al trabajo.

El móvil de Liam sonó en plena noche cuando ya estaban acostados, aunque al principio no lo oyeron. Estaba cargándose en el baño, pero insistieron tanto que Sasha terminó por oírlo y despertó a Liam. Le llamaban por teléfono. Liam se dirigió a trompicones al cuarto de baño preguntándose quién podría ser. Era Beth. En cuestión de segundos Liam se despertó del todo y clavó la mirada en Sasha con expresión de pánico.

–¿Es muy grave? –preguntó Liam al teléfono.

Permaneció un rato en silencio mientras escuchaba las explicaciones. Sasha seguía sin saber quién había llamado. Pero por la palidez de Liam no prometía nada bueno. Cuando por fin Liam colgó el teléfono, las lágrimas llenaban sus ojos.

–¿Qué ha pasado? –Sasha estaba preocupada. Las llamadas a esas horas y con aquellas preguntas nunca eran buenas. Intuía que algo le había pasado a alguno de los hijos de Liam.

–Era Beth. Es Charlotte: han ido a ver la casa nueva que está construyendo para ellos el prometido de Beth. Todavía no está terminada; Charlotte ha pisado una lona que tapaba un agujero y ha caído desde la altura de un primer piso sobre un montón de materiales de construcción.

–Dios mío.

Sasha estaba tan horrorizada como él. Temblando, Liam dejó el teléfono y buscó la mano de Sasha. La estrujó con tal fuerza mientras le contaba el resto que le hizo daño.

–Se ha roto la espalda pero todavía no saben cuál es la gravedad. Es posible que vuelva a andar pero también podría quedar paralítica de cuello para abajo. No lo saben. También se ha lastimado la cabeza, pero la herida no es tan grave como la de la espalda. Ahora está consciente y le duele muchísimo.

Liam se echó a llorar. Tenía que marcharse inmediatamente. No podía esperar al día siguiente. Sasha alquiló un coche por teléfono y, aunque quería acompañarle, pensó que quizá a Beth y los niños no les gustaría recibir a una desconocida en tales circunstancias. Sin embargo le habría gustado poder estar con él. Sabía que Liam la necesitaba.

En menos de diez minutos estaban en la calle. Liam llevaba su bolsa de viaje. Cogieron un taxi hasta donde estaba el coche que Sasha había alquilado. Al cabo de media hora Liam estaba listo para salir hacia Vermont.

–Ojalá pudiera acompañarte –dijo Sasha de corazón.

Pero Liam estuvo de acuerdo con ella: su presencia resultaría incómoda. Velarían a Charlotte en la unidad de traumatología y a Beth le molestaría que Sasha le acompañara.

–Te llamaré en cuanto sepa algo –le prometió, y la abrazó fuerte un último instante.

Necesitaba toda la fuerza que Sasha pudiera transmitirle. Era la una de la madrugada y tenía por delante un viaje de seis horas en coche, tal vez un poco menos si el tiempo era clemente o un poco más en caso contrario. Beth le había dicho que allí nevaba.

–Estaré pensando en ti todo el tiempo.

Sasha le besó por la ventanilla y le despidió con la mano mientras el coche se alejaba. Un minuto después paró un taxi. Llevaba el móvil con ella y Liam la telefoneó sin darle tiempo siquiera a llegar al piso. Estaba muy afectado y le hablaba entre sollozos.

–Te quiero, Sasha… Gracias por apoyarme cuando te necesito…

–No te preocupes, cariño. Estaré siempre que me necesites, rezando por ti. –Pobrecita Charlotte. Era un milagro que no se hubiera matado. Sasha confiaba, como Liam, que el daño no fuera tan grave como temían–. Conduce con cuidado, corazón… Y, si puedes, llámame cuando llegues.

Liam telefoneó varias veces esa noche con la información que recibía de Beth acerca de Charlotte. La niña estaba en estado crítico, peor, aguantando. La operarían por la mañana, en cuanto su padre llegara. Sasha se sentía enferma sólo de pensar en lo que les esperaba. Era una pesadilla. No imaginaba nada peor, que un niño malherido. Liam llegó a su destino a las nueve de la mañana; Sasha seguía esperando noticias suyas. Había pasado toda la noche en vela con él, hablando cada media hora. No le había dejado solo ni un minuto. Y cuando él no la llamaba, era ella quien lo hacía. Al menos, ahora que volvían a estar juntos podía ayudarle a pasar por esa dura experiencia.

Después no volvió a saber de Liam hasta la hora del almuerzo, mientras intervenían a Charlotte. No saldría de quirófano hasta la tarde noche. Liam le describió entre llantos el estado en que se encontraba su hija. La propia Sasha no podía controlar las lágrimas mientras esperaba en la galería a que llegaran nuevas noticias. La situación no era tan alarmante como se habían temido, pero sí preocupante. Cuando por fin tuvieron oportunidad de hablar, Liam le contó que al prometido de Beth le consumía la culpa y el dolor. Charlotte estaba con él viendo la habitación que iba a ser la suya; él se giró un momento para mostrarle algo, y justo en ese instante la niña cayó. Liam le contó que Beth culpaba a su prometido de lo ocurrido, aunque no más de lo que lo hacía él mismo. La situación era terrible para todos. Tom, el primogénito, volaba de regreso de la universidad para estar junto a su hermana. Al menos la familia estaba reunida. Sasha lamentaba no poder acompañarlos. Pensó en volar hasta allí e instalarse en algún hotel próximo al hospital para poder consolar a Liam, pero por lo visto estaban durmiendo en la habitación de Charlotte y en colchones dispuestos por el pasillo. No habría podido verla. De modo que se quedó en Nueva York, aunque llevaba consigo el teléfono en todo momento.

A las siete salió de la galería y permaneció pegada al teléfono del piso. Liam telefoneó varias veces esa noche. Las noticias fueron algo mejores por la mañana, tras otra noche en vela para todos. Beth se mostraba tensa con él, pero correcta. Estaba fuera de sí. Habían tenido que cancelar la boda, prevista para al cabo de tres semanas. Iban a retrasarla a enero; entonces sabrían cómo estaba Charlotte. De repente la vida de todos estaba patas arriba y la de la niña pendía de un hilo. Todavía le quedaba un largo camino para salir del peligro.

Los días se hacían interminables. Hacia final de semana les informaron de que Charlotte no se quedaría tetrapléjica, aunque todavía no estaba claro qué pasaría con sus piernas. Todo dependía de cómo evolucionara la médula espinal. Existía una posibilidad clara de que la niña volviera a caminar, pero no había nada seguro; en cualquier caso, tardaría meses o incluso años en volver a ponerse de pie y todavía le esperaban varias intervenciones más. A Sasha le costó horrores preguntarlo, pero fue un alivio enterarse de que la familia tenía un buen seguro médico, porque de lo contrario la tragedia hubiera significado además una catástrofe financiera. Harían falta años y una fortuna para que la pobre niña se restableciera; le esperaban tiempos difíciles. Como a Beth, que cuidaría de su hija. Liam se sentía culpable. Pero alguien tenía que ocuparse de Charlotte, y Liam no podía estar con ella. Vivía en Londres, o quizá se mudaría a París con Sasha. Le preocupaba también perderse las Navidades con ella, pero ése era el menor de sus problemas. Mientras le escuchaba, Sasha decidió pasar las fiestas en Nueva York. Si surgía la ocasión de que Liam pudiera escaparse un día a compartir la Navidad con ella, resultaría mucho más fácil si ella estaba allí en lugar de marcharse a París, donde tenía previsto pasar aquellos días. Gracias a Bernard, en la galería de París se las sabían apañar sin ella, siempre lo hacían.

Telefoneó a Xavier y le contó lo ocurrido. Éste lo sintió muchísimo por Liam, igual que Sasha. Su hijo conocía a Charlotte, la había visto varias veces antes de que Beth se marchara. Le rompía el corazón pensar que pudiera quedar paralítica y confiaba en que se salvaría. Le pidió a su madre que transmitiera sus mejores deseos a Liam y que le dijera que iría a la iglesia a rezar por su niña. Sasha había encendido un cirio por ella esa misma mañana y había asistido a misa, algo que no hacía a menudo.

Xavier se ofreció a pasar las Navidades en Nueva York con su madre, pero obviamente prefería quedarse en Londres con su novia, que además le había invitado a ir a esquiar, de modo que Sasha se lo puso fácil. Sin duda Xavier lo pasaría mucho mejor en Londres. Él le dio las gracias y le prometió que la Navidad siguiente estarían juntos. Con un poco de suerte, para entonces Tatianna y Liam se unirían a ellos. Pero las circunstancias actuales no permitían preocuparse por las Navidades.

Los informes de Liam continuaron durante las dos semanas siguientes. Faltaban pocos días para Navidad; sin embargo, ésta había dejado de existir para todos los que estaban en el hospital, preocupados por Charlotte y a la espera de nuevos pronósticos, que aunque iban mejorando, nunca eran definitivos. Todos vivían sujetos a una constante tensión. Liam estaba tan cansado que empezaba a mostrarse irritable con Sasha y la llamaba menos a menudo. Hacía turnos de cuarenta y ocho horas junto a su hija para que la madre descansara un poco. Al acabar, a veces caía rendido en el colchón antes de poder llamarla. Sasha comprendía la presión a la que estaba sometido, o al menos lo intentaba. Ella también estaba agotada, aunque lo vivía en la distancia, así que imaginaba lo duro que debía de ser para todos ellos, día y noche en la unidad de traumatología, apoyando a la pobre niña. Liam decía que Charlotte sufría muchos dolores y él se moría de verla así. Era una pesadilla para todos. A Sasha se le rompía el corazón cada vez que hablaba con Liam. Él no dejaba de prometerle que iría a verla a Nueva York en cuanto pudiera. Sasha no sabía cuándo sería, pero no se atrevía a preguntar. Quería aligerar la carga de Liam, no añadir un peso más.

Dos días antes de Navidad los médicos ofrecieron a Charlotte y a su familia el mejor de los regalos. Les comunicaron que tardaría mucho, muchísimo tiempo, pero que volvería a caminar. Tal vez con paso algo vacilante, quedaría una leve cojera o necesitaría la ayuda de algún aparato ortopédico, pero caminaría. La espina dorsal había escapado a la destrucción total aunque no saldría indemne del accidente. Charlotte tenía por delante un camino largo y difícil, pero también un destino mejor del que todos habían temido. Pasaría un mínimo de tres meses en el hospital, tal vez más, pero creían que la recuperación se completaría bien y no le quedarían secuelas mentales. Tenía que encarar las operaciones con valentía, pero todos se mostraban optimistas. Ese mismo día eliminaron su nombre de la lista de enfermos en estado crítico. Sasha recibió llorando la llamada de Liam. Y siguió llorando con él.

La situación continuaba siendo terrible, pero por fin llegaba una buena noticia. Podría haber sido mucho peor y de hecho, durante semanas, había parecido que lo sería.

–Quiero ir a verte –dijo Liam, exhausto.

–¿Por qué no voy yo? No quiero que conduzcas en tu estado.

–Estoy bien –aseguró él, aunque a Sasha no le pareció una valoración acertada.

Liam llevaba más de dos semanas completamente agotado, al borde del colapso. No quería ni pensar en que saliera a la carretera.

Pero él insistió en viajar ese mismo día para pasar juntos la Nochebuena; luego tendría que regresar al hospital. Todavía hacía turnos con Beth y Becky, cosa que a Sasha le sonó rara. Pero ante semejante crisis no habían tenido más opciones. Siempre había alguien con la niña, y los abuelos colaboraban en lo que podían, igual que el prometido de Beth. Charlotte disponía de un ejército de personas que la querían y la apoyaban y también contaba con las oraciones de Sasha y Xavier. Ésta también le había contado lo ocurrido a Tatianna, que, horrorizada, le había pedido que le comunicara su pesar a Liam. Ella le transmitió el mensaje y Liam contestó conmovido que le diera las gracias. Tatianna era una niña mimada y difícil, pero tenía buen corazón.

Sasha estuvo inquieta durante todo el trayecto por carretera de Liam desde Vermont. Le llamó cada hora y siempre lo encontró alerta y despierto. Había dormido un poco la noche previa. Sasha se moría de ganas de verlo y se sentía agradecida de que, pese a todo lo ocurrido, fuera a pasar con ella el día festivo.

Había montado un árbol de Navidad mientras Liam estaba en el hospital y lo había decorado. Había colocado algunas cosas para él en el árbol: una camisa divertida, una gorra de béisbol nueva, un libro de arte que había pertenecido a su padre y un reloj de Cartier. Le esperaba ansiosa cuando Liam apareció a las seis de la tarde. Había llegado pronto; por una vez las carreteras estaban vacías.

Nada más verle, Sasha rompió a llorar. Él sollozó entre sus brazos; le encontró agotado y angustiado. Tenía la impresión de llevar dos semanas ahogándose. En la vida había experimentado emociones tan duras. Ya no parecía un niño, se había convertido en un hombre que, de la noche a la mañana, aparentaba más años de los que tenía. Parecía haber envejecido una década en un par de semanas. Daba pena verlo, a causa del dolor y la tensión que acumulaba en la mirada. Liam intentó describirle su experiencia. A Sasha se le encogió el estómago. Había sido espantoso. Pero al menos Charlotte se encontraba mejor y había esperanzas de futuro.

—¿Cómo lo lleva Beth? —Sasha se había preocupado también por ella.

—Es increíble. No sale nunca del hospital. George está en casa de unos amigos. Y Tom se ha turnado con nosotros para cuidar a su hermana.

La familia en pleno se había unido, incluso Becky, a quien Liam no mencionaba demasiado. Todavía se sentía incómodo con ella y probablemente eso no iba a cambiar nunca. A Sasha no le preocupaba, había sido una noche loca por la que Liam había tenido que pagar un alto precio. Se alegraba de que él hubiera podido estar con Charlotte en el hospital. Los niños no olvidaban esas cosas, como tampoco lo harían Liam y Sasha.

Cocinó una maravillosa cena de Navidad, le preparó un baño a Liam y luego lo arropó. Liam permaneció largo rato tumbado en silencio, mirando a Sasha y cogiéndola de la mano. Estaba tan cansado que apenas habló. Pero no apartó los ojos de ella y a medianoche intercambiaron los regalos. Sasha le llevó los suyos a la cama y luego Liam se levantó y fue al cuarto de invitados a por el de ella. Sasha enmudeció al ver la esclava de diamantes; enseguida se la puso.

—Es demasiado. Me malcrías.

Le besó, feliz de estar de nuevo juntos. A él le encantaron todos sus regalos, en particular el reloj y el libro que había pertenecido al padre de Sasha.

Liam seguía tumbado con la mirada fija en el techo cuando ella se acostó. Ninguno de los dos insinuó hacer el amor. Sasha consideraba que habría sido de mal gusto después de todo lo que Liam había tenido que pasar. Se le veía completamente destrozado. El sexo era lo último que les pasaba por la cabeza a cualquiera de los dos. Sólo querían estar juntos, tranquilamente cogidos de la mano.

Era casi la una de la madrugada cuando Liam se giró y la miró. Se había sentido demasiado agotado para asistir a la misa del gallo y Sasha ni siquiera se lo había propuesto. Estaba segura de que Dios lo entendería.

–Pareces agotado, cielo. ¿Por qué no duermes un poco?

Quería acunarlo como a un niño. Él lo necesitaba y todavía le quedaba mucho que pasar. Se reincorporaba al frente por la mañana. Aquélla era su única noche de descanso y había conducido durante casi siete horas para ver a Sasha.

–No quiero dormir. Esta noche quiero estar contigo y empaparme de ti. –Tendría que durarle mucho.

–Aquí me tienes. Pero necesitas dormir. Mañana estarás demasiado cansado para conducir. –Liam quería estar con sus hijos el día de Navidad por la noche; en realidad, quería estar cuanto antes. Saldría a las siete de la mañana. Les quedaban seis horas para pasar juntos–. Cuando todo se serene un poco, subiré a verte.

Todavía era demasiado pronto para presentarle a la familia, pero Liam no tenía la menor idea de cuánto tiempo tendría que permanecer en Vermont. Sasha esperaba, paciente.

–Tengo que hablar contigo, Sash. –Se apoyó en un codo.

–¿De qué?

Por un fugaz instante se preguntó si le pediría matrimonio, aunque la ocasión parecía poco adecuada. Habían vivido emociones muy intensas. Sasha le sonrió y le miró sin levantar la cabeza de la almohada. Se alegraba de tenerlo en casa, y él de estar allí. Pero incluso lejos del horror del hospital, seguía triste. Había pasado demasiado miedo y sufrimientos para quitárselos de encima tan pronto. A todos, no sólo a Charlotte, iba a costarles cierto tiempo recuperarse. La familia entera había quedado traumatizada por el accidente.

–No sé por dónde empezar –dijo Liam, y cerró los ojos. Cuando los abrió de nuevo, Sasha le miraba directamente. Parecía algo importante, de modo que le prestaba toda su atención–. Charlotte va a requerir muchísimos cuidados, atenciones, rehabilitación y terapias de todo tipo. Pasará varios meses en el hospital y después tal vez podamos continuar la rehabilitación en casa ya que es una cría o quizá tenga que quedarse en un centro especial. Hay uno en Burlington.

Sasha comprendió entonces qué le preocupaba. No lo dudó ni por un segundo. Haría cuanto estuviera en sus manos por ayudarle y quería asegurárselo enseguida, pero no quiso importunar ni entrometerse.

–La respuesta es sí –se limitó a decir, al tiempo que se acercaba a besarle mientras observaba la cara de sorpresa de Liam.

–¿Sí a qué?

Sasha lo había descolocado. Ya le costaba bastante plantearlo sin más.

–Sí, si necesitas un adelanto. Un accidente como éste debe de costar una fortuna. Haré lo que sea por ayudarte. La galería y yo.

Los ojos de Liam se llenaron de lágrimas.

–Te quiero. No tienes que hacerlo.

–Quiero hacerlo. –Así de sencillo.

–No tendremos problemas: el seguro lo cubre todo. Gracias a Dios, Beth siempre ha dado mucha importancia a los seguros. Porque yo, desde luego, no. Siempre me había parecido una tontería pagar las cuotas. Gracias a Dios que lo hicimos. Porque ahora las necesitamos. Creo que los padres de Beth cubrirán el resto. Han ahorrado mucho dinero con los años. Y su prometido también quiere aportar algo. No creo que deba hacerlo, pero se siente responsable de lo ocurrido. Ya veremos. De momento no nos han presentado ninguna factura. Pero gracias por ofrecerte.

–De nada. Entonces, ¿qué querías preguntarme? –inquirió ella con una sonrisa y Liam respiró hondo.

–No quería preguntarte nada, Sasha. Quería decirte algo, no pedirte nada. Por eso he venido. Para decírtelo. –Las lágrimas llenaban sus ojos.

–¿El qué?

Liam cerró los ojos un minuto, luego los abrió y habló. Se sentía un asesino con un hacha. Pero no tenía opción.

–Vuelvo con Beth.

Sasha se quedó mirándole sin comprender.

–Vuelvo con Beth –repitió Liam.

Sasha tenía la misma expresión que si acabara de recibir un disparo. De repente se sentó en la cama.

–Quieres decir que mañana regresas a Vermont ¿no? –No podía respirar y se aferraba desesperadamente a una leve esperanza.

Liam negó con la cabeza.

–Quiero decir que regreso a mi matrimonio. Beth no puede enfrentarse a esto sola. Charlotte tardará meses o años en ponerse de nuevo en pie y cabe la posibilidad de que nunca lo consiga. Todavía no lo sabemos. –Ahora también él se sentó en la cama–. Nunca estuve cuando Beth me necesitó. Esta vez tengo que hacerlo. A saber por qué, pero Beth quiere que vuelva con ella. Está loca. Durante veinte años fui el peor de los maridos. Estaba demasiado ocupado jugando al artista chiflado y pintando para serle de alguna ayuda. Pero ahora tengo que apoyarla. No puedo dejarla sola con esto, Sash. No puedo. Beth rompió el compromiso en cuanto ocurrió el accidente. Dice que nunca podría perdonarle. Me ha pedido que vuelva con ella.

Se quedó mirando a Sasha con lágrimas cayéndole por las mejillas. La quería. Pero también quería a su mujer. Y su mujer le necesitaba más que nunca. La bondad que le convertía en la persona que era y hacía que Sasha le amara le empujaba ahora a abandonarla.

–No es razón para recuperar un matrimonio. Quédate en Vermont seis meses si hace falta. O un año. Pero no se recupera un matrimonio para cuidar a un hijo enfermo. ¿Qué ocurrirá cuando la niña mejore? El matrimonio y Beth durarán el resto de tu vida.

—Yo no la dejé, Sasha —le recordó Liam—. Fue ella quien me abandonó, y lo merecía. Yo nunca la he dejado, ni a ella ni a los niños.

—Dios mío. No puedo creerlo. —Acababan de volver a estar juntos y Liam estaba en la cama con ella. Pero no le había puesto una mano encima en toda la noche. Sólo había venido para pasar una última noche con ella y comunicarle en persona que la dejaba y, esta vez, para siempre—. Creo que ahora mismo no estás en condiciones para tomar una decisión así. Ninguno de los dos podéis pensar con claridad. —Sasha luchaba por su vida. Pero mirándole la cara, sabía que estaba perdida. Esta vez no podía ganar. Se había acabado. La relación era imposible pero por razones totalmente distintas. Y Sasha no tenía armas con las que luchar por él. Beth contaba con veinte años de matrimonio, tres hijos y uno de ellos enfermo de gravedad. Sasha no tenía ninguna oportunidad—. ¿No podrías esperar a recuperarte y dormir un poco para decidirte?

—No hay nada que decidir, Sasha. No puedo dejar que Beth se enfrente a esto sola, y no puedo abandonar a mis hijos. —Liam había madurado y se había vuelto responsable, y ahora ya no la quería. Sasha ni siquiera podía discutir con él porque sabía que hacía lo correcto para todos. Salvo para ella. Se sentía como si la hubiera golpeado con una bola de demolición. Entonces Liam la abrazó y Sasha sollozó de manera incontrolada, igual que él—. Lo siento, Sasha. Te amo. Quería seguir contigo. Quería que funcionara... pero tengo que volver. Te juro que me habría casado contigo de no haber ocurrido esta desgracia. Quería hacerlo. Pero ahora no puedo.

Era una tragedia para ambos. Pero Liam también quería a Beth y Sasha lo sabía. Se lo veía en los ojos. Era absurdo, pero cierto; Liam las amaba a las dos. Y le debía más a Beth. Sasha llevaba las de perder. Era el sacrificio que Liam debía hacer por su hija.

Pasaron horas llorando abrazados en la cama, gimiendo y deseando que las cosas fueran diferentes. Sasha quería enfadarse, enfurecerse incluso, quería odiarle, pero no podía. No estaba enfadada, sino con el corazón destrozado. Estaba resultando tanto o más duro que perder a Arthur. Porque en cuanto Liam regresara con su mujer para Sasha habría muerto. Esta vez no volvería y ambos lo sabían.

–Si quieres me retiraré de la galería. No quiero ponértelo más difícil de lo que ya es.

–No hace falta. No sería justo para ti. Puedes tratar con Karen y Bernard.

Sasha no podría verle ni hablar con él después de la separación. Se moriría si lo hacía. Jamás en su vida había experimentado tamaño sufrimiento, al menos no desde la muerte de Arthur.

A las seis seguían entrelazados. A las seis y media Liam se levantó. Parecía que hubieran recibido una paliza. Lo peor de todo era que Sasha sabía que Liam hacía lo correcto. Ningún factor atribuible al artista chiflado había influido en la decisión. Era la decisión de un hombre noble y bueno consciente de la deuda que tenía con su esposa y con su familia y dispuesto a cumplir con sus obligaciones. Para bien o para mal. Eso sólo hacía que Sasha lo quisiera todavía más.

–¿Y si no funciona? –preguntó Sasha mientras Liam se vestía–. ¿Y si cuando Charlotte mejore no os soportáis? ¿Qué ocurrirá?

–No lo sé –contestó él con sinceridad.

La miró. Los dos estaban destrozados.

–Algo tenía que ir mal para que te acostaras con Becky. Los hombres no hacen esas cosas a menos que no sean felices con su mujer.

–Tal vez. Creo que estábamos aburridos el uno del otro. Beth estaba harta de ser pobre. A mí a veces me superaban los niños. Significaban una responsabilidad mayor de la que me esperaba o estaba preparado para asumir. Joder, si me casé con diecinueve años.

–Pues vuelves a lo mismo. Piénsatelo bien. Puedes cuidar a Charlotte todo el tiempo que quieras sin tener que volver con Beth.

–Sasha, ya está decidido. –A ella le sonó a toque de difuntos–. Tengo que hacerlo. Beth me necesita. Me lo ha pedido. No puede hacerlo sola. No es lo bastante fuerte.

Sasha asintió. No quedaba nada que decir. Había agotado todos sus argumentos y había perdido. Y no se veía con fuerzas para tratar de convencerlo de que se equivocaba. Liam sabía que tenía que regresar con Beth, porque era lo que él quería, no porque ella se lo hubiera pedido. Se le había ocurrido a él solo. Sasha lo conocía bien. Pese a su alocado comportamiento, era un hombre bueno y decente.

Se ofreció a prepararle el desayuno pero Liam no quiso. No podía comer. No habían dormido. Liam sentía que renunciaba a su vida, que la abandonaba. Había deseado desesperadamente compartirla con Sasha y el destino se la había arrebatado, ninguno de ellos tenía la culpa. Había sido voluntad de Dios. El destino. Tenían que destruir todos sus sueños, renunciar a ellos. Ahora les tocaba a Beth, a Charlotte y a los niños. Liam les pertenecía. Hacía veintidós años le había hecho una promesa a Beth y debía respetarla. No tenía otra opción. Sasha era un sueño; Beth, su vida.

Liam metió los regalos que le había dado Sasha en la mochila que había traído consigo. Ella miró la esclava y luego a quien se la había regalado.

–No me la quitaré nunca. Te querré siempre, Liam.

–No –suplicó él mojando con sus lágrimas las mejillas de Sasha mientras la besaba por última vez–. Olvídame. Olvídanos. Escóndeme en un rincón del corazón, yo haré lo mismo.

Se señaló el corazón y Sasha asintió.

Se aferró a él como si le fuera la vida, porque estaba convencida de que moriría si se marchaba. Era el adiós que no había podido darle a Arthur. Esa noche se lo habían dicho todo. Liam iba a dejarla aunque la quisiera tanto como la había querido durante el último año, de hecho, amándola como nunca.

Le acompañó gimoteando al ascensor. Liam pulsó el botón. Sasha iba en camisón, descalza, con la larga melena oscura suelta como la de una niña. El ascensor llegó, Liam la miró, entró, sus miradas se encontraron y luego las puertas se cerraron y él se marchó. Mientras regresaba a su piso Sasha cayó en la cuenta de que era la mañana de Navidad.

21

Para Sasha las Navidades fueron un mero borrón, una pesadilla inimaginable. Xavier y Tatianna telefonearon para desearle felices fiestas y comprobar cómo estaba. Ella les aseguró que estaba bien. Con todo, a Xavier le pareció que su madre sonaba extraña y volvió a llamarla por la noche. Le preguntó si estaba con Liam y ella le contestó que había estado en casa pero que acababa de marcharse a Vermont. Sufría demasiado para contarle a nadie lo que le ocurría. El dolor era tan atroz que pasó todo el día en la silla sin apenas moverse. Se limitó a quedarse sentada mirando al vacío, conmocionada.

El día después de Navidad llegó a la galería a las diez, como de costumbre. Marcie entró en el despacho y la encontró sentada frente al escritorio. Sasha llevaba el pelo recogido, nada de maquillaje y tenía la cara de un blanco ceniciento. Rebuscaba entre unos papeles de la mesa con ademán rígido. Como si hubiera sufrido un trauma. Cuando Marcie la miró y le vio los ojos, no le cupo ninguna duda de que Charlotte había fallecido. Aunque en realidad, la muerta era Sasha.

—Ay, Dios mío, ¿qué ha pasado?

Marcie se llevó una mano a la boca. Intuía que había ocurrido algo terrible. Sasha parecía un fantasma.

Sasha negó con la cabeza y apartó la mirada. Había pasado las tres últimas horas llorando desconsolada. Sabía que nunca volvería a oír la voz de Liam. Antes de marcharse, se habían prometido no llamarse. Habría sido una crueldad. Sasha nunca había hecho nada tan difícil como respetar la decisión de Liam. Lo hizo por amor. Siempre había sabido que le amaba, pero hasta entonces no se había dado cuenta de hasta qué punto.

303

—¿Te encuentras bien, Sasha? —Marcie empezaba asustarse.

Sasha contestó con voz inexpresiva y sin mirar a Marcie a los ojos:

—Estoy bien.

Le entregó a su secretaria los papeles que acababa de firmar. Había comenzado el resto de su vida. Ahora lo que le quedaba por delante se reducía a un páramo de vacío y soledad. Tenía la impresión de que hasta la última parte de su cuerpo, cada fibra, cada gramo, había muerto.

Marcie salió del despacho sin pronunciar palabra y comentó la situación con Karen, que se pasó por el despacho para comprobar con disimulo cómo estaba Sasha y regresar enseguida junto a Marcie.

—Tiene que haber ocurrido algo espantoso. ¿Le has preguntado?

—No quiere decirme nada.

Ambas coincidieron en que tenía muchísimo peor aspecto que cuando Arthur murió. Habían transcurrido dos años y se enfrentaba a su segunda gran pérdida, así que los impactos de ambos sucesos se sumaban. Las dos gigantescas penas se habían unido en una sola. Todo lo que había pasado con la muerte de Arthur había vuelto, y ahora a ello debía sumarle la pérdida de Liam. Esta vez definitiva. Esta vez no se concederían aplazamientos, y lo sabía. Liam no iba a volver nunca. Para Sasha era como si hubiera muerto.

Ninguna de las mujeres resolvió el enigma y Sasha tampoco les reveló nada en todo el día. No comió. No bebió. No se movió. Se limitó a revolver papeles sentada detrás del escritorio. Pensó en suicidarse, pero sabía que no podía hacer eso a sus hijos. Estaba condenada a vivir, que en su caso parecía mucho peor que la pena capital. La habían condenado a una eternidad sin él.

De camino a Vermont, Liam sentía más o menos lo mismo. Pero no la llamó. Sabía que nunca podría volver a hacerlo. Debía confiarla a manos del destino, que también cuidaría de él. En adelante no le quedaba más que ser consciente de la existencia de una mujer a la que no volvería a ver y a la que había amado con todo su ser.

Esa tarde, Sasha anunció a Marcie que a la mañana siguiente se marchaba a París y le pidió que se encargara de las reservas. Marcie aprovechó para intentar hablar con ella.

–¿Seguro que estás bien?

Sasha asintió y Marcie se preguntó si habría pasado algo con Liam. Tal vez habían discutido y roto de nuevo. Así que se limitó a preguntar dónde estaba Liam. Sasha le contestó que en Vermont, que estaba bien. Tendrían que pasar meses o años para poder contarle a alguien lo ocurrido. Liam había dejado un enorme hueco lleno de demasiado dolor. Marcie salió a ocuparse de las reservas. Y entonces hizo algo sin precedentes, algo que ni siquiera había hecho tras morir Arthur. Telefoneó a Xavier y le dijo que estaba preocupada por su madre. Él le comentó que la había notado rara por teléfono el día de Navidad.

–Tiene muy mal aspecto –admitió Marcie aunque no quería preocuparlo, pero no sabía a quién más recurrir.

Tatianna se había marchado y no tenía ni idea de dónde estaba, como tampoco su hermano.

–Puede que vaya a París este fin de semana a hacerle una visita –comentó Xavier.

No le apetecía demasiado porque era Fin de Año, pero estaba preocupado. Había ocurrido algo, no sabía qué, y su madre no quería contárselo a nadie.

Xavier la llamó a casa esa misma noche. Sasha no cogió el teléfono. Estaba en la cama, a oscuras, pensando en Liam y preguntándose qué estaría haciendo, cómo se encontraría Charlotte y qué le habría dicho a Beth. Ni siquiera sabía si ésta conocía su existencia. De la noche a la mañana se había convertido en la mujer olvidada. Se sentía invisible, intocable, alguien a quien nadie podía querer y completamente aislada del mundo. Apenas se había despedido de Marcie y Karen al salir de la galería. Les había dado las buenas noches de costumbre y había salido a la calle. Había vuelto a casa a pie y hasta medio camino no se había dado cuenta de que llovía. Llegó empapada. Ya no importaba. Nada importaba.

Cogió el vuelo hacia París al día siguiente; no habló con nadie en el avión, no comió, no miró la película y al final se durmió. Fue un vuelo relativamente corto y cuando llegó a casa cayó en la cuenta de que llevaba varios días sin comer. Tampoco le importó.

Cuando Xavier llegó a París el sábado le impresionó el aspecto de su madre. Había adelgazado, tenía los ojos vidriosos y la tez casi gris. Se las apañó para que ingiriera algo de alimento. Le acompañaba su novia del momento. Cuando Xavier le preguntó a su madre por Liam, Sasha contestó con vaguedades. Se limitó a decir que estaba en Vermont con Beth y los niños.

Al cabo de una semana, inquieto por saber cómo le iban las cosas a Liam, Xavier lo llamó al móvil. No mencionó el estado en que se encontraba su madre para no preocuparle. Bastante tenía su amigo con la pobre Charlotte. Xavier le preguntó como por casualidad cuándo regresaba a Londres.

–No voy a volver –explicó Liam en voz queda.

Su voz destilaba una tristeza que preocupó a Xavier. No distaba mucho del tono inexpresivo con el que ahora Sasha le respondía siempre al teléfono.

–¿Qué quieres decir? –Xavier estaba confuso–. ¿Vas a quedarte una temporada en Vermont?

–Para siempre, supongo –contestó, enigmático–. Tendré que ir a Londres a cerrar el estudio. –Charlotte pasaría varios meses ingresada y luego tendría que hacer rehabilitación.

–Te estás portando muy bien quedándote con ella –le elogió Xavier.

Liam le contestó con un largo silencio.

Entonces Liam supo que tenía que decírselo. Ignoraba lo que Sasha le habría contado, pero sorprendentemente Xavier no parecía estar al corriente de lo ocurrido. Liam sabía que él y su madre estaban muy unidos y estaba seguro de que Sasha se lo habría contado. No alcanzaba a imaginar por qué no lo había hecho. No se le ocurrió que pudiese estar demasiado afectada y destrozada para hablar de aquello con su hijo.

–He vuelto con Beth –confesó. Del otro extremo de la línea sólo llegaba silencio–. Tenía que hacerlo. Me necesita. Y los niños también. Te llamaré cuando vuelva para cerrar el estudio.

Xavier le deseó buena suerte y se quedó un rato con la mirada perdida, pensando en lo que Liam acababa de decirle. Se sentía como una bala de cañón recién estampada contra una pared. Era imposible imaginar lo que su madre habría sentido al escuchar aquellas mismas palabras. Ahora lo entendía todo.

22

Sasha avanzó por la vida como un robot durante casi todo enero. Iba a la galería, a casa por la noche, hablaba poco y cumplía con el trabajo. Había entregado todos los archivos de Liam a Bernard sin más explicaciones. Pero de todas formas, como Liam no trabajaba porque estaba cuidando de Charlotte, tampoco podían hacer nada por él.

Habían recibido dos encargos para Liam, que dijo no poder atenderlos hasta dentro de seis meses. De modo que todo lo relativo a Liam Allison quedó suspendido. Como la vida de Sasha.

Xavier fue a verla en cuanto se enteró de lo ocurrido, pero Sasha se negó a hablar de ello. Salieron a pasear por el parque con el perro. Su hijo intentó invitarla a cenar, pero ella no quiso ir. No hacía nada en absoluto. Según Eugénie declinaba sistemáticamente todas las invitaciones que recibía, igual que hizo en febrero en Nueva York. Había clausurado todo en la vida menos el trabajo.

Xavier mantuvo una larga conversación al respecto con Tatianna, que pasó una noche con su madre en el piso. Pero nada parecía sacarla de su apatía y febrero dejó paso a marzo y marzo a abril, de nuevo en París. Después regresó a Nueva York a organizar una exposición; para Marcie fue un alivio verla algo mejorada. Estaba flaca y pálida y parecía cansada, pero al menos había perdido el aire fantasmagórico que la acompañaba en los últimos meses. Se la veía infeliz pero humana. No era un secreto para cualquiera que la conociera y la apreciara que había pasado una época terrible. Lo habían comentado entre ellos con discreción, sin tratarlo con

Sasha. Estaba claro que no quería hablar del tema con ninguno de ellos. Sasha se había aislado completamente del mundo. Su cuerpo seguía presente, pero su espíritu se había marchado.

En marzo, Liam voló a Londres para clausurar el estudio y mandarlo todo a Vermont. Le dejó un mensaje a Xavier, pero cuando éste lo contestó descubrió que Liam ya había abandonado la ciudad. Sólo había permanecido en Londres dos días. De modo que Xavier dedujo, acertadamente, que su amigo no quería verle. Todo lo ocurrido, el accidente de Charlotte, la decisión de Liam, había supuesto un trauma demasiado grande. Habían intentado enterrarlo y recuperarse cada uno por su cuenta. Xavier nunca le comentó a su madre que Liam había estado en la ciudad. Parecía mejor no mencionarlo para nada, así que nadie lo hacía.

Lo que Marcie vio en abril no podía calificarse de recuperación, pero al menos la hemorragia en el alma de Sasha parecía haberse detenido. Por lo visto, Sasha había tocado fondo y resistía donde estaba, lo cual significaba una mejora considerable con respecto a la situación anterior. La espiral de desesperación en la que había caído asustaba bastante aunque ella insistía en que se encontraba mejor, e incluso visitó la casa de los Hamptons en mayo, cuando estuvo en Nueva York.

Como todos los demás lugares, ahora la casa estaba repleta de recuerdos de Liam, pero cualesquiera que fueran sus pensamientos al respecto, no iba a compartirlos con nadie. En la galería nadie lo había visto ni había tenido noticias de él desde hacía meses. Sólo sabían por Sasha y por algún que otro correo electrónico que él mandaba, que seguía en Vermont con la familia y que Charlotte estaba mejor. Para entonces la niña se hallaba en el centro de rehabilitación y se mantenía de pie. Sasha estaba más o menos en el mismo punto. Su espíritu aguantaba, pero todavía no podía avanzar. Hijos y empleados anhelaban volver a ver en ella alguna señal de vida. Marcie estuvo a punto de ovacionarla cuando la vio sonreír un día de mayo. No recordaba una sonrisa desde principios de diciembre, cuando había vuelto brevemente con Liam antes de que éste la dejara.

Xavier voló a Nueva York para celebrar que Sasha cumplía cincuenta años. Su madre sólo quería disfrutar de una velada tranquila con sus hijos. Habían insistido en llevarla al menos a un restaurante y ella eligió un pequeño establecimiento italiano del *village* que imaginaba bastante tranquilo. Pese a los largos meses de duelo por Liam, pasó un buen rato con sus hijos.

–No puedo creer que haya cumplido cincuenta años –se quejó–. ¿Cómo he llegado a ser tan vieja?

–No eres vieja, mamá –replicó Xavier con delicadeza.

Le habían regalado un broche de diamantes con dos corazones entrelazados que los representaba a los dos. A Sasha le encantó. Todavía lucía la esclava de diamantes que Liam le había regalado en Navidad. No se la quitaba nunca.

Marcie y Karen se habían ofrecido para organizar una pequeña fiesta, pero Sasha no quiso. Las únicas fiestas a las que todavía asistía eran las inauguraciones de las galerías. En los últimos cinco meses, desde que Liam la dejó, sencillamente había cerrado la barraca. Parecía un animalillo cansado hibernando en lo más crudo del invierno. Costara lo que costase, tenía que superar lo de Liam. Aunque parecía que no lo conseguiría nunca. Era como si sus almas hubieran estado entrelazadas y al faltarle la mitad de Liam, Sasha se hubiera acurrucado a esperar la muerte. Como gemelos siameses. En un solo año habían conseguido formar parte el uno del otro. Ahora la vida sin Liam carecía de alegrías.

El fin de semana del día de los Caídos, Sasha, que seguía en Nueva York, decidió ir a Southampton. Tatianna no estaba, Xavier se encontraba en Londres y ella regresaba a París a la semana siguiente. Pero le apetecía pasar en la playa el último fin de semana antes de marcharse. Todavía hacía frío, pero el aire olía a primavera y cuando el viernes por la noche salió de la galería a Marcie le parecía que su jefa tenía mejor aspecto. Ahora Sasha vivía sometida a un examen continuo y sus bienintencionados vigilantes no cesaban de comentar su evolución. Por mucho que ella insistiera en que estaba bien no convencía a nadie más que a sí misma.

El viernes por la noche el tráfico de las vacaciones hizo que el trayecto en coche hasta Southampton se eternizara. Cada vez que se veía obligada a detenerse, pensaba en Liam. Un lujo que apenas se permitía. Sabía que no podía. Y aunque los demás no se dieran cuenta, se esforzaba por mejorar. Así que resultaba excepcional que se permitiera pensar en él. Liam seguía en sus pensamientos cuando al cabo de cuatro horas por fin entró en casa. Eran más de las once, así que se acostó hacia la medianoche. Se durmió pensando en él. Por la mañana se encontraba mejor. Casi parecía que haberse permitido regodearse en sus recuerdos durante horas le hubiera aliviado algo de presión.

Se había acostumbrado a vadear los bancos de dolor. Con la muerte de Arthur había aprendido que perder a alguien era un proceso, que no te desprendías de golpe de esa persona, sino que la dejabas ir milímetro a milímetro. Después de lo de Arthur había tardado un año en sentirse viva de nuevo. Y desde lo de Liam sólo habían pasado cinco meses. Sabía que algún día lo conseguiría; se despertaría por la mañana sin la sensación de cargar con una bola de demolición en el pecho. Poco a poco, la bola encogía. De vez en cuando Sasha se preguntaba cómo lo estaría pasando Liam o si ya la habría olvidado. Tenía otros asuntos que atender. Sasha se alegró cuando Marcie le comunicó que Charlotte estaba muchísimo mejor. Tampoco podía evitar preguntarse si sería feliz con Beth. No tenía modo de averiguarlo y tal vez carecía de importancia. Ahora Liam pertenecía a Beth, para bien o para mal, pasara lo que pasase. Sabía que él nunca la abandonaría. La primera vez tampoco había tenido intención de dejarla. Era de ese tipo de hombres que una vez se comprometen, se quedan para siempre. Con Sasha había sido distinto porque, por mucho que se amaran, jamás habían llegado a comprometerse. Tal como Sasha había pronosticado desde el principio la relación había demostrado ser imposible, aunque no por las razones que ella creía. Jamás se le había pasado por la cabeza que Liam pudiera regresar con Beth. Y sabía que de no haber sido por el accidente casi mortal de Charlotte no lo habría hecho. Cosas del destino.

Mientras paseaba por la playa con la puesta de sol se obligó a no pensar más en Liam. Dejó vagar la mente y pensó en Arthur y en sus hijos. Tatianna tenía novio formal desde febrero, un chico que a Sasha le agradaba. Y Xavier hablaba de mudarse a vivir con la chica con la que salía desde Navidad, todo un cambio en su caso. Ya era hora. Xavier tenía veintisiete años.

Por primera vez desde hacía mucho tiempo se sentía en paz y tranquila. Se sentó al resguardo de una duna cubierta de hierba para contemplar la puesta de sol. El aire todavía era frío, pero había brillado el sol todo el día. Se tumbó en la arena mientras pensaba en sus hijos, en todo lo que habían compartido, en las cosas conseguidas, en los maravillosos momentos que habían pasado juntos. Había alquilado otro barco para el verano. Pero era en la playa donde disfrutaba de instantes para ella sola. Apreciaba esas ocasiones. Pensaba y daba gracias por la vida que empezaba a recuperar de nuevo. Sabía que pese a todas las pérdidas sufridas, tenía muchas cosas que agradecer.

Mientras contemplaba cómo el sol desaparecía rápidamente se preguntó si distinguiría el destello verde cuando el astro alcanzara el horizonte. Le fascinaba buscarlo con la mirada y, tumbada como estaba, saboreó el momento. En ese instante no quería nada más. No necesitaba nada, no deseaba a nadie. Se sentía suspendida en el espacio, ligera, libre de cargas. Por primera vez desde diciembre se sentía a gusto en su piel. Por fin había empezado a sanar, aunque hubiera tenido que esperar tanto.

Vio el destello verde y sonrió. Lo interpretó como un presagio de que llegarían tiempos mejores. Todavía tenía puntitos en los ojos de mirar fijamente el sol, así que lo que percibió le pareció una visión. No lo veía con claridad, pero adivinó la forma, la silueta. Sabía que lo estaba imaginando, quizá fuera una alucinación. Entonces oyó su voz. Era Liam. Estaba de pie frente a ella, de espaldas al sol, casi como en una película. Sasha se quedó inmóvil, mirándolo sin decir nada.

–Hola, Sasha.

Ella no tenía la menor idea de por qué habría venido. La última vez que se habían visto ambos lloraban. Esta vez, Sasha se limitó a mirarle y sonreír. Habían transcurrido cinco meses desde su último encuentro.

–Estaba contemplando la puesta de sol.

–Te he visto desde el porche.

–¿Qué tal Charlotte? –No le interesaba el estado de Beth.

–Mucho mejor. Está empezando a caminar.

No le invitó a sentarse. Sólo asintió.

–¿A qué has venido?

–Me marcho. Sólo quería pasar a despedirme.

–Ya te habías despedido. –Era una conversación inconexa y extraña entre dos personas que se habían amado y se habían separado. Ya se habían despedido hacía cinco meses. ¿Qué sentido tenía regresar para repetirse?–. ¿Cuándo te marchas?

La pregunta carecía de sentido. Ya no importaba cuándo se marchara. Se había ido hacía cinco meses.

–Mañana –contestó antes de sentarse en la arena junto a Sasha. Le incomodaba quedarse de pie mientras ella seguía tumbada. Sasha parecía más menuda de lo que la recordaba, y más pálida, por lo que su negro pelo también se veía más oscuro en contraste con el rostro de color marfil. Era más guapa de lo que recordaba, y eso que había pensado en ella a menudo. La imagen de Sasha le había acechado como la de alguien a quien hubiera asesinado y le hubiera condenado a vivir para siempre con el tormento de ver continuamente su cara–. Quería verte una última vez.

–Creía que no haríamos esas cosas.

Lo miró a los ojos. Liam había olvidado la mirada penetrante al tiempo que intensa y cálida de Sasha. Ella había cumplido su parte del trato. No había vuelto a telefonearle. Y a diferencia de lo que ahora hacía Liam, tampoco se había presentado en Vermont para verle. No le parecía justo que regresara para torturarla una última vez; lamentaba su visita. La obligaba a remontar de nuevo la difícil cuesta hacia la curación. Y ya le había costado bastante la primera vez.

–No te he llamado porque tenía miedo de que no quisieras verme.

–Pues tenías razón. No quería verte. Con una despedida basta. –Y a lo largo del año que habían compartido habían tenido más de una–. ¿Por qué has venido?

Sabía que había otra razón que aún no le había confesado. Le conocía mejor que él mismo. Pero saltaba a la vista que también Liam había cambiado mucho en los últimos cinco meses. En su rostro no quedaba rastro del niño que había sido; era la cara de un hombre. También había recorrido un camino lleno de penurias. Liam había contado con la compañía de tres hijos y una esposa en su diario caminar. Sasha sólo se había tenido a sí misma y su viaje había sido más penoso.

–¿Me odias?

Debería odiarle. Pero Sasha estaba ya en otra fase; de todas maneras nunca había llegado a odiarle. Así que negó con la cabeza. No era culpa de Liam.

–No. Te quiero. Probablemente te querré siempre. –Liam le miró la mano y vio las dos pulseras que le había regalado.

–Y yo. –El sol se había puesto y empezaba a refrescar–. ¿Quieres que me vaya?

Sasha fue sincera:

–Todavía no. –Podría tratarse de la última ocasión en que le viera. Quería saborear el momento.

–Tengo que ir a Nueva York esta noche –dijo Liam, a falta de algo mejor que añadir.

Ahora ninguna de las cosas que había querido contarle tenían sentido. Sasha se había convertido en otra persona. Mayor, mejor, más fuerte y más profunda. Curtida a fuego. De un modo extraño parecía purificada.

–¿Nueva York? ¿Y eso?

–Porque regreso. –Liam mantenía el misterio y la confundía.

–¿Adónde regresas? ¿A Vermont?

Él sonrió y lo negó en silencio. Sasha había comprendido mal.

–No. A Londres.

–¿Por qué?

Entonces Liam supo que tenía que contárselo. Para eso había venido. Comprendió al verla que ya le había causado demasiado dolor. Y aunque todavía le quisiera, las puertas estaban cerradas para él. Lo adivinaba en su cara.

–He dejado a Beth. Al cabo de un mes sabíamos que era imposible, pero de todas maneras lo intentamos por los niños. No ha funcionado. Ahora somos buenos amigos. –Se rió por lo bajo–. Está contenta de haberse librado de mí.

Sasha le observaba atentamente, tratando de asimilar lo que acababa de contarle. De pronto se preguntó si no estaría imaginándoselo todo; su presencia y sus palabras. Tal vez ni siquiera estaba en la playa. Quizá Sasha hubiera evocado su imagen como en un sueño. Como en una alucinación muy verosímil.

–¿Qué acabas de decir?

–He dicho que he terminado con Beth. El divorcio es definitivo. Mañana regreso a Londres. Quería verte antes de marcharme. Como mínimo te debo una disculpa.

Sabía que lo que le había hecho en diciembre era inexcusable. Pero lo había hecho por Beth y por sus hijos. Una excusa pobre, pero entonces le había parecido lo más correcto. Sasha también lo sabía.

–No me debes ninguna disculpa. Hiciste lo que tenías que hacer.

–Y casi acabo contigo.

–Sigo viva. –Se incorporó despacio–. Soy más fuerte de lo que crees.

–No. Eres más fuerte de lo que tú crees. He pensado en ti a diario. Constantemente. –Le tendió la mano y Sasha vio el reloj.

–Y yo –confesó ella–. Bueno, y ahora ¿qué hacemos?

Se sostuvieron la mirada pero sin tocarse. No se habían tocado todavía y tal vez nunca volverían a hacerlo.

–¿Imposible o posible? Depende de ti –planteó Liam en voz baja mientras el viento soplaba cada vez más frío. Se acercó un poco más a Sasha. Casi se rozaban, pero no se tocaban–. ¿Qué opinas?

–Nunca habría dicho que volverías, Liam –repuso ella con tristeza.

Le costaba creerlo y entender las razones que tenía para regresar. La había dejado tan a menudo, Sasha había muerto tantas veces a manos de Liam…

–Ni yo. No creía que pudiera regresar.

Liam quería besarla pero la decisión le correspondía a ella. Él había decidido la última vez. Esta vez le tocaba a ella. Liam respetaría su decisión.

–¿Qué decides? –No quería presionarla pero tenía que saberlo.

–No lo sé. –Sasha permaneció un rato sentada mirando al mar, luego se volvió hacia Liam con una sonrisa–. O tal vez sí. Quizá no importe si es posible o imposible. La vida nos da muchas oportunidades y luego, sin razón aparente, todavía nos ofrece una más. La gente muere, se marcha, regresa. Quizá, si nos amamos, no importa. Y yo te quiero, Liam. Siempre te he querido. Más de lo que imaginaba.

–Y yo. Cuando te dejé creí que me moría pero tenía que hacerlo.

–Lo sé.

Sasha volvió a sonreír y Liam la besó con delicadeza, cauteloso. Fue el roce de una brisa de verano. Liam nunca había olvidado la sensación de besarla y abrazarla. Se había llevado a Sasha con él. Beth lo supo antes que él mismo y, piadosa, lo había mandado de vuelta con Sasha.

Liam la besó de nuevo y la abrazó; ella susurró algo contra su pecho. Más que oírlo, Liam lo sintió, así que la miró y preguntó:

–¿Qué has dicho?

–Posible. –Fue un susurro, pero esta vez Liam lo oyó–. Posible –repitió Sasha. Era lo único que Liam quería oír, lo único para lo que había vivido durante los meses en que habían estado separados. La estrechó todavía con más fuerza y Sasha alzó la vista hacia aquel rostro que ya formaba parte de ella como, de hecho, había sido desde el principio y se rió–. Posible. Esta vez es seguro.

Título de la edición original: *Impossible*
Traducción del inglés: Cruz Rodríguez Juiz,
cedida por Random House Mondadori, S. A.
Diseño: Joan Batallé
Fotografía de la sobrecubierta: AGE FOTOSTOCK

Círculo de Lectores, S. A. (Sociedad Unipersonal)
Travessera de Gràcia, 47-49, 08021 Barcelona
www.circulo.es
1 3 5 7 9 7 0 0 7 8 6 4 2

Este libro ha sido impreso en papel Supersnowbright
suministrado por Hellefoss AS, de Noruega

Depósito legal: B. 31718-2007
Fotocomposición: PACMER, S. A., Barcelona
Impresión y encuadernación: Printer industria gráfica
N. II, Cuatro caminos s/n, 08620 Sant Vicenç dels Horts
Barcelona, 2007. Impreso en España
ISBN 978-84-672-2593-8
N.º 36285